左岸　上

江國香織

集英社文庫

左岸［上］　目次

左岸［上］

1　うったうったうー

1

よく晴れた日だ。缶コーヒーを握りしめているので手のひらはあたたかいが、そのぶん手の甲がつめたく思えた。冬の、午後の半ばのプラットフォーム。茉莉《まり》はその場で足踏みをしてみる。

一体どうして東京なのか、ほんとうのところはよくわからない。知り合いもおるし、東京やったらいつか店持つんにもよか、隆彦《たかひこ》はそう言っていた。行き先は、でもどうでもいいことだった。隆彦がいれば、住む場所なんてどこでもいい。

それに、あたしはもうずっと昔にこの街をでるべきだったのだ。たぶん、十歳のあの日に。

茉莉は考え、青い空を仰ぐ。

一九七八年、二月。

三カ月前に、茉莉は十七歳になった。気の強そうな、くっきりした大きな目とやわらかな頬、低い鼻とぽってりした肉感的な唇を持つ十七歳の少女に。

「寒《さむ》」

声にだして言ってみる。足元には迷彩柄の、すりきれた肩かけ鞄《かばん》。子供が一人入れそうに大きな鞄だ。必要と思われるものを端からつめたら持ち上がらなくなり、中身を選んで減らしたら、極端に減ってしまった。結局のところ、ほんとうに必要なものなんてそんなにはないのだ。

午後三時五十分。どきどきするあまり、随分はやく着いてしまった。茉莉は四時五十八分発の寝台特急「あさかぜ」に乗るために、博多駅のプラットフォームで隆彦を待っている。

「止めたりしないから、いつ発《た》つつもりなのかだけでも教えてちょうだい」

今年の正月に、家出の計画を話すと母親は言った。

「茉莉を止めても無駄なのはわかってるから」

茉莉は無論、貝のように口をかたくつぐんだ。

「ぽてっとしてやらかくて、もともと赤いんやけん口紅つけん方がいい」

と隆彦の言う唇を頑としてひきむすび、

「言わん」

と、言いはった。

日あたりの悪い場所を好む植物がたくさん置かれているために、昼間でもブラインドをおろしっぱなしの薄暗い居間の、古びた緑の長椅子に腰かけて。

「どうしてなの？」

「言わんて約束した」

壁に貼られた死んだ兄のかいた絵を、茉莉はじっとにらんでいた。兄が死んで七年近くになるのに、それは依然としてそこに貼られたままだ。かりかりに乾いた黄色いセロハンテープで。

「約束したのなら仕方がないな」

あきらめとも理解ともつかない口調で、でも悲しいほどやさしい目をして父親が言った。

福岡市南区高宮《たかみや》。茉莉はこの街で生れ、この街で育った。白いペンキの塗られた植木だらけの二階家が、茉莉の知っている唯一の「家」だ。夏には日にあぶられたようなちりちりの向日葵《ひまわり》が咲く。たれさがったラッパみたいなダチュラも。もともと植物だらけの庭だったが、それらの樹や花は兄が死んで以来の母親の生き甲斐《がい》となり、いまや彼女は園芸家として地元のテレビで二十分枠の番組まで持っている。

「見て、ママの爪」

茉莉はよく、心の中で兄に話しかけたものだ。

「あんなに汚れて、きったないのー」

背が高くすらりとして、茶色く染めた髪にパーマをあて、近所の子供たちに「外人」扱いされたかつての母親には、何時間も庭にかがみこんで両手を泥まみれにするなど考えられないことだった。

茉莉の母親は昔から緑色が好きだった。茉莉の家では、居間の長椅子もステレオにかけられた布も、ミシンカヴァーもくすんだ緑色だった。ミシン。窓際に置かれたあの大きな足踏みミシンで、母親はさらに緑色のものを縫った。茉莉の部屋も兄の部屋も、洋間のカーテンはすべて緑色だった。食卓にかけられたクロスはビニールコートのされた安っぽいものだったが、これも緑と白のギンガムチェックだった。おまけに母親はおなじテーブルクロスをもう一枚持っており、小学校の運動会やピクニックのときには、茣《ご》蓙《ざ》の他にそれも持参して敷いた。

「東京もん」「おっぺしゃん」そして「外人の子」。幼いころ、茉莉はまわりの子供たちによくそう言ってからかわれた。どこへいくにも鮮やかなオレンジ色の口紅をさし、胸をはって歩く派手好きな母親は、喜代《きよ》という名前だった。

喜代はまた、ガラス製品が好きだった。

台所の入口には色つきのガラス玉をつないだ暖簾《のれん》をかけていた。どっしりしたクリスタルの灰皿は、父親が煙草《たばこ》を一本喫い終るやいなや喜代が洗いたがるので、たまりかねた父親は紅茶の空き缶を灰皿にし、クリスタルのものは置き物と化した。

喜代は他に、すみれの花をとじこめたガラスのペーパーウェイトと、赤いガラスの砂糖容《い》れを持っていた。

たまに家族でデパートにいくと、喜代は切子ガラスのコップやベネチアングラスの花びんをみて目を輝かせた。しかしそれらは喜代に言わせると、

「高価すぎる上に華奢《きゃしゃ》すぎてとても使えない」

のであり、

「そんなに欲しいなら買えばいいじゃないか」

と父親が言っても、そのきらめく品々は、決して買われることがなかった。

それでいて喜代は、現実的とばかりも言えない女だった。

「次に引越すときは、シャンデリアのある家にしましょう」

自信に満ちた声音《こわね》で、そんなことを言うのだった。

そもそも一体なぜ茉莉がそこで生れ育つことになったのかといえば、有機化学を研究する学者だった父親が、赴任先の九州大学に惚《ほ》れ込んだからだ。父親は大学を終《つい》の研究室と思いさだめ、以来、見事に出世競争からはずれた。

まだ赤ん坊だった長男の惣一郎《そういちろう》をつれ、両親がこの街に移り住んだのは一九五九年の春だった。一年半後に茉莉が生れた。

父親の寺内新《てらうちあらた》はまさに学者肌の男で、ひずみエネルギーやら新規合成中間体やらの研究に没頭すると何日も大学に泊り込んで家に帰らないのだったが、一方ではまた、甚《はなはだ》しい愛妻家でもあった。ピクニックやドライブの好きな妻にせがまれれば、クリーム色のコルトを駆って、浄水通《じょうすいどお》りのつきあたりにある動物園や植物園、那《な》の津《つ》の海岸に家族を連れていった。

日曜日には、子供たちに朝食を食べさせてしまうと、しばしば夫婦で寝室にこもった。そういうときは襖《ふすま》をあけてはいけないと言いきかされてはいたが、茉莉も惣一郎も無論のぞいた。

二人は稀《まれ》に布団の中で動いていたが、たいていは寝間着のままならんで本を読んでいるか、果物など食べながら話をしているか、音楽を聴いているかだった。新はグレン・ミラーを好み、喜代はフランク・シナトラを好んだ。二人とも音楽好きだったので、寺内家には寝室と居間の両方にステレオが置かれていた。

すくなくともあのころは夫婦仲はよかったのだ。茉莉は単なる事実として、でもすこしなつかしく、それを思いだす。

「変っとう」

どういうわけかしょっちゅう遊びに来ていた隣家の少年は、茉莉の家や家族や、食事の習慣やおやつや、両親の趣味や言葉遣いについて、しばしばしみじみそう言った。隣家の少年には父親がいなかった。母親は小柄な、ものやわらかな美しいひとで、喜代はこのひとと仲がよかった。午後になるとお茶に招《よ》んだり招ばれたりし、女同士のたのしげな内緒話をしているのだった。

祖父《そふ》江九《えきゆう》、というのが隣家の少年の名前だった。ややたれ気味の二重の目と、黒いやわらかい髪をした少年で、ジュンペイという名前のカメを飼っていた。

九は茉莉より一カ月早く生れた。小さな身体に似ずエネルギッシュで、やんちゃ坊主だったが茉莉を苛《いじ》めたことはなく、茉莉は、惣一郎と九がいれば安心だった。

惣一郎は、九を弟のようにかわいがっていた。

「あいつにはみどころがある。すごく賢いよ」

茉莉に、そう言った。

「茉莉は？」

いそいで訊《き》くと、惣一郎は船がもやいを解かれたときのようにふわりと表情をやわらげ、

「そりゃ、茉莉も賢いさ」

と、自信を持って断言した。

「でも九は」

惣一郎は続け、言葉を探すように目を細めたあと、

「でも九は、俺たちよりやさしい」

と言った。

「やさしい?!」

茉莉はとびあがった。おにいちゃんよりもやさしい?!　九ちゃんが?

茉莉にはとても承服しかねる意見だった。

あのころ、茉莉の日々にはいつも惣一郎がいた。世界は惣一郎を中心に構成されていた。

茉莉は「おにいちゃん」のいない幼稚園が嫌いだったので、あまり行かなかった。そこには九がいて、おそらくはそのせいで苛められずにすんでいたのだが、毎朝迎えに来る九に、

「九ちゃん一人で行って」

と、茉莉は言った。

「茉莉は行かん」

と。そして、惣一郎が学校から戻るのをひたすら待って半日を過ごした。

そんなふうだったので、茉莉は小学校に入学すると嬉《うれ》しかった。惣一郎と一緒に、毎

日胸をはってでかけた。

しかし、教室は惣一郎と別で、小学校はすこしもおもしろくないばかりか、おさげにしていた髪をひっぱられたり、机に落書きをされたりした。苛められても茉莉は平気だった。「カンケイないもん」と思い、「ばっかみたい」と思っていた。茉莉には「おにいちゃん」がいた。惣一郎は味方だった。きれいで、やさしくて、茉莉には到底理解できない世の中の断片を、いつもきちんとつなぎ合わせてくれた。

茉莉は惣一郎と一緒でなければ登校しなかった。授業が終っても、惣一郎の授業があれば終るまで待った。校庭で地面に絵をかいて待ったり、青虫を足でつぶしながら待ったりした。最後には退屈して踊りながら待った。体育館の裏や、藤棚の下で。

「茉莉ちゃんも、お友達をつくらないかんね」

教師はたびたびそんなことを言い、そのたびに茉莉は、

「いやっ」

と言った。気が向くとわざわざ彼らの言葉で、

「いやっちゃもん」

と言ってみたりした。

茉莉はどこででも踊る子供だった。両手を上にあげ、目をつぶって、出鱈目《でたらめ》な歌にあ

わせて身体を左右に揺らす。だんだん気持ちがよくなって、足踏みを始め、誰もいなければ奇声を発し、しまいにはぴょんぴょん跳ねまわっている。

「茉莉の身体には音楽がつまってるのね」

母親は言い、

「猿みたいだな」

と、父親は言った。

「うったうったうー、うったうったうー、うったうったうー」

踊るときの茉莉の歌はたいていそれで、その単調なリズムに合わせてくねくねと身体をよじりつづけるのだった。

「踊るとき、茉莉はどうして目ぇつぶるの?」

惣一郎に、一度そう訊かれた。

「わかんない。なんとなくつぶっちゃうの」

惣一郎は茉莉にいつもやさしかったが、「わかんない」にだけはひどく厳しかった。

「考えたの? 考えればわかるよ。考えてごらん」

叱《しか》るというより頼むみたいに、膝をかがめて茉莉を下からじっと見て、いっしょうけんめいな口調でそう言うのだった。

「……気持ちがいいから」

なんとかこたえをみつけて口にしても、惣一郎は理解できない顔をしている。

「目をつぶればなんにもみえなくなるから」

茉莉は考え、考えたことを口にする。

「なんにもみえないと、なんにも心配がないから」

惣一郎がにっこり笑い、茉莉はほっとする。自分がなぜ目をつぶるのか、茉莉には依然としてさっぱり「わかんない」のだが、妹がなぜ目をつぶるのか、惣一郎にはこれで「わかった」のだ。大事なのはそれだった。


「ばかやないとか、お前」

おととい、隆彦の部屋で慌《あわただ》しく身体を重ねたあと、随分と怒った口調で隆彦は言った。

「それやったら駆け落ちにならんやろうが」

五枚重ねた札びらで茉莉の頭をたたき、まるで汚らわしいものみたいにその札を畳に放った。

「何で餞別《せんべつ》やらもらったとや」

「でも出発の日はばらしてないよ。行き先も」

「あたりまえやろうが」

頭から湯気をだしそうな勢いだ、と、茉莉は思った。隆彦は怒りっぽい。

「でもお金はあった方がいいじゃん」

お守りに、と言って母親がくれた指輪のことは黙っていた。

「ばかやないとか、お前」

隆彦はくり返し、足音も荒くトイレにいった。

「茉莉、無理についてこんでもよかよ」

トイレから戻ると、隆彦は一転してやさしい口調になって言った。

「学校のこともあるし。俺はもう親に見捨てられとっちゃけんよかけど、お前んちはちがうっちゃろ」

茉莉は首をふり、

「行く」

と言って、隆彦をみつめた。すいこまれそうな目だ、と他人にたびたび言われる大きな目。

「はなればなれとか好《す》かん。何考えとうと？　それにあたしはもうとっくにここを離れてるべきやったんちゃん、話しとっちゃろ」

牛乳もらうけんね、と言って、茉莉は台所にいく。

「他の女のことやったら心配せんでいいったい。俺には茉莉だけやけん」

言いにくそうに、うしろからぼそりと、隆彦が言った。

「なにそれ。うぬぼれとう」

茉莉はこの街をでると決めていた。チョウゼンとでていく、と。


チョウゼンとしていればいい。

小学校に入学した直後、他の子にからかわれるから学校にいきたくない、と打ちあけた茉莉に、惣一郎は言った。二人とも、母親の手製の、奇妙な帽子つきのパジャマを着せられていた。

「これを着るとばかみたいにみえるよ」

茉莉は言ったものだ。第一、寝るときに帽子はじゃまっけだった。惣一郎は何も言わなかった。でも、茉莉の言うとおりだ、と思っていてくれるのが茉莉にはわかった。おにいちゃんはいつも茉莉だけにわかる特別なやり方で、そのことを伝える。

「ばかにつける薬はないんだから、茉莉は超然としていればいいんだ」

チョウゼンとする、は、そのときに聞いた片仮名の響きのまま、それ以来ずっと茉莉の指針になっている。その言葉は、とても超然とした響きを持っていた。意味はわからなくても、響きはわかった。それは光に似ていた。出口みたいに思えた。

惣一郎は、茉莉が靴をかくされれば一緒に捜してくれた。昼休みに茉莉が頭から牛乳をかけられたときには自分の体操着でふいてくれたし、ふいても匂いが残って気持ちが悪く、吐きそうだと言うと、水道で髪をゆすいでくれたあと、吐いちゃえ、と言って口に指を入れてくれた。げえっという音と共に茉莉は咳込《せきこ》んだが吐くことはできず、かわりに涙と洟《はなみず》がでた。授業はもうとっくに始まっていた。誰もいないしずかな校庭と、下駄箱のすぐ外側の水道の、蛇口の一つずつに反射していた日ざしをよく憶えている。

　惣一郎自身もはじめは苛められたらしかった。しかしそれは茉莉に対するそれほど明白なものではなく、すくなくとも茉莉が二年後に学校に入学したときには、兄は周囲からやや孤立した、特別な場所をすでに獲得しているようにみえた。

　たとえば惣一郎と茉莉が一緒にいるときに、調子にのった子供が茉莉をこづいたりすれば、惣一郎は、

「さわるなっ」

と怒鳴った。それは茉莉でさえびくっとするほど乱暴な声だったので、彼らを怖《お》じ気《け》づかせるには十分だった。

　しかし言葉でどんなにからかわれても、惣一郎は怒ってくれなかった。茉莉は、自分のことなら平気だったが、父親を「変人」と言われたり、母親を「外人」と言われたりすると腹が立った。そんなつもりはないのに悔しくて泣きそうになった。それで、

「黙れっ」

と自分で怒鳴ってみるのだが、それは彼らをますます調子づかせる結果になった。

「ほっとくんだ」

惣一郎は茉莉をたしなめた。

「超然としていればいいんだ」

そういうとき、怒ってくれるのは九だった。

「なんや、お前らなんの用ね」

九はたいてい石だの棒きれだのを持ち歩いていて、必要とあらばそれを使った。

「茉莉にかまうんはやめんな」

苛めっ子たちを追い払ったあと、不満を込めて、

「なんで？　なんで惣ちゃんなんも言わんと？」

と言った。茉莉は兄をかばいたくて、

「九ちゃんにはわからんちゃん」

と口をとがらせた。おにいちゃんみたいに、チョウゼンとしたかった。


九の家は静かな家だった。

玄関はひんやりとしていた。骨董《こっとう》らしい壺《つぼ》や油絵が置かれ、大人っぽい気配がした。いつもまるボーロと牛乳のおやつをだされる台所には、どういうわけか、かまきりの標

本が飾ってあった。

九の家も、茉莉の家に劣らず植物だらけだった。でも似ているのはそれだけだった。家の中の空気や匂いはまるで違っていた。

九はどこにでもついて来た。そして、茉莉が思うには、九は惣一郎が気をゆるした、家族以外で唯一の人間だった。

街中が遊び場だった。

坂の上の住宅地は道幅が広く、公園も空き地も植物も多く、いつもおなじ、のんびりした空気だった。

惣一郎と茉莉と九。

風のやわらかい街だった、と茉莉は思う。たとえば丘の上の浄水場の敷地にしのびこむと、そこからは街全体が見渡せた。視界をさえぎるものが何もないので、空の分量に圧倒された。

「飛行機来んかいなあ」

茉莉はよくそこで飛行機を待った。

「そりゃあ来るくさ」

九は言い、惣一郎も微笑《ほほえ》んで同意していたが、茉莉にはそうは思えなかった。たとえば土手すべりに夢中になっているときや、公園でブランコを一回転させようと全力でこいでいるときに、飛行機はたしかに来た。空港が近いので、日に何機か飛んでいくのだ。でもそれは、いま見たい、と思うときには現れなかった。首が疲れるほど上を見上げて——そうすると自然に口が半びらきになってしまうのだったが——じっと待っても、空はただ青く、しずかだった。

低い、でも耳から全身に伝わるみたいなゴウ音と共に、おどろくほど近い場所をまっすぐに進んでいく飛行機の白いおなかを真下から見上げるのが、茉莉は好きだった。乗り物だと理屈では知っていても、あの中にほんとうに人が入っているとは思えなかった。それは独特の「物体」だった。茉莉の生活とは関係のない、ときどきふいに現れる、白い、親しい「物体」だった。

2

小学校までは、子供の足で歩いて十五分の道のりだった。文具と駄菓子を売る店があったり、公園があったり、大きなみかんの木があったりした。学校のすぐ裏には池があった。遠まわりをすれば、しのびこむだけで楽しい個人所有の山もあった。

道のわきを水が流れ、側溝に蓋《ふた》などなかったので、台風がくれば水が溢《あふ》れた。雨の日の側溝には、茉莉を惹《ひ》きつけるものがあった。じっと立って耳をすますと、流れ込む水の音はざばざばともだばだばとも聞こえ、濃いピンク色の長靴をはいた自分の足元に、気前よくきりもなく溢れてくる水を茉莉はいつまでも見ていた。小さかった茉莉は傘を垂直にさすことができず、柄《え》を肩にもたせかけてさした。傘というのはそうやってさすものだと思っていたし、木綿製なので濡れると持ち重りのするその傘を打つ水の感触は、手ではなく肩や頭で受けとめた。

「すい込まれちゃうぞ」

やがて、惣一郎にそうたしなめられる。事実側溝から溢れた水に流されて、溺《おぼ》れた子供もいたらしい。

「もうちょっと」

茉莉はねばった。行き先も、その先に待つものも知らないくせに、水はひたすら勢いよく流れでてくる。まるでずっと待っていたように。外にでられることが嬉しくてたまらないみたいに。

側溝の横に立ち、いつまでも水を眺めていた茉莉のうしろで、惣一郎もまたいつまでも、辛抱づよく待っていてくれた。

小学校の周りには、いくつもの空き地があった。空き地には丈高い雑草が茂り、一足ごとに腿上《ももあ》げになってしまうような、滑稽《こっけい》な歩き方を強いられた。そうやって歩くと、茉莉はどうしても惣一郎や九に遅れをとった。彼らに遅れをとることは、茉莉には我慢のならないことだった。置いてきぼりにされる不安と、惣一郎を九にとられたような憤慨と。

葉の裏には虫がついていたし、細く鋭い葉は皮膚をひっかいた。雨でもないのにぬかるんだ場所もあり、ふいにぐちゃりと靴が沈んだ。空き地には他に誰もいないのに、二人はどんどん先にいってしまう。彼らの目的はそのときどきで、落ちている釘《くぎ》や機械部品を拾うことであったり、かまきりの卵や蛇を探すことであったり、九の飼っているカメのジュンペイを「散歩」させることであったりしたのだが、茉莉にはその目的は、たいてい教えてもらえなかった。

泣くわけにはいかなかった。泣けば、自分を足手まといだと認めることになる。それで茉莉は奇声を発した。置いていかれる不安と、上手《うま》く歩けない苛立《いらだ》ちと、惣一郎をとりもどしたい一心で。

叫び始めると、声は自分の手に負えなかった。かん高くすさまじい叫び声になり、とても目をあけていられない。それで茉莉は目をつぶり、血管という血管が切れそうな勢いで、渾身《こんしん》の力を込めて叫んだ。というより、全身が声と化した。やがて、声は茉莉の外側でこだまし、誰か他の人の声のように思える。そうなると、自分の意思ではもう止められないのだった。

きゃあああああっ。あーーーっ。あーーーっ。あああああーーーっ。

惣一郎と九が駆けつけてくれても、茉莉は叫び止《や》むことができない。九が何か言ってなだめようとしても、茉莉の声の大きさに処しかねて耳をふさいでも、茉莉は叫びつづけた。惣一郎が茉莉の肩を揺さぶり、腕や足や髪や背中や、つまり茉莉の身体じゅうをそっと叩《たた》くまで、かん高い声は空に向って発せられつづけた。全身で声になっている茉莉に、まだちゃんと頭や顔や首や手や足があることを、惣一郎はそうやって思いださせるのだった。


惣一郎はよく熱をだした。それも四十度とか四十二度とかの高熱だった。咳も頭痛も伴わない発熱で、新は「身体の成長の一環」とみなしたが、喜代はそれを、「惣一郎が特別に頭のいいしるし」だと思っていた。身体ではなく脳が成長しすぎて熱をだすのだ、と。

茉莉はめったに熱をださなかったので、兄の発熱については母親の意見が正しいように思えた。身体なら自分だって成長している。

惣一郎自身は、それについて何も言わなかった。ただ、食事を拒否するので熱を測られ、ベッドにおしこまれてしまうのだった。熱が下がるまで、茉莉は惣一郎の部屋に入れてもらえない。

惣一郎が学校を休むと、茉莉も学校を休んだ。おにいちゃんのいない学校になど、何の用もないからだ。喜代は小言を言った。新は、行きたくなければ行かなくていい、と言った。いずれにしても、茉莉は聞く耳を持たなかった。

とはいえ、惣一郎の姿の見えない家の中は暗く、よそよそしく、物淋《ものさび》しかった。テレビをつけても大人向きの番組ばかりで、家の中のすべてが茉莉をのけ者にし、茉莉のずる休みを責めているように感じた。喜代は兄にかかりきりだった。

茉莉は半ば家出のような心持ちで、一時間もかけて街まで歩いた。午後の街は賑《にぎ》やかで平和で、人も車も、バスも電車も、みんな忙しげに動いていた。柳橋連合市場《やなぎばしれんごういちば》は、よく喜代と来るので勝手のわかった場所だった。香ばしい匂いをたてて茶葉を煎《い》っているお茶屋や、新鮮な青物が山のように積まれている八百屋、おどろくべき豊かさで、見飽きない魚屋。

茉莉は魚屋が好きだった。威勢のいい声をききながら、店の人の濡れたゴム長が、きびきび動くのを見ていた。一匹ずつの魚の顔を、たしかめるみたいにしげしげと眺めた。ぎっしりのスズメダイ、マダイ、アラ、蛇みたいに長い太刀魚《たちうお》、まさに小箱形のハコフグ。

「あら茉莉ちゃん、どうしたと？」

市場を散策していると、顔見知りの大人に声をかけられた。

「学校はないと?」

茉莉はいっぱしに世間話をしているつもりで、

「お休みしたと。おにいちゃんが熱だしたけん」

と、彼らの言葉でこたえた。

「あらそれは心配やねえ」

と言われたり、

「それでおつかいね? えらかねえ」

と言われたり、

「気をつけて帰りんしゃいね」

と言われたりする。

そこは、高台の住宅地とは別の世界だった。外界であり、都会であり、茉莉の知っている唯一の「世の中」なのだった。

市場からさらに歩くと、小さな神社があった。細い路地に赤い柱がならび、鳥居があって、その鳥居の奥、路地の片側に、横向きに社殿があるのだった。ビルとビルにはさまれた、晴れた日でもまるで日のあたらない、秘密めいた場所だった。

そこまで来るとさすがに疲れ、茉莉はその場にしゃがんで休んだ。そこは、夏でもひんやりとしていた。台所から持ちだして、スカートのポケットに入れておいたおやつを食べた。両手を広げ、片足で立つだけの「試練」遊びをしたり、ぼんやり空を見ていたりした。

空はいつもそこにあった。茉莉の上に、そして世界の上に。

赤い柱のならぶその路地は、踊るのにもまたうってつけの場所だった。

「うったうったうー、うったうったうー、うったうったうー」

両手を頭上に上げ、目をとじて息がきれるまで跳ねまわっていると、自分がいま一人ぼっちであることも、兄が病気で寝ていることも、母親が茉莉の不在に気づいて心配しているかもしれないことも、していないかもしれないことも、忘れてしまえた。

惣一郎の熱はすぐに下がり、熱さえ下がれば本人はいつもけろりとしていた。しかし茉莉には、全然別なとき——いつものように九と三人でおもてで遊んでいるときや、夜、惣一郎の部屋の窓から二人で星をみているときなど——に、兄が発熱しているようにみえることがあった。もともと大人びた顔つきの惣一郎は、相手を見透かすような強い目の持ち主で、普段は涼しいその目元が、発熱するとぽってりとうるんで、常にも増して強いまなざしになる。

「おにいちゃん、熱があるんじゃない?」

茉莉がおずおずと尋ねると、惣一郎はにやりとした。それから茉莉を見据え、重大な

ことを打ちあけるみたいな口調で、

「人間はみんな発熱しているんだ」

と、言った。

「たまたまそれが高い温度になったって、そんなのどうってことないんだ。わかるだろ」

惣一郎の言葉には、いつも圧倒的な真実があった。それは説得力などというものではなく、真実そのものだった。それで茉莉はうなずいた。神妙に、おもおもしく。惣一郎は微笑んで、

「それよりずっと恐いのは、熱がなくなることなんだ、ほんとは」

と、また重大めかせてつけたすのだった。


家の中で、茉莉と惣一郎はそれぞれ自分の部屋を与えられていたが、茉莉は惣一郎の部屋でばかり遊んだ。散らかり放題の茉莉の部屋とは違って、惣一郎の部屋はいつもきちんと片づいていた。

惣一郎は読書家だった。おもてを駆けまわっていないときには、たいてい部屋の中で本を読んでいた。『きかんしゃやえもん』や『泣いた赤鬼』、『赤いろうそくと人魚』といった絵本はぼろぼろになっていた。喜代の買い与える名作の類——偉人の伝記や動物

誌、植物誌――を端から読破して、十歳になるころには両親の書棚から本を選んだ。茉莉の記憶にある限り、彼のもっとも愛した書物は、『ギリシャ神話』と『ふらんす小咄《こばなし》大全《たいぜん》』だった。


「いっしょに寝てもいい？」

茉莉が言えば、惣一郎は拒まなかった。

「手つないで寝てもいい？」

「顔くっつけてもいい？」

茉莉はねだり、そのたびに惣一郎は、

「いいよ」

とこたえた。

「左側だけ貸してやる。右側には手をだすなよ」

と言うこともあった。

茉莉は惣一郎の左側にかじりつき、頬と肩のあいだの空間に顔を押し込んで眠った。目をあけると焦点を結べないほどの近さで、惣一郎の白い頬が見えた。

仰向けに寝た惣一郎はときどき、横向きにまるまってくっついている茉莉の、膝のあいだに片足を入れた。そして、

「茉莉はちびだな」

と、言ったりした。二人はそのままの姿勢でじっとしていた。たいてい惣一郎の方が先に眠った。茉莉は惣一郎の規則正しい寝息をききながら、この世の誰よりもおにいちゃんが好きだ、と思った。おにいちゃんは茉莉が守る、と。

茉莉は息をつめて手をのばし、兄が目をさまさないよう細心の注意を払って彼の耳に触れてみた。茉莉は、兄の耳をきれいだと思った。「耳」という言葉から想像し得る、およそありとあらゆる耳の中で、惣一郎の耳くらい完璧《かんぺき》なかたちの、つつましく清潔な耳を茉莉は他に知らない。手を触れると存外に硬く、一定の温かさを保っており、それ自体が独立した生命を持っているように思えた。たとえば夜の海にいる生き物みたいに大人っぽい、孤独な。

眠っている惣一郎は、風呂上がりならば石鹼《せっけん》の匂いがした。そうでないときは、バターミルクと草のまざったような匂いがした。

喜代は料理好きな女だった。きゃべつの葉のあいだに挽肉をつめ、丸ごと煮たロールキャベツや、ランプ肉にたこ糸をまきつけ、玉ねぎと共に蒸し焼きにするローストビーフといった、当時としては目新しいものを好んで作った。そういうものを作れる母親が、茉莉は自慢だった。母親のほっそりした顔立ちやながい指が、兄にばかり遺伝したらしいことが残念でならなかった。

夕食は台所のテーブルで、家族揃《そろ》って摂《と》るきまりになっていた。新が研究に没頭しているようなときでも、喜代は食事をしに帰ることを要求した。新はポンコツの愛車で大学から戻り、食事をして、また大学に戻っていった。

料理好きであると同時に、喜代はまた外食好きな女でもあった。新の研究が一段落したとみるや、平日でも構わず一家で街にくりだした。天神《てんじん》の中華料理屋や、中洲《なかす》の水炊き屋なんかに。

そういう場所では、喜代も新も酒をのんだ。子供たちものむことを許されていたが、茉莉は一度舐《な》めてみて、

「いっちょんおいしくない」

と思ったし、惣一郎ものまなかった。茉莉のように舐めてみることさえしなかった。そして、両親がしばしば外食に「招待」する祖父江九だけが、

「のんでみちゃあたい」

と果敢《かかん》に宣言し、ビールでもワインでも日本酒でも、コップに数センチばかり注がれたものを、のみ干したあとで顔をしかめた。

「いいのみっぷりだわ」

たのしそうに喜代は言い、

「頼もしい」
と、新も誉《ほ》めた。人生のこの時期、両親は九をもう一人の息子のようにかわいがっていた、と、茉莉は思う。

祖父江家の複雑な事情を、幼い茉莉は知らされていなかった。ただ、九ちゃんの家にははじめからお父さんの姿がなく、お母さんが働きにでるようになってから、九ちゃんはおじいちゃんとおばあちゃんの家――それは小学校の敷地内にあったのだが――にあずけられてしまった、という現実があるだけだった。

寺内家の外食に「招待」されるとき、九はいつも七五三なみの盛装をしていた。それは喜代に言わせると、「そのへんの店では決して手に入らない、上等な舶来の生地でつくったスーツ」だった。

やんちゃなのにときどき横顔に陰のさす、まるボーロと牛乳が大好きなくせに舶来生地のスーツを着て酒をのんだりするこの隣家の少年は、茉莉にとって奇妙な、ときにどう対処していいのかわからない存在だった。割れたあごだけは独特で恰好《かっこう》いいと思っていたけれども。

日曜日の午前中、茉莉はしばしば惣一郎と二人きりで過ごした。両親が寝室に閉じ込もってしまうからだが、それは茉莉にとって至福の時間だった。

日曜日、惣一郎は茉莉には想像もつかないことを、次々に思いつく。「虫の強度」を調べるとか、ラジオの構造を調べるとか、台所で「アメリカンドッグ」を作るとか。小麦粉を溶いて砂糖をまぜた衣をソーセージにつけて、油で揚げる「アメリカンドッグ」に、惣一郎はしばらく凝《こ》っていた。ぶ厚く均等につくように、衣の濃度に注意が要《い》った。また、油の中で衣がひろがってしまわないように、惣一郎は割り箸で「枠」を作り、ソーセージを固定する方法もあみだした。しかし、結局のところソーセージを縦に沈められるくらい深い鍋がないと、夏の日のプールサイドで売っているようなものはできないことが判明し、それ以降作るのをやめてしまった。

惣一郎はまた、茉莉のために糸電話を作ってくれた。

「用があるときはこれで呼ぶんだ。どこで何をしていても、茉莉に呼ばれたらすぐに行くから」

惣一郎は決して嘘《うそ》をつかなかった。茉莉が糸電話を持って近くまで駆けより、糸をぴんと張って、

「用事があるからすぐに来て」

と小さな紙コップの中にささやくと、笑いながらついてきてくれた。

惣一郎は手先の器用な子供だった。鉛筆を彫刻刀で切り刻み、「鉛筆自動車」を作ってくれた。それは車体もタイヤも鉛筆でできており、左右のタイヤを連結させる横棒は、

鉛筆の芯でできていた。完成すればちゃんと走った。作るのには時間がかかったが、その手作業のひとつひとつを、茉莉は神々《こうごう》しいものみたいに見守った。

「昼でも星はでてるんだ」

星の好きだった惣一郎は、ある日そんなふうに言った。

「ただ、太陽の光が強すぎるから見えないだけなんだ」

それで、窓に黒いセロファンを貼った。セロファンを買うのに茉莉も出資し、

「まだだめだ。まだ太陽が強すぎる」

と惣一郎の言うままに、セロファンの上から黒い絵具を重ねて塗った。

星は見えなかった。あやしげな黒い窓と、惣一郎の背中とを、茉莉はかわるがわる見ていた。

「茉莉の像をつくろう」

惣一郎はまた、そんなことも思いついた。庭の土を掘り返し、たらいに入れて水で捏《こ》ね――この作業は、茉莉も助手として手伝った。土がつやつやになるまで捏ねるように言われ、力が要ったが、おもしろかった――、惣一郎は茉莉を裸にさせ、その泥を全身にべったりと塗りつけた。

泥はつめたかった。惣一郎の手のひらが肌に触れ、はじめのうちはくすぐったかったが、いったん泥に包まれてしまえば平気だった。

「動かないで」

惣一郎は言い、可笑《おか》しいほどの熱心さで茉莉に泥を重ね続けた。

「墨汁みたいな匂い」

茉莉は目をとじてそれを味わった。土の匂いと、惣一郎の手のひらの感触を。

「よし」

しまいに、惣一郎は言った。

「あとはお日さまが乾かしてくれる。茉莉はそこにじっと立っているんだ」

膝を落とし、茉莉とおなじ高さで目を合わせ、やさしい口調でそう言った。

「うん」

茉莉はじっとしていた。像になると思うと、期待に胸がふくらんだ。

惣一郎は茉莉のために、台所からおやつを持ってきてくれた。

「動いちゃだめだよ」

惣一郎は言い、緊張して立っている茉莉の唇のあいだに、ぼそぼそのビスケットを滑り込ませた。

しばらくして庭にでてきた喜代は、びっくりして茉莉を見て、それから笑った。ひとしきり笑ったあとで新を呼んだ。

「なにしてるんだ？」

新は言い、そのあとでやはり笑った。

惣一郎は笑わなかった。真面目な顔で立っていた。茉莉は、自分も笑うまいと決めた。

「さあ、中に入って」

喜代が言った。

「風邪《かぜ》をひいちゃうわ」

茉莉は頑として動かなかった。喜代と新がなだめても叱っても、茉莉は返事をしなかった。だって像だもん。おにいちゃんが茉莉の像をつくってくれてるんだもん。そう思っていた。

日曜日。

それは茉莉にとって、自分だけの惣一郎が出現する日だった。普段は気むずかしく大人びた兄の、子供じみた熱意と実験に立ちあえる日なのだった。

3

小学校の校庭には、竹でできたのぼり棒があった。茉莉はそれにのぼることができなかった。手も足も力いっぱいにしがみついてみるのだが、最初の位置にとどまっているのが精一杯で、ほとんど一ミリものぼれない。じっとしているだけでも力が要った。

「なんしようと？」

苦もなく棒をのぼりながら、九は不思議そうに声をかけた。セミのように棒の下の方にくっついたままの茉莉は、声をだせば力が抜けて下に落ちそうな気がするので、返事もできないのだった。

惣一郎と九はたちまちてっぺんに着く。

「気持ちよかねぇ」

「空が青かぁ」

はるか上から聞こえてくるように思える二人の声を耳にするたびに、茉莉はくやしくて唇をかんだ。目をぎゅっとつぶると涙がにじむこともあった。

「腕をそげんからませるけんいかんったい」

ときどき九は助言をしてくれたが、腕をからませなければ滑り落ちてしまうので、茉莉は、役に立たない助言をする九に腹が立った。

「なんで茉莉はのぼれんっちゃろう」

九が惣一郎に尋ねる声も聞こえた。茉莉は耳を澄ませたが、惣一郎は、

「なんでやろうね」

とか、

「わからん」

とか、そっけなく言うだけだった。

やがて力尽きて茉莉は落ちる。落ちるといっても、もともといちばん下にいるのだ。ふにゃりとした脱力感と共に着地するにすぎない。力みすぎて顔が熱く、手足はこわばって、しばらく身体に力が入らない。

見上げると、九と惣一郎の下半身だけが見えた。二人は茉莉抜きの会話をし、茉莉抜きで笑っている。

「ねえ」

茉莉の呼びかけは、どういうわけか小さな声になった。

「ねえってば」

つい頬がふくらむ。不本意だったが、じゃまをしてはいけないような気持ちもあった。九といるときの兄は、ほかのいつにもまして楽しそうに、寛《くつろ》いでいるように見えるからだ。

茉莉は九がうらやましくてならなかった。あんなふうに空に近い場所で、惣一郎と二人きりで話せるなんて。

その日のそこからの眺めを、二人だけが見るなんて。

コンクリートの仕切りとその向うの草や木、足元の白っぽい砂と、すぐ横のジャングルジム。茉莉に見える景色はそれだけだというのに。

そういうことのあった日、茉莉は夜まで機嫌が悪かった。のぼり棒にのぼれないくやしさと、その結果惣一郎や九とてっぺんを共有しそこなった淋しさが、頭も胸も占めてしまい、そうなると茉莉はしばしば夕食も残した。

「どうして食べないの？」

喜代に尋ねられても、

「食べたくないから」

としかこたえられなかった。

「具合が悪いの？」

喜代がつめたい手のひらを茉莉の額にあてがうと、茉莉はうるさそうに頭を振って払いのける。喜代はため息をつく。

「どうしてときどき反抗的になるの？　困った子ね。なにか言いたいことがあるんなら、ちゃんとおっしゃい」

言いたいことなどなかった。それで黙っていると、喜代は苛立たしげに眉根を寄せた。

「強情っぱりなんだから」

この子は何を考えているんだかわからない。

茉莉は喜代に、たびたびそう言われることになるのだが、このころにはすでに、その兆候が見えていた。

「ごちそうさま。茉莉、おいで」

食事がすむと、惣一郎はそう言って茉莉を救いだしてくれた。

「宿題をみてあげるから」

とか、

「ラジオを聴こう」

とか言って。一緒に宿題をしたためしはなかったが、ラジオはときどきほんとうに聴いた。惣一郎の部屋のベッドにぺたりと坐《すわ》り、茉莉は気に入りの犬のぬいぐるみを抱えて。惣一郎は極東放送のつづきもののドラマを好んだ。英語はわからなくても、ドアがきしみながら開いたり女が悲鳴を上げたりする、おそろしげな効果音をおもしろがった。

「どうなったの?」

茉莉にとって、それは途方もなく恐い番組だった。途方もなく恐い、でも惣一郎のそばで聴けば勿論《もちろん》ひどくわくわくする——。

「誰の足音?」

息をひそめ、耳を傾けながら茉莉は尋ねる。

「逃げられる? どっちへ走ってるの? ひゃあ、猫をけとばしたの? 恐いよ。いまの何の音? おにいちゃんこっちに来て」

すばらしくどきどきした。惣一郎の腕に顔を埋め、心臓が跳ねるのをこらえながら、茉莉はラジオから流れてくる音の一つ一つに意識を集中する。雨の音や風の音、くぐもった笑い声、そしてガラスの割れる音——。

「ああ、恐かった」

番組が終り、コマーシャルが流れると心からほっとして茉莉は言う。

「おもしろかったねえ」

と。そして、自分がもう機嫌を直してしまっていることに気づくのだった。

惣一郎について、茉莉が不思議に思うことの一つは言葉だった。惣一郎は家族に対して決して博多弁を使わない。茉莉にとって惣一郎はすべての物事の基準だったから、その彼の使う標準語——新と喜代が死ぬまで頑《かたく》なに使い続けた言葉でもあるのだが——が、「普通の言葉」だった。幼稚園に通うようになり、まわりじゅうが博多弁という環境に置かれると、茉莉はからずもその言葉を憶えた。ふいに口をついてでることもあり、そのたびに茉莉は困惑した。家族の中で、自分だけが異分子であるような気がして。

ところが小学校に入学してみると、そこには全然別な惣一郎がいた。口の悪い男の子たちに混ざって、博多弁を駆使して特別な場所に君臨する惣一郎がいた。それは、家族の中にいるときの惣一郎とは別な少年だった。茉莉の知らない場所でミイラごっこをしていたり、他の子供を殴って教師に叱られたりしていた。

惣一郎が武市《たけいち》という名の少年を殴りつけたときのことは、茉莉もよく憶えている。武市は苛めっ子だった。茉莉ばかりか九のことも苛めた。

放課後の廊下で惣一郎が武市と「対決」している、と男の子たちが騒ぐのを、茉莉は体育倉庫の前で聞いた。そこで一人で踊っていたのだ。慌てて駆けつけると、うずくまった武市が教師に助け起こされるところで、惣一郎は拳《こぶし》を固く握りしめたまま、まだ全身から怒りを発散させて立っていた。

「おにいちゃんっ」

茉莉が呼んでも聞こえないようだった。心配でどきどきし、茉莉は喧嘩《けんか》を見てさえいないのに足が震えた。気がつくと惣一郎に抱きついてべそをかいていた。惣一郎は茉莉に言葉をかけることもせず、口をひき結んだまま、発熱したみたいな顔で、武市を睨《にら》み据えていた。

おにいちゃんはすごく怒っている。

茉莉にわかったのはそれだけだった。

「九ちゃんはお前の言うような汚い男じゃなか」

殴りつける前に、惣一郎が武市にそう言った、と茉莉が知るのはそのあとのことだ。母親が女手一つで育てていた九は、小学校に住み込みで働く祖父母と暮しているのだったが、父親がやくざだとか、人を殺したとか殺さないとか、不穏な噂《うわさ》がいろいろ流れていた。惣一郎が茉莉ではなく九のために闘った、という事実は、茉莉をすこし憤慨させせた。それでも、九はたしかにいい子だったし、茉莉が苛められれば助けてもくれるので、まあいいか、と思うことにした。そして、九ちゃんをおにいちゃんが守るなら、おにいちゃんは茉莉が守る、と、また決心するのだった。

惣一郎と茉莉と九。あのころ、三人はいつも一緒だった。学校が終れば丘の上の浄水場の敷地に集って、草の上に寝そべって空を見た。

「飛行機来んかいなあ」

茉莉が言えば、

「そりゃあ来るくさ」

と、九がこたえた。日中存分に日にあたためられた草は、夕方になってもむっとする匂いを放っていた。

目を上げれば、そこにはテレビ塔が見えた。オレンジと白のしましまで、無駄のない細さで空に聳《そび》えるそのテレビ塔は、いつもそこにあった。学校でいいことがあった日も、いやなことがあった日も。それは子供たちにとって、灯台みたいなものだった。あそこまで歩けば鞄を投げだして遊ぶことができる。そう思いながら坂をのぼった。

子供たちには子供たちの事情があった。それは無論一人ずつ違っていて、あの武市にさえ、両親の離婚だとか母親の再婚だとか、新しい家の子供たちが「中坊《ちゅうぼう》」で肩身が狭いとか、茉莉には想像もできない事情があるという話だった。

茉莉には両親も兄もいたが、それでも、一日一日を生き延びるのに精一杯だった。惣一郎と九に遅れをとるまいとし、苛めっ子にからかわれても「チョウゼン」とし、喜代に叱られても「カンケイないもん」と思い、のぼり棒にしがみつき、クラスの女の子たちに「変っとう」と言われても一人で踊ってみせる、それだけで日々くたくたになった。

拾ったダンボールをつぶし、それにのって斜面を滑り降りる「土手すべり」は、男の子の遊びだったが茉莉も仲間に入った。のぼり棒と違い、これは得意だった。熱中して何度も滑り降りるうちに、手も足も顔も泥だらけになった。

土手すべりをするとき、茉莉はよく声をたてて笑った。滑っているあいだは恐怖で声もでないのだが、下につくと身体から笑いが込みあげてくる。そして、すぐにまた滑りたくなるのだった。

斜面がひどく急なので、この土手すべりはのちに禁止され、浄水場の敷地そのものが立入禁止になるのだが、それは茉莉が高校に上がるころのことだ。当時、子供たちはまだみんな、この「勇気だめし」を楽しんでいた。

はじめてのとき、目の前の斜面にすくんで動けずにいた茉莉に、惣一郎が、

「やりたくなかったら、無理にやらなくていいんだよ」

と、言った。

「茉莉は見ておいで」

と。

「やりたいもん。やりたいから、やるんだもん」

茉莉は言い張ったが、実際にダンボールにしゃがみかけると、それだけで鳥肌が立ち、指先がぞわぞわして、動悸《どうき》もした。いそいでまた立ち上がり、ダンボールを持って、立ちつくす。

「やるんだけど、心の準備がまだできない」

言い訳ともつかず茉莉がつぶやくと、惣一郎はひっそりと笑った。

「でもね、物事には準備する時間は与えられてないいんだ」

それだけ言って、茉莉をそこに残し、一人で土手を滑り降りてしまった。

物事には、準備する時間は与えられてない。

その後の人生で、茉莉はたびたびそれを思い知らされ、そのたびにこのときの兄の言葉を思いだすのだが、いまはそれどころではない。

茉莉は憤然とぼろダンボールにまたがり、前の方をつかんでいる。もうどうなってもいい、というくらいの心持ちで地面につっぱっていた足の力を抜く。たちまちそっくり返って空が見えて、びっくりしているまもなく滑り落ちてしまった。

「いいぞ、茉莉」

土手の下でぽかんとしている茉莉に、惣一郎が言った。

「もう一回、やる」

ふらつきながら立ち上がり、興奮に目を見ひらいて、つきあげる歓喜にくすくす笑いをもらしながら、茉莉は斜面をまたよじのぼった。

あの場所の、草の匂いと空気のやさしいかわきぐあいを、茉莉は身体で憶えている。


日曜日。惣一郎を独占できる日だと思うせいで、茉莉はいつも早朝に目をさましてしまった。きょうは何をして遊べるんだろう。期待に胸がふくらみ、もう眠ることはできない。それで茉莉はごそごそと起きだして、犬のぬいぐるみに話しかけたり、喜代の鏡台から持ちだした口紅を塗ってみたりしながら、惣一郎の起きるのを待った。

待ちきれず、起こしにいくこともあった。惣一郎の部屋にしのび足で入り、ベッドによじのぼって寝顔を眺める。惣一郎はたいてい喜代の手製の帽子をかぶって寝ており、寝顔はあどけなくみえた。

「おにいちゃん、起きて」

もう朝だよ、とか、おなかがすいたからアメリカンドッグを作って、とか言ってみるのだが、惣一郎は眠りが深く、起きなかった。壁に貼られた世界地図、枕元に置かれた読みかけの本。部屋の中は薄暗く、しずかだ。

仕方なく茉莉は階下におり、所在なく台所にいく。台所にいっても、ガスの火に触ることは惣一郎にだけ許され、茉莉には許されていなかったので、アメリカンドッグはおろか、紅茶のための湯を沸かすこともできない。たった二歳違いだというのに、茉莉は無力だった。

台所から庭にでる。物干《ものほ》し竿《ざお》があり、階段状の植木鉢置きにはぎっしりの鉢植えがならび、如露《ジョロ》だの空き壜《びん》だのの転がった庭に。わざわざ玄関にまわることはしなかったので、そういうとき、茉莉はきまって裸足《はだし》だった。裸足で踏む土の感触が好きだった。

早朝の庭は、どこもかしこもしっとりと濡れている。夜があけたばかりの、まだ誰もすっていないうすあかるい空気を、茉莉はすいこむ。大きな葉っぱのそこかしこを這《は》う小さなかたつむりをみつけ、指でつまんで観察した。ほとんどの花は、つぼみを固く閉じてしまっている。茉莉はしゃがんで、閉じた花びらの匂いをかぐ。どの花もつめたい匂いがした。

「うったうったうー、うったうったうー、うったうったうー」

時間が早いのでさすがに遠慮して、小声で歌いながら踊った。すると、庭は茉莉の味方だった。植物も如露も空き壜も、みんな茉莉を見ているように思えた。無言で、でも好意的に。

そうやって踊っていて、ふいにべつの視線を感じることがあった。視線はまっすぐで容赦がなく、茉莉はすぐに動きを止める。隣家の二階の窓辺に、九が立っているのだった。

おはよう、と、どうしてだか茉莉は言うことができない。ただ黙って、九を睨みつける。九の方でも何も言わなかった。黙って茉莉をみつめ、やがてふいに奥へひっこんでしまうのが常だった。

小さな、心細げな九の姿が、茉莉の記憶にやきついている。

「九ちゃんのパパってやくざなの？」

一度、惣一郎に尋ねたことがある。秋の夕方で、茉莉と惣一郎は庭にでていた。

「やくざで、悪いことをして、それでお隣んちは九ちゃんと九ちゃんのママの二人きりなの？」

学校で、みんながそう言っていた。おにいちゃんは、たぶんそれと何か関係のあることで、武市《たけい》っちゃんを殴った。

「茉莉はどう思う？」

しずかな、穏やかな口調で惣一郎に問い返された。

「九のパパが、悪い人だと思うか？」

庭は日がほとんど暮れかかり、蚊だの赤とんぼだのがとんでいた。

「わかんない」

茉莉は目を伏せた。喜代のサンダルをつっかけた、ちっぽけな自分の足を見る。

「でもみんなそう言っとる」

「考えてごらん」

　惣一郎は微笑んで言った。

「考えれば、ちゃんとわかるから」

　萩《はぎ》が、あかい細かい花をつけて揺れていた。みそはぎや弁慶草、足下で黄色く咲くかわいらしい小車《おぐるま》も。

　外国産の珍しい植物が咲き誇る祖父江家の庭に比べ、寺内家の庭は素朴だった。喜代は園芸好きではあったが、まだ本格的に庭作りにとり組む前で、雑草もぼうぼうとはびこり、手入れを怠って枯らしてしまう鉢植えもたくさんあった。

「九の血が半分その人の血なら」

　惣一郎は萩の枝の先を折った。夕闇の中で、その細い枝をくるくるとひねる。

「その人はきっとやさしい人だと思う」

　それから茉莉に向きなおり、

「そう思わんね」

　と、博多弁で言った。二人きりのときに惣一郎が使った、はじめての博多弁だった。

　夕食の仕度の整った匂いが、台所からゆるく流れていた。

寺内家では、夕食のあとに必ずデザートを食べる習慣になっていた。デザートは果物であることが多かったが、喜代の手作りのプリンやゼリーのこともあった。新は、デザートのことを「デーちゃん」と言った。

「きょうのデーちゃんは何かな」

とか、

「お、うまそうなデーちゃんだな」

とか。その言葉の響きがおもしろく、茉莉もよく真似をしてそう言った。

「ママ早くデーちゃんをだして」

と。喜代はきまって顔をしかめた。そういう言葉遣いはお行儀がよくない、と、新に文句を言った。新は首をすくめ、

「すまん」

と詫《わ》びるのだが、翌日にはまた性懲《しょうこ》りもなく、

「きょうのデーちゃんは何かな」

と、言うのだった。

新には、どこか滑稽なところがあった。誠実だが不器用で、まじめだが滑稽で、しかも物悲しかった。

喜代はそれを学問のせいにしていた。

「学者っていうのは現実にそぐわない生き物だから」

たとえば九の母親の祖父江七《なな》に、垣根ごしにそんなふうにこぼした。事実、新は研究に没頭すると、何日も大学に泊り込んで家を空けた。喜代の要求で夕食には戻ってくるものの、上《うわ》の空で、何も喋《しゃべ》らず、そういうときは「デーちゃん」にも興味を示さなかった。

喜代は、研究者としての新を誇りに思ってはいたが、大学そのものは嫌っていた。

茉莉は思うのだが、あのころ喜代のそばに祖父江七がいたことは、喜代にとって、幸運なことだった。小柄で朗《ほが》らかな祖父江七は、喜代の不平をころころと笑いとばし、ときにはやんわりと我儘《わがまま》をたしなめ、互いにお茶に招んだり招ばれたりして、女同士の時間を分け合ってくれた。東京で生れ育ち、新と共に福岡に移り住んだ喜代にとって、七は唯一の友人だった。

大学は、しかし茉莉にとって、気に入りの遊び場だった。新は車で通勤していたので、学校に行きたくない日や、夏休みなのに惣一郎を九にとられた——と茉莉の思う——日、茉莉は新の車に乗って、大学に遊びに行った。

大学は小学校よりもずっと素敵だ、と、茉莉は思っていた。赤レンガに蔦《つた》のからまる校舎の外観は重厚で、道路とキャンパスとを隔てる柵の支柱も、赤レンガでできていた。銀杏《いちょう》あり、やしの木ありの校内は広大で、歩いているうちにすぐ迷子になった。

そして、何といっても、あの建物。歴史のある大学の中でもひときわ古いと思われる、あの灰色の石造りの建物が、茉莉は大好きだった。壁面の上部に、白とブルーの、クラシックなタイルの装飾が施されていた。暖房用らしい何本もの煙突がつきだし、自転車置き場と化した薄暗いエントランスは天井全部にパイプが走り、そこに網状のおおいが張られている。エントランスを挟んで左右に小さな研究室のならぶその建物は、ともかく不気味だった。すみに蜘蛛《くも》の巣のはった、声も足音も反響するエントランスを抜けると中庭があり、茉莉は何時間でもそこで遊べた。中庭といってもそこには日もあたらず、枯れ草が伸び放題に伸びていて、使われなくなったビーカーやフラスコや、空き箱や毛布が放置されていた。また、トタンでできた無人の小屋があり、茉莉はそこを出たり入ったりするのが好きだった。

新は、大学で茉莉を自由に遊ばせてくれた。腕時計をはずして茉莉の手首に巻きつけ、

「お昼になったら駐車場に戻るんだよ」

と言って、茉莉の頭をぽんとたたいた。教室や研究室にさえ入らなければ、あとはどこに行ってもいいのだった。

茉莉は、職員や学生の何人かとは顔見知りだった。キャンパス内にある床屋の主人とも。新は大学で、周囲の人々にあきらかに好かれていた。そして、茉莉はそこで、「寺内先生のお嬢ちゃん」として可愛がってもらえた。

きのうの続きがきょうで、きょうの続きがあしただったあの日々。父がいて母がいて、惣一郎がいて九がいた、あの日々。

十七歳の茉莉は、缶コーヒーを握りしめて博多駅のプラットフォームに立ち、次々に浮かび上がる記憶を遮断するように、ゆっくりとまばたきをする。

輝かしい日々だった。何もかもあまりにも遠く、いまではとても信じられない。

足元に置いた鞄を、爪先でつついてみる。迷彩柄の、布製の鞄。

すべてが一変した十歳のあの日に、たぶんあたしはこの街をでるべきだったのだ。青く澄んだ平和な空を見上げ、茉莉はそう考える。

4

十月の、美しく晴れた朝だった。

惣一郎の部屋で寝ていた茉莉は、いつものように喜代に起こされた。

「またここで寝てるの？　ほら遅刻しますよ。惣一郎はどこ？」

カーテンがあけられ、一日のはじまりの、白っぽくまぶしい日ざしが部屋にさしこむ。

「知らない」

とこたえて、茉莉は枕に顔を埋めた。惣一郎のベッドの上の、自分の枕に。そうやってぐずぐずし、半分眠りながら家の中の音を聞いていた。せわしなく動きまわる喜代の気配や、台所からもれてくるラジオの音、朝食がテーブルに整えられていく音、のっそり起きだした新が、玄関に新聞をとりにでる音。

茉莉は不機嫌に目をさました。こんなに朝早くから惣一郎がどこに行ったにせよ、置いてきぼりにされたことが不服だった。以前にも似たようなことがあった。九と惣一郎が二人きりで計画して、バケツに水を張り、「夜中にそれが凍る瞬間をみる」ために、こっそり庭にでていたのだ。「朝顔のひらく瞬間をみる」ために、それは茉莉も一緒だったのだが、三人で早朝の小学校に行ったこともあった。

自分の部屋で着替えをし、洗面所で顔を洗って台所に行った。紅茶がもうカップに注がれていた。

「おはよう。惣一郎はどこ？」

喜代がおなじことをまた訊いた。ベーコンの匂いで一杯の台所で。

「知らないってば」

小さな声で、仏頂面《ぶっちょうづら》でこたえた。茉莉は惣一郎に腹を立てていたのであって、心配はしていなかった。心配なんて、する理由がなかった。

ただ、奇妙なことではあった。喜代は食事を大事にする女だったし、家族揃って食卓につく、ということを家族一人ずつの事情より優先させるべきだと考えていた。惣一郎は、茉莉よりずっとよくそれを知っていた。

「朝からこんなに食べられない」

とか、

「おなかすいてない」

とかごねるのはいつも茉莉で、惣一郎は大人しく、皿にのったものをきれいに食べる。おもてで遊んでいても、食事に遅れることはなかった。

「もっと遊んでいたい」

とか、

「まだみんないるじゃない」

とか茉莉が口をとがらせても、

「うちはもうごはんだよ」

と言うのが惣一郎だった。だから帰ろう、と。

電話が鳴ったとき、茉莉はトーストをいやいや口に押し込んでいた。一枚は食べないと、喜代に叱られるからだ。

「はい？」

電話口で、喜代は言葉すくなだった。

何か突飛なことを聞いたかのように訊き返したあとは、ほとんど何も喋らなかった。それでも、片手に菜箸を持ったままの喜代の全身から、恐怖が発散されるのを茉莉はみた。

電話を切っても、喜代は動かなかった。

「何だ？」

緊張した声で新が訊き、振り返った喜代はぼんやりした顔をしていた。

「どうした？　誰からだ？」

茉莉にできることは何もなく、茉莉はただそこにいた。椅子にすわって、黙って。おにいちゃんだ。

それはもうはっきりとわかっていた。まだ誰もその名前を口にしていないが、電話はおにいちゃんに関することだ。ただならない、あり得ない、とりかえしのつかないこと。ラジオからは、喜代の好む洋楽が流れていた。晴れた朝で、緑と白のギンガムクロスのかけられたテーブルには食べかけの朝食が――手つかずのままの惣一郎のぶんも含めて――ならんでいた。それは、でも、茉莉の目にはすでに、きのうまでの朝の台所の風景と、決定的に違うものにみえた。この瞬間を境に自分の人生が変ってしまい、二度と元には戻らないことをはっきりと知っていた。

喜代と新は慌しくでていった。おにいちゃんが事故にあった、とだけ、茉莉は聞かされた。きょうは学校に行かなくていいから、茉莉はうちで待っていなさい、と。

茉莉も行く、と言わなかったのは、行きたくなかったからだ。恐すぎたからだ。

茉莉は惣一郎の部屋で、一人で惣一郎を待った。そこにいれば安心だった。部屋の中の何もかもが惣一郎だった。すくなくともそれらは現実だった。よくわからない恐ろしげな事故なんて、惣一郎の勉強机やその上の鉛筆や鉛筆削り器や、パジャマや地球儀や本箱の本や、ぼろぼろの青い筆箱なんかにくらべれば全然現実的じゃない。

「パパもママも慌てとっちゃけん、ばっかやないと」

茉莉はわざと博多弁を使った。この家の中で、惣一郎と茉莉だけの使える言葉を。

誰もいない昼間の家の中の静けさを、茉莉はいまでも思いだすことができる。惣一郎は中学生で、茉莉は十歳だった。一九七一年十月十八日、兄、惣一郎が母校である小学校の裏庭で、首を吊《つ》って自殺した朝のことだ。


四時半ちょうどに、隆彦は現れた。

「早かったったいな」

茉莉をみると、そう言った。

茉莉のと似たりよったりの大きな肩かけ鞄の他に、黒い紙袋を持っている。たっぷりの整髪料をつけてうしろになでつけた、濡れたように光る黒い髪と白い肌、いきいきしたまるい目。グレイのオーバーの袖口はすりきれている。

「よかったあ」

茉莉は隆彦の首に両腕をまわし、頰に頰をつけて強く抱きついた。

「来んやったら、どげんしようかと思いよったっちゃん」

そのままの姿勢で言った。整髪料の匂いが鼻先をかすめる。

「ばかやな」

抱きしめられたままの恰好で、つっ立って、隆彦は言う。その声がどこか淋しそうだったのが、茉莉は気になった。

「いいお天気やね」

不安を打ち消そうと、あかるい声で茉莉は言い、腕をほどいて隆彦を解放すると、

「のむ？」

と言って缶コーヒーをさしだした。

「いや、よか」

日はすでに空のどこにもみつけられない。いいお天気やね、ではなく、いいお天気やったね、と言うべきだったかもしれない、と茉莉は考える。たとえ、こんなふうに空気のそこここに、昼間の日ざしが薄く弱く残っているにしても。

寝台特急「あさかぜ」は、ベージュと青のツートンカラーの列車だ。小倉《こくら》を通り下関

を通り、岩国を通り広島を通り、岡山を通り名古屋を通り、熱海を通り横浜を通って、東京に着く。

この街を、ほんとうにでていくんだ。

プラットフォームに入った特急列車の、古びた車体をみた途端、茉莉は一瞬だけ足がすくんだ。

でていくんだ。

車内は暖房が入っていた。他の乗客と共にぞろぞろと乗り込み、車内のむっとする空気を、茉莉は「よそよそしい」と感じた。発車までのあいだ、もう一度おもてにでて息を吸いたい、と。

「それ、なに？」

隆彦の抱えている、大きくて角ばった紙袋をみながら茉莉は訊いた。黒い、煙草のパッケージのデザインされた紙袋。

「ラジカセ」

隆彦はこたえた。

「音楽がないとつまらんやろうが。東京に着いて、俺が仕事にでとうあいだとか、茉莉は踊るとが好いとうけんね」

あたたかいものが胸に灯った。茉莉は隆彦の顔をみて微笑み、

「やさしいったいね」

と、言った。もう一度抱きしめたかったが、通路は狭く、周りの目も気になったので我慢した。

「むっちゃ好いとうけん」

かわりにそう言った。

発車まで、まだ二十分ある。

「待っとって。すぐ戻るけん」

言いおいて、隆彦を残して外にでる。夕方の、生れ育った街のやわらかい空気の中に。茉莉は目を細め、上を向いて息を吸った。見馴《みな》れた街、見馴れた空、ビルと街路樹と看板。プラットフォームからはみえないが、川のそばにはそろそろ屋台のならぶころだ。市場は買物客でにぎわうころ。スピードをだして走る自転車。

高校の友人たちは、きっと「オルベラ」でソーダ水をのんでいる。喜代は植木を部屋にとりこんでいるだろう。新は研究室にいる。そして九は——。

九は何をしているだろう。茉莉はポケットからガムをだして噛《か》み、九の顔を思い浮かべる。茉莉が駆け落ちをしたと知ったら、九は何て言うだろう。

今朝、惣一郎の墓前に、きょう駆け落ちを決行する、と報告に行った。緑に囲まれ、敷地内に大きな池のあるその霊園は、子供のころの遊び場の一つだった。冬木立の続く緩い坂をのぼりながら、この坂道を、九と惣一郎と三人でよく駆けのぼったことを思いだした。

「ちゃんと持っとうっちゃけん、こわがらんどき」

茉莉が自転車に乗れるようになったのもそこだった。九と惣一郎は茉莉のそばにぴったりついて、ぐらぐらするハンドルを持ってひっぱってくれたり、荷台を支えて押してくれたりした。

「ハンドルを揺らさんと」

「体ばかたくしたらいかんったい」

「僕たちを信用しとらんめ、茉莉は」

惣一郎がおこった声をつくって言い、

「おるっちゃけん、茉莉、ちゃんとここでおさえとうけん」

と、九が言った。あれは幾つのときだっただろう。夏のおわりだった。

記憶は、いつも茉莉の背中を押す。前へ前へ。

自殺した惣一郎を、最初にみつけたのは九だった。どこで、どんなふうに死んでいたのか、茉莉はしつこく尋ねたが、九は、

「おぼえとらん」

としか言ってくれなかった。

あの日、学校に行った両親は昼近くまで帰って来なかった。帰って来たときの喜代はすでに泣き腫《は》らした顔をしており、それでもまだ涙を流し続け、茉莉にかまう余裕もなかった。玄関にでた茉莉に、新が、

「いい子だな」

と言ったこと、片手をぽんと茉莉の頭にのせた、その新の手が震えていたことを、茉莉は憶えている。

両親はまたすぐに、今度は警察にでかけた。茉莉は何一つ説明してもらえなかった。喜代は泣き続け、新に対して、ときどきヒステリックな調子で物を言った。おにいちゃんは？　と、でも茉莉は訊かなかった。訊くのが恐かった。

「お腹がすいたら、何でも食べていいよ」

でがけに、新はそう言った。

記憶が鮮明であることが、茉莉をいまでも苦しくさせる。たった十歳だったのに、何もかも憶えている気がするのはどうしてだろう。

翌日に帰ってきた惣一郎の遺体が、両親の寝室に安置されたこと、喜代も新も泣いていたこと、ごくひっそりした葬儀がおこなわれ、そのときにはすでに惣一郎は荼毘《だび》に付されていたこと。茉莉はお経を「気味がわるい」と思った。祭壇も花輪もなかったが、

家の中じゅう、昼も夜も線香の匂いがしていた。骨壺《こつつぼ》が、目を離せなくなるほど白く小さく、つめたい手触りだったこと。祖父江七が、鮮やかな色の花束をくれたこと、喜代を抱きしめて一緒に泣いてくれたこと。そして、葉書。自殺の二日後に惣一郎から届いた葉書は、いまも茉莉の鞄の中に入っている。

記憶。兄の死と、その後の日々の混乱と孤独は、茉莉の中に、感情を伴わないまま鮮明に生きている。

かなしむことはできなかった。

「ばっかみたい」

惣一郎の部屋に入りこんでは、茉莉は兄に話しかけた。

「みんな勝手に大さわぎしてる」

そんなふうに言えば、惣一郎が笑ってくれるような気がした。惣一郎は笑って、

「茉莉はここにいればいい。僕もここにいるから」

と言ってくれるはずだ。

茉莉は喜代にも新にも、惣一郎の身に起きたことについて尋ねなかった。惣一郎にしか、尋ねるつもりがなかった。

遺体の戻ってきた夜に、寝室で正坐をした新が、

「惣一郎、死んじゃったよ」

と、茉莉に――というよりそれは茉莉には一人勝手なつぶやきのように聞こえたのだったが――告げたときも、茉莉は惣一郎のためにチョウゼンと、

「嘘だもん」

と、言った。

「そんなの絶対嘘だもん」

口にすると、惣一郎が味方してくれるような気がした。死は、茉莉には理解も承服もしかねることだった。認められるのはただ惣一郎の「不在」であり、その「不在」さえ、心の底では信じられはしなかった。

喪服を着た大人たちがやってきて、声をひそめて話したり嗚咽《おえつ》したり、遠慮がちに動きまわっている家の中で、泣くことは、でも簡単なことだった。

おにいちゃんがいない。

そう思っただけで涙はいくらだってでた。惣一郎に会えないなんて、ひどく不当だと思った。

茉莉は、夜中に一人でだけ泣いた。布団の中で身体をまるめ、孤独と混乱と不安に、もしもこれが現実だったら、と、思うだけで突き上げてくる恐怖に。

九にはなかなか会えなかった。

死んだ惣一郎を発見し、ショック状態に陥った九は数日入院し、退院したあとも隣家

からでてこなかった。

　大人たちがせわしなく動きまわっている家を抜けだして、茉莉がこっそり隣家に行ったときにも、九は幽霊みたいに青い顔をしていた。

「九ちゃん」

　声をかけるとぎょっとしたように茉莉の顔をみて、奥の部屋に逃げ込んだ。

「待って！」

　茉莉は、惣一郎について自分の知らないことを九が知っている、と思うことが淋しかった。小学校でのその朝の出来事は、惣一郎の死などではなく、九と惣一郎の共有している秘密のように思えた。

「ねえ、何をみたと？」

　それでそう訊いた。

「ねえ、どうして茉莉をみて逃げると？」

　三人でしょっちゅう遊んだそのおなじ隣家を、うす暗くひんやりした台所や磨き込まれた廊下を、茉莉は一人で九を追いかけまわして走った。九に追いつけば、惣一郎にも追いつける気がした。突然いなくなってしまった、大好きな惣一郎にも。

　惣一郎は、しかしいくら待っても帰ってこなかった。

　もしもおにいちゃんがほんとうに死んだのなら、茉莉も死んで、おにいちゃんに会いたい。おにいちゃんに会って、あの朝のことを直接説明してもらう。そんなふうに思った茉莉が川にとび込んだのは、惣一郎の自殺から一カ月近くたった日のことだった。誰にも言わずに家を出て、中洲をめざした。川の水はつめたそうに見えた。つめたそうに、そしていかにも穏やかそうに。

早朝だというのに、どういうわけかついて来ていた九にうしろからおさえられたのは、とび込んだあとだった。抵抗したが、九は渾身の力で茉莉に抱きつき、その重みで茉莉は溺れかけた。離して、とか、ほっといて、とか、叫んだはずだ。水のなかでもみ合うのは苦しかった。おまけに雨が降っていた。ともかく深みへ向おうとする茉莉を、うしろからおぶさるような恰好で九がひき戻そうとする。最初に肩をつかまれたときには腰のあたりまでだった水が、そのときにはあごのあたりで激しくうねっていた。水のつめたさは憶えていない。水を大量にのんだことと、前が見えないと思ったこと、そのうち天地の区別もつかなくなり、ああもう死ぬのだ、きっともうすぐだ、もうすぐおにいちゃんに会える、と思ったことを憶えている。

茉莉も九も、気を失ったまま土手で発見された。それは入水場所からかなり離れた叢《くさむら》で、自分たちがなぜそんな場所まで生きてたどり着けたのか、茉莉にも九にもわからなかった。茉莉は一晩入院し、その後家に連れ戻された。惣一郎のいない家に。

自殺、という気持ちでしたことではなかった。おにいちゃんに会いにいく。会ってたしかめる。ただ、そう思ってしたことだった。

茉莉にはいまでも納得がいかない。一体なぜ、兄が自殺などしたのか。

自殺の前日も、惣一郎の様子に普段と違うところはなかった。茉莉は何か納得できる理由が欲しくて、また、両親や警察の人間に問い質《ただ》されもして、その後何度も記憶を探った。

百万遍思い返してみても、そこに何か予兆のようなもの、不穏な出来事はみつけられない。

「ママってほんとうにうるさいっちゃん」

その前夜、茉莉は部屋を片づけないことで喜代に叱られて、惣一郎の部屋に逃げ込んだ。

「部屋が散らかっとうくらいで、なんであげん怒るっちゃろう。散らかっとったって、あたしは平気やもん」

惣一郎はすこしあきれた顔をした。

「ばかだなあ、茉莉は」

すでに風呂に入り、パジャマにカーディガンを重ねた恰好で本を読んでいた惣一郎は、

「散らかってても平気なら、片づけたって平気だろう？」

と、言った。

「どっちでもいいことだろう？」

ちがうもん、と、即座に返して、茉莉は頬をふくらませた。

「散らかっとう方がいいっちゃもん」

片づけるのがめんどうなだけだったのだが、ともかくそう言ってみた。いつものとおりに整然とした、気持ちの落着く惣一郎の部屋の中で。

「それに、片づけてもどうせまた散らかるんやったら、無駄やん」

茉莉の理屈に、惣一郎は笑った。

「正しい」

そう言って、茉莉をじっとみた。愉快そうに、やさしい目で。

「でも片づけるんだよ、なんでだか。きりがないんだ、いつだって、なんだって」

「そんなのばかみたい」

茉莉は言い、

「きょうここで寝てもいい？」

と、訊いた。

「いいよ」

惣一郎はこたえ、茉莉にベッドを半分貸してくれた。

それが最後の会話だった。翌朝起きると惣一郎の姿はなかった。

推定された死亡時刻は、午前五時前後だった。

「何しとうと？」

隆彦が立っている。

「発車するけんね」

茉莉はゆっくりまばたきをして、特別上等、と自分の思う笑顔をつくった。

「行こう」

あかるい声で、そう言った。もうとっくに、自分はこの街をでているべきだったのだ。たぶん十歳のあの日に。

列車に片足をかけ、茉莉は最後に一度だけうしろを振り返った。駅員が、バケツを持って歩いているのがみえた。

「後悔しとらん？」

座席に腰をかけ、窓の外をみている茉莉に、隆彦が訊いた。

「しとらん」

チョウゼンと、即答した。ラジカセにつないだイヤフォンを、隆彦と左右片側ずつの耳に入れ、ＣＣＲを聴きながら。

茉莉の胸の中を、一つの言葉がくり返し過《よぎ》っていく。

さよなら、またね。

死の二日後に、惣一郎から届いた茉莉あての葉書に、たった一行書かれていた言葉が。

2　ヤングアンドプリティ

1

ながいながい滑り台。茉莉は芝生に腰をおろして、遠足らしい子供たちが互いにぶつかり合いながら、一列になって滑るのを見ていた。春。子供たちは揃《そろ》いのスモックを着ている。土と芝生の匂いの風が、茉莉の頬をなぶっていく。のばした両足を持ち上げ、茉莉は自分の爪先をみつめる。白いサンダルを履いた爪先。

そのサンダルを、茉莉は隆彦の最初の給料で買ってもらった。籠を編んだようなかかとの、早すぎる夏の気配のするそれは、川崎に来て唯一増えた茉莉の所持品だ。たっぷり十秒間みつめ、満足して茉莉は微笑《ほほえ》む。隆彦は、ほんとうはやさしいのだ。この二カ月、茉莉は隆彦に怒鳴られてばかりいるが、それは馬場《ばば》さんの言うように、隆彦自身が不安だからなのだろう。仕入れの荷物持ちと皿洗い、という毎日の仕事にでていくのにさえ、時間をかけてチックで髪を固め、シャツの衿《えり》を立てて武装する隆彦。

自分がいま川崎にいるということが、茉莉には不思議なことに思える。

きのう、馬場さんが仕事をみつけてきてくれた。駅のそばの映画館の切符係で、茉莉はきょう面接に行き、面接などというからそれなりに緊張したのだが、その場で採用された。

「じゃあ来月からよろしく。一日目は前任者に来てもらうから、仕事はその日に覚えて。べつに難しいことはないと思うけど、何かわかんないことがあったら彼女に訊《き》いて」

あっさりと、そう言われた。生れて初めて書く履歴書に戸惑い、二枚書き損じてようやく三枚目に書き上げた、ゆうべの出来事が滑稽《こっけい》に思える。

「簡単やった」

茉莉は声にだして言った。空を仰ぎ、日ざしに目を細める。

「東京で仕事を探すとか難しいかと思っとったけど、全然そんなことないやん」

隆彦に早く報告したい。

そう思いながら茉莉は立ち上がり、アパートに帰るべく、子供たちの歓声の響く公園をあとにした。

寺内茉莉と三重《みえ》隆彦は、隆彦の高校の先輩である馬場誠《まこと》のアパートに身を寄せている。

川崎駅から徒歩八分の場所にある、古い木造アパートの一階の一室だ。

自分たちの部屋をみつけるまで、と隆彦が言ったので、茉莉は一週間か十日くらいのことだろうと思っていたが、二カ月たったいまも、隆彦に部屋を探している様子はない。

「ねえ、いつ引越すと？」

茉莉が訊くのは、六畳一間のそこが不満だからではなく、馬場に対して悪い気がするからだった。自分たちの部屋をみつけたら、その近くに茉莉の働き口を探そう、という計画だった。この二カ月、茉莉は掃除や洗濯しかしていない。そして結局、きょうは仕事まで決めてしまった。

落着き先が決ったら、両親に手紙を書いて居どころくらい知らせておこう。茉莉はそうも思っているのだが、引越しについて尋ねると、隆彦はかならず不機嫌になる。

「しゃあしか」

苛立《いらだ》たしげに言い、

「ここが不満や？　馬場さんがせっかくおらせてくれようとに」

と、茉莉につめよる。それでも二人きりのときには、

「もうすこし待っときいよ。ちゃんと引越すけん」

とやさしい声で言ってくれもするので、慣れない場所で何とか働いている隆彦に、茉莉は感謝と愛《いと》しさが湧く。

「部屋のこと、せかさん方がよかよ。あいつにはあいつの考えがあるっちゃろうし、俺はべつに構わんけん」

馬場はそう言ってくれている。

隆彦は馬場に、中学生のころからかわいがってもらったという。隆彦より二つ年上の馬場は、高校を卒業すると同時に東京に出て働き始め、三年目になる。中洲のふぐ料亭の一人息子で、三年という期限つきで修業中の身なのだった。その馬場の口ききで、隆彦はおなじ店に下働きとして入れてもらった。板長が博多の出であることも、おそらく関係しているのだろう。

「調理場んなかはまるで博多のごたあ」

嬉《うれ》しそうに、隆彦は言っていた。しかし、素性のたしかな「預りもの」である馬場と隆彦とでは、店での処遇があからさまに違う。茉莉はそれを、隆彦の様子というより隆彦を気遣う馬場の様子から察した。

隆彦は馬場の前でことさら、茉莉に乱暴な物言いをする。それもまた、茉莉が引越しを望む大きな理由なのだった。

二人きりのときはやさしいのに、と、茉莉は考える。だからいつも二人きりでいたい、と。

「人が多か－」

東京駅に降り立って、茉莉はまずそう口にした。人混みを歩くあいだ、隆彦は自分の方が荷物が多いにも拘《かかわ》らず、ときどき茉莉の背に腕をまわして、かばうようにして歩いてくれた。

仕事があって迎えに行かれない、という馬場の指示どおり、角ばった青色の電車に乗って川崎に着いた。

「汚《きたな》かー」

今度は、そう口にしていた。いやらしげなビラや吸殻や、新聞紙や空き缶がそこらじゅうに落ちており、乾いた風に転がっていく。落書きだらけのガード下には数人の男が寝ていて、むっとする臭いがした。

「大丈夫や？」

何一つ隆彦のせいではないのに、すまなそうにそう訊いた隆彦の表情が、茉莉をせつない気持ちにさせた。せつない、そして不安な。

地図を頼りに歩き、郵便受けに入れてあった鍵を使って部屋に入った。安普請の、でもきちんと整頓された、見知らぬ部屋に。

どこでもいい。

茉莉は心からそう思っていた。隆彦さえいてくれるなら、住む場所なんてどこでもいい。

帰ってきた馬場は、大柄な、お世辞にも美しいとは言えない顔つきの男だった。隆彦の知り合いにしては真面目すぎる印象を、茉莉は受けた。いままでに紹介された隆彦の友人たちは、みんな不良だったからだ。

その夜、三人で酒をのんだ。隆彦はあまり酒に強くないのだが、馬場に再会できてほっとしたのか、機嫌よく水割りのグラスを重ねた。

「どげんしてもついて来るってきかんかったとですよ」

自分をそんなふうに紹介され、茉莉は嬉しかった。それで胸を張った。

「でもこいつ、親に餞別《せんべつ》やらもらって来とうとですよ。なんか甘ったれとうっていうかね」

「よかやなか」

馬場はひっそり微笑んでそうこたえた。

「茉莉ちゃんはみんなに愛されてきたっちゃろうもん？　家族の仲がいいっていうのはよかこったい」

茉莉は鼻白んだ。十歳まではね、と、胸の内で言った。兄の死を境に、何もかも変ってしまったのだ。そして、それらはもうみんな過ぎたことだ。茉莉はいま川崎にいる。大好きな隆彦のそばに。

惣一郎がいなくなってから、茉莉は無口になった。理解してくれる相手がいないのに、一体なぜ、何を喋《しゃべ》る必要があるのかわからなかった。喜代も新も無口になったので、茉莉の変化は彼らにとって、むしろ助かることだったかもしれない。もっとも、周囲に対して無口になった茉莉は、一人でいるときにしばしばひとりごとを言った。それは単純なひとりごとであり、しかし無論、兄に話しかけているのでもあり、その区別は茉莉自身にもつかなかった。

もともと嫌いだった小学校は、ただの収容所に思えた。あるいは家畜小屋に。そこに行くことは苦役だったが、兄の不在と父母の悲嘆という家の中の重圧から、逃れるためだけに行った。

茉莉はもう、土手すべりに興味が持てなかった。駄菓子屋での買い食いにも、のぼり棒にも、空き地で遊ぶことにも。

「惣ちゃんば思いだすけん辛《つら》かっちゃろうね」

駄菓子屋のおばちゃんをはじめ、近所の大人たちがそんなふうに言っているのを、茉莉は知っていた。

「ばっかみたい」

そしてひそかに嗤《わら》った。一度だって、茉莉は惣一郎を思いだしたことなどない。一瞬だって忘れたことはないのだし、兄の存在を、茉莉はつねに感じている。だからこそ、土手や空き地や駄菓子屋に、もう行く必要がなくなった。惣一郎が行きたがらない場所に、どうして行く必要があるだろう。

祖父江九が茉莉を避けるようになったことも、茉莉をおもてから遠ざけた。

「おにいちゃん、九ちゃんに何か言いよったと?」

とか、

「あの日何ば見たと?」

とか、顔をみれば尋ねる茉莉がわずらわしかったのかもしれない。一方で、九はときどき、

「茉莉の横にいま惣ちゃんがおる」

と青い顔でつぶやくようなこともあり、避けるというより怯《おび》えているようにも見えた。

兄の死後、茉莉はしばらく兄の部屋で寝ていたが、それはやがて両親に禁止された。

「不健康よ」

喜代は言ったが、なぜ健康がいいのか、茉莉には理解できなかった。惣一郎の部屋の物に触ってはいけない、とも言い渡されていたのだが、茉莉はこっそりラジオを持ちだして、自分の部屋で、それを聴きながら眠った。

歌いながら踊る「遊び」は、ぷっつりとやめた。あれは惣一郎のいないときの、茉莉一人きりの「遊び」だった。いつも惣一郎と共にいる茉莉に、踊ることはできなかった。

新は以前にも増して大学で過ごす時間が長くなり、喜代もそれを咎《とが》めなくなった。一家は外食をしなくなり、かつて好んだピクニックやドライブにもでかけなくなった。喜代は植物の世話に精をだし、庭も部屋の中も、きりもなく緑だらけになっていった。

「かまわんもんね」

茉莉はよく、兄にそう話しかけた。

「あたしたちはべつに、いっちょんかまわんもんね」

茉莉の目に、家の中ばかりか学校も土手も川も、街のすべてが姿を変えていた。なにもかもよそよそしく、以前はあれほど生気に満ちて自分たちを迎えてくれた世界が、ただのつまらない風景になった。風はもう光るのをやめてしまったし、空はもうおどろくほど青くはみえなかった。ありふれた地方都市。

その街で、茉莉は私立の女子校に入学した。大人しい、目立たない少女になっていた。

「ただいま」

誰もいないことはわかっているのに、茉莉はつい習慣でつぶやく。日のあたらない、アパートの一室。新しいサンダルを脱ぐ。

お祝いなので、鯛《たい》を買った。博多の市場の品物にくらべると、このへんのスーパーに売っている鯛はひどく見劣りがしたけれども。

ビニール袋を床に置き、茉莉はまず窓をあける。それから、干しておいた布団と洗濯物をとりこんだ。出窓が狭いので、二組の布団を干すことはできない。それできょうは二組の、敷布団だけを干していた。それでも二枚の布団は半ば重なり、甚《はなは》だ不満なのだった。

買ってきたものを冷蔵庫にしまい、茉莉は六畳間に足を投げだしてすわった。黄土色のざらりとした壁に後頭部がこすれる。ラジカセのスイッチを入れ、CCRを部屋に流した。ごく弱いヴォリウムで。

音楽だけは、いつも茉莉の味方だ。

中学から高校にかけての日々、茉莉は惣一郎のラジオで、毎日たくさんの曲を聴いた。新の好んだグレン・ミラーや、喜代の好んだフランク・シナトラとは、全然違う音楽たち。クイーンやディープ・パープル、サンタナやバッドフィンガー。見知らぬ、それでいて親しい、音と気配に包まれる感覚が好きだった。

クラスの女の子たちと、茉莉は意識的に距離を置いていた。小学校と違っていじめられるようなことはなかったが、茉莉にとって、彼らはあまりにも自分と違う生き物に思えた。制服のスカートをいかにきれいにプレスするかや、ソックスの折り方や、お弁当を包むハンカチの柄、鞄にぶらさげるマスコットの種類などが、随分大事らしかった。誰と誰が仲がよく、誰と誰は仲が悪い、というようなグループわけがあり、それも茉莉を呆《あき》れさせた。

「下らん」

それなりにみんなと友達づきあいはしたが、ペットをかわいがったり教師に憧《あこが》れたり、漫画雑誌をまわし読みしたりビーズ飾りを編んだりする彼らの日常に、茉莉は実際、なじむことができなかった。

「変っとう」

しばしば口にだしてそう言った。みんなから見れば、あたしの方が変っていたのかもしれない。いまになって茉莉は思うが、それはでもどちらでもおなじことだ、とも、思う。あのころからすでに、茉莉は街をでたかった。ここはあたしの居る場所ではない。

奇妙な確信を持って、そう感じていた。

確信のうしろには、いつも惣一郎がいた。茉莉の中の惣一郎が、どこかに——どこだかわからないがずっと遠く、もっと遠くに——行きたがっていた。

「飛行機、来んかいなあ」

空を見上げ、そうつぶやく癖だけはあいかわらずだった。

「そりゃあ来るくさ」

隣でかならずそうこたえてくれた九は、もういなかったけれども。

最初に街をでたのは、しかし茉莉ではなく母親の喜代だった。本格的に園芸の勉強をしたい、という決意のもと、イギリスに留学したのだ。茉莉にとっては青天の霹靂《へきれき》だったが、喜代はそれを、「何年も考えていた」と言った。「茉莉が中学に上がるのを待っていた」のだ、と。

「ガーデニングというのよ」

決意の表れか、やや緊張した面持ちで喜代は説明した。当時、それはまだ耳馴《みみな》れない言葉だった。

「単に植物を育てるだけじゃなく、庭全体をデザインするの。ボーダーというまっすぐな花壇で道をつくったり、色別に植物を植えたりね」

薔薇《ばら》一つとっても、イギリスには日本の何十倍もの種類がある、と、喜代は言った。

「どのくらい行ってるの？」

ガーデニングというのがどういうものかには、茉莉は興味はなかった。いつ？　どのくらい？　ほんとうに？　じゃあそのあいだ、あたしとパパはどうなるの？　問題はそういうことだった。

「すくなくとも二年」

喜代は言った。

「すくなくとも？」

茉莉は思わず口をあけた。あんまりびっくりして、何か言おうとするのに言葉がみつからないのだった。

「はじめは英語を勉強しなきゃならないし、植物には四季があるでしょう？　だから一つの季節をすくなくとも二回、経験しなくちゃならないと思うの」

喜代の計画は、茉莉には突飛きわまりないものに思えた。「仕事」ならともかく「勉強」のために、一人で外国に行く母親なんて聞いたこともない。

しかし喜代は本気だった。「外人」と渾名《あだな》される風貌《ふうぼう》であったとはいえ、それまで一度も日本の外にでたことがなく、飛行機に乗ったこともなかったのに。

「イギリスのどこ？」

黙って話を聞いていた新が、そう尋ねた。すでに鉢植えだらけになっていた居間の、緑色の長椅子に腰掛けて。

「ブライトン」

喜代はこたえた。

「南だね。海のそばだ」

新は言い、まるでもう喜代が目の前にいないみたいに、諦めた表情で淋《さび》しげに微笑んだ。

「住むところとか、学校とか、よく調べてからにした方がいい。俺もすこし調べてみるよ。大学に、向うに長かった奴がいるから」

「いまの、許可なの？」

おどろきのあまり、非難がましい声がでてしまった。

「パパいまママに、許可したの？」

新は茉莉をみて、また淋しげに微笑んだ。

「パパの許可がなくたって、このひとは行くよ。そういうひとだよ」

やや前かがみの姿勢をとり、微笑んだまま眼鏡をはずした。それが疲労を感じたときの新の癖であることを、茉莉はちゃんと知っている。

まずおにいちゃん、そしてママ。みんなどんどんいなくなってしまう。

「ママなんか知らん」

惣一郎の死が喜代を打ちのめしたことも、今回の決心が喜代なりにそこから立ち直ろうとする手段であることも、茉莉は感じていたが承服はできなかった。

「おかしいっちゃないと、そげんと」

この家の中で、いたたまれない思いをしているのはママだけじゃないのに。

母親のいない家の中など、茉莉には想像もつかなかった。陽気で、音楽と料理の好きな、家族をいつもまとめたがる、数年前までの喜代が懐しく思いだされた。

「二年なんてすぐよ」

喜代は言った。茉莉は続きを待ったが、それだけだった。詫《わ》びのような言葉は、頑として口にしないつもりらしかった。

ママらしい。

茉莉は、自分がそう思ったことを憶えている。

結局、喜代はその年の秋に、単身旅立って行った。一九七三年、茉莉が十三歳になった秋で、喜代は三十九歳だった。

出発の前夜、一家は数年ぶりに外食をした。かつて惣一郎や九とでかけた、そのおなじ水炊き屋の座敷で。

あれは滑稽な夜だった、と、茉莉は思う。三人が三人とも、どういうわけか緊張していた。淡い色の提灯《ちょうちん》も引き戸も、黒光りするまで磨き込まれた迷路のような廊下も、店の中はあのころと変りないのに、自分たちだけが変ってしまった。

あらたまった外出だから、という理由で、茉莉は制服を着ていた。新は背広にネクタイをしめ、喜代は身体にぴったりと添う形の、こげ茶色のスーツを着ていた。オレンジ色の口紅が、こげ茶に映えるからだと茉莉は思った。

「気をつけて」

新がそう言って、三人でグラスを合わせた。喜代と新のグラスにはビールが、茉莉のにはサイダーがつがれていた。

「実り多い旅であることを祈るよ」

新の言葉に、喜代がぺこりと頭を下げた。見間違いだったかもしれない、と茉莉が思うほど、それはすばやい、でも深いお辞儀だった。

2

空港の展望デッキで強い風に吹かれながら、茉莉は飛行機というものを、はじめて間近に見ていた。隣には父親がいた。

茉莉はまたしても制服を着せられていた。白いブラウスに紺色のジャンパースカート、白いソックスと紺色のボレロ。学校を休んでの母親の見送りは、寺内家の「あらたまった外出」だった。

茉莉はずっと仏頂面《ぶっちょうづら》をしていた。一家で車に乗り込むときも、ついさっき、空港内の喫茶店で、サンドイッチとミックスジュースをはさんで両親と向いあっていたときも。

喜代は緊張した面持ちだった。新はかなしげな顔をしていた。そして、三人とも言葉すくなだった。

「ママなんか知らん」

留学についてはじめて聞かされたときにそう言ってそっぽを向いて以来、茉莉は態度も意見も変えていなかったが、それは自分が淋しいというよりも、父親が可哀相だという気持ちだった。近所でも大学でも「愛妻家」で通っていた新は、惣一郎が生きていたころの家族行事にも、子供たちというよりも妻のためにでかけているようなところがあった。ピクニックでもドライブでも、小学校の運動会や父親参観日でさえも。茉莉の目に、父親は母親をいっそ崇拝しているかに見えた。やさしすぎるように。

「必要なものがあったら送るから」

沈黙を破り、新がそう言ったとき、喜代は、

「大丈夫」

とこたえた。

「必要なものは持ったし、もし他に必要なものができたら向うで買えるわ。送っていただくより安いでしょう？」

と。茉莉はミックスジュースのストローを噛《か》んだ。サンドイッチには、三人ともほとんど手をつけなかった。

そしていま、茉莉は展望デッキに立っていた。制服姿で、新と二人で。

飛行機はどれも白くなめらかな形で、飛ぶ前の平和を愉《たの》しんでいるように見える。曇り空の下でじっとしながら、あるいは、ゆっくりしたスピードでコンクリートの地面を移動しながら。

テレビ塔のそばの草地で、惣一郎と九と共にぽかんと口をあけて見送った、何機も何機もの飛行機を思った。ゴウ音と共に頭上を飛び去っていった、茉莉の生活とは関係のない、ときどきふいに現れる、白い、親しい「物体」だったもののことを。

「手紙を書くわ」

出発ロビーでの別れ際に、喜代はそう言った。それはもう十遍も聞いた、と、茉莉は思った。

デッキは風が強く、肌寒い。

「ママだよ」

タラップをのぼる一団の人々を指さして新が言い、それを見た瞬間、茉莉は泣きそうになった。この日のためにモスグリーンのスーツを新調した喜代は、もともと背が高いのにハイヒールもはいていて、遠くからでもすぐに見分けられた。見分けられたが、同時に見知らぬ人のようにも見えた。

なんて心細そうなうしろ姿だろう。

そう思うと胸をしめつけられた。派手さも、気の強さもなかった。それは茉莉の見知らぬ、ただの小さな女の人だった。

帰り道は絶望的なドライブになった。

新は、傍目《はため》にも痛々しいくらい肩を落としていた。だから家に着いて車を停め、エン

ジンを切った新がひっそりと微笑して、

「そんなにかなしそうな顔をするなよ」

と言ったとき、茉莉はおどろいた。自分もかなしそうな顔をしていたなんて、それまで気づいてもいなかったのだった。

そうやって、茉莉は新と二人きりになった。布という布が緑色の、台所にガラスの暖簾《のれん》がかけられた、植物だらけの、喜代そのものみたいな家の中で。

「これからは二人でやっていかなくちゃならないわけだから」

喜代が出発した日の夜、新は茉莉の部屋に入ってきてそう言った。

「いろいろ不自由なことがあると思うけれど、お互いに協力してやっていこう」

と。茉莉はただ、

「わかった」

とだけこたえた。他に何を言えばいいのか、わからなかった。

掃除や洗濯は、気づいた方が気づいたときに――そしてする時間のあるときに――しようと決った。どちらも洗濯はまめにしたが、掃除は滅多にしなかった。そして、洗濯はしてもアイロンはかけなかったので、茉莉の制服のブラウスは、いつもややくたびれた様子にしわが寄っていた。

ゴミを出しそびれ、庭に黒いビニール袋がいくつも積まれることもあった。

「たいしたことじゃない」

新は言ったたし、茉莉もそう思おうとしたけれども。

夥《おびただ》しい数の鉢植えについては、手入れの難しいものだけ喜代があらかじめ祖父江七に預けてあり、

「あとのものは水だけやってくれればいいから」

と、茉莉と新は言われていた。おそらく水をやりすぎたのだろう、と茉莉は思うのだが、半年とたたないうちに、三分の一は枯らしてしまった。植物に興味などないのに、茉莉も新もそういえば随分頻繁に水をやった。どちらも口にはださなかったが、喜代の植物が枯れることは、縁起が悪いようで嫌だったのだ。

中学校には、バスで通っていた。泉《いずみ》やよい――やよちゃんと呼ばれていた――という友達ができたが、他の子とはあまり仲よくならなかった。泉やよいは軽音楽部に所属していて、マンドリンを弾いていた。その他にずっとギターも習っていて、ときどき放課後の音楽練習室で、茉莉の好きなキャロル・キングやカーリー・サイモンを弾いてくれた。

茉莉自身は、何の課外クラブにも所属していなかった。キャンドルサービスとかクリスマス会とか、ただでさえ行事の多い学校で、茉莉にはそれで、十分だった。

料理の好きだった喜代がいなくなったことで、茉莉と新の食生活は一変した。朝食が茉莉の、夕食が新の担当になり、どちらも最善は尽くした。新は料理が下手というわけではなかったが、いつも一品か、二品だった。肉も野菜も入ったチャーハン、とか、カレーライス、とか、山のような量の刺身とごはん、とか。仕事の忙しいときには、しかしそれもかなわなかった。そういうときには新の手配した店屋ものの丼やうどんを、音楽を大きなヴォリウムで流した空っぽの家の中で、茉莉は一人で食べるのだった。

ときどき、祖父江七が野菜の煮物や蛸《たこ》の天ぷらといった、温かな小鉢を差し入れてくれた。そして、

「茉莉ちゃんまた可愛らしゅうなったね」

とか、

「学校はおもしろかね？」

とか、そこに新がいてもいなくても、茉莉に話しかけてくれるのだった。

茉莉は七が好きだった。七の作る料理は温かくやさしい味がした。しかし、茉莉はどういうわけか、彼女の好意に素直に甘えることができなかった。

いいっちゃもん、べつに。あたしもパパも、これでいいとやけん。

胸の内で、よくそんなふうに思った。七の届けてくれる品々は、だからたいてい新一人の胃に収まった。

日々は静かに退屈に流れた。

近くの公立中学校に通う九とは、道で会って立ち話をする程度の関係になっていた。かつて小学校の敷地内に住んでいた九は、惣一郎の死後数日入院し、その後隣家に戻った。休みの日など、垣根ごしに姿を見かけるたび、茉莉がやや不気味に思うほど、顔も体つきも十代の少年らしく、しっかりと力強い線を持つようになっていた。

「九ちゃんくさ、見るたんびに違うふうになっていくとよ」

新に言っても、

「そうか？」

と、まのぬけた返事が返るだけだったのだが。

一度、放課後の音楽室で泉やよいに、

「茉莉ちゃん、好きな人おらんと？」

といきなり尋ねられたとき、

「おらん」

と即答したが、九の顔が思い浮かんだ。ぎょっとして、それから淋しい気持ちになった。すこし前ならたぶんおにいちゃんの顔が浮かんだのに。

茉莉は無論、惣一郎が世界でいちばん好きだった。しかしやがて十五歳になろうとしている茉莉にとって、十二歳で死んだ惣一郎の顔かたちは、こういう場面で思い浮かべるにはあまりにも幼すぎた。物識《ものし》りで大人っぽく、いじめられ役からリーダー役に、子供たちのあいだでたちまち変貌をとげた逞《たくま》しい惣一郎ではあっても。

「やよちゃんは？」

茉莉が尋ねると、やよいはうふふと笑ったあとで、若い教師の名前を言った。

「信じられん」

茉莉はつい正直に、半ば呆れて批判した。

「なんで触ったこともない人ば好きになれると？　頬ずりしたり、一緒にくっついて眠ったり、一つのお菓子ば分けて食べたり、したこともなか人をなんで好きになれるんかあたしにはわからん」

惣一郎が大好きだった。それは当然だし、正当なことだ。茉莉はそう言いたかっただけなのだが、次の日から学校では、

「茉莉ちゃんはすすんどう」

とか、

「茉莉ちゃんはふしだらやん」

とか、つまらない噂《うわさ》が流れることになった。

喜代からは定期的に手紙が届いた。これから毎週日曜日には手紙を書きます、と、一

通目の葉書に宣言されていたとおり、毎週きちんと一通ずつ書かれているらしいそれらの葉書は、しかし郵便の事情で配達の間隔があいたり、二通いっぺんに届いたりした。そして、つねに新と茉莉の二人宛てになっており、几帳面《きちようめん》な文字で、他人行儀なまでに礼儀正しい文面で、街の様子やホームステイ先の家や庭や、授業の様子が綴《つづ》られていた。部屋が暗いので電気スタンドを買いました、とか、庭を荒らすのは虫ではなく、たいていカタツムリです、とか。

楽しいとか淋しいとか、新と茉莉がどうしているか気にかけているとかかけていないとか、感情にまつわることは一切書かれていなかった。

お元気で。

葉書はきまって唐突にそう結ばれる。

新はときどき長い手紙を書き送っているようだった。薄い紙でできたエアメイル用のレターセットを、茉莉にも買ってきてくれた。

茉莉は、しかし滅多に手紙を書かなかった。いざ机の前にすわってペンを持つと、書くことが何も浮かばないのだった。

喜代からの葉書は、すべて箱に入れられ、居間のテーブルの中央に置かれていた。

「いつでも読めるように」

という、新の発案だった。

「パパってば可笑《おか》しいっちゃない。もう読んだっちゃけんよかろうもん」

茉莉は言ったが、一人で店屋ものの夕食を摂《と》っているときなど、茉莉もこっそり読み返してみるのだった。角が折れたりつぶれたり、切手が大きすぎてスタンプで宛名が見にくくなっていたりする、あかるい色と光の写真のついた、喜代からの絵葉書。

喜代の不在には、でも一ついいことがあった。新の帰りが遅い日、茉莉が惣一郎の部屋で眠っても、誰にも咎められないということだ。実際、茉莉はしばしばそれをした。

「宿題ここでしていい？」

とか、

「ラジオ持ってきたけん」

とか、

「きょう九ちゃんに会ったったい」

とか、そこに行くと茉莉の口から自然と言葉がでてきたし、返事など返らなくても、惣一郎がたしかにそばで聞いていてくれることがわかった。

部屋の中は、何一つ変えられていない。机のひきだしをあければ、成績のよかった惣一郎の答案用紙――ほとんどが百点か九十点台だ――や、愛用していたポケットナイフ、みのむしの殻、錆《さ》びた釘《くぎ》やゴムホースの切れ端、ひからびたトカゲまで入っている。

「ここで寝ていい？」

茉莉が訊くと、惣一郎が、

「仕方ないな」

とこたえるのがわかった。かつては「いいよ」だったのに、惣一郎はもうそういうふうにはこたえない。茉莉にとって、それは兄が生きているしるしだった。この部屋の中で、惣一郎は茉莉とおなじだけ時間を重ね、茉莉とおなじだけ年をとっていく。ちゃんと。

まわりの人たちにとって、もしおにいちゃんが十二歳のままで止まっているとすれば、いまここにいるおにいちゃんこそ、他の人の知らない、茉莉だけの知っているおにいちゃんだ。

茉莉はそう思った。

仕事から遅く帰った日、新が茉莉の部屋をのぞくことを茉莉は知っている。娘が安全に眠っていることを確かめに来るのだ。喜代と違って、新は昔から子供たちの部屋に入るときにノックをする。起きていれば返事をするが、眠っていて返事をしなければ、ほんのすこしドアがあき、廊下のあかりが細く見える。ぼんやりと、茉莉にはその記憶が残る。

茉莉がときどき惣一郎の部屋で眠っていることを、新は知っているに違いないのだ。それについて、新は何も言わなかった。

「きょうはデーちゃんがあるぞ」

大学のそばの喫茶店からケーキを買ってきた日、新は嬉しそうにそう言った。その店のケーキは大きくて、あまりおいしくはなかったのだが、無論茉莉はその意見を胸に秘めておいた。

新は、喜代のいた頃よりもよく喋るようになった。元来無口な人間なので、努力しているのだろうと、茉莉は思った。そして、すこしだけ喜代を恨んだ。

「だいたい、パパも情ないいっちゃんね」

惣一郎の部屋で、そんなふうに文句を言った。

「ママに勝手ばさせて。なんで止《や》めさせせんかったんか、いっちょんわからん」

口にして、すぐ言い直す。

「わかりたくもなか」

惣一郎が、「わからない」という言葉にすぐ反応したことを思いだすからだ。

「考えてごらん、茉莉。考えるのは大事なことだよ。よく考えれば、たいていのことはわかるんだから」

母親が留学していると言うと、学校の友達はみんな「変っとう」と言った。茉莉もまったくそう思う。

「ママが留守のあいだ」

　大きくてばさばさのケーキをつつきながら、新は言った。

「ママが留守のあいだ、パパもできるだけのことはする。でももしパパじゃ駄目なことがあったら」

　言葉を切り、新は困ったような顔をした。眼鏡の奥の目は、それでも逸《そ》らされることなく茉莉を見つめていた。

「国際電話をかけてもいいし、七さんに話してもいいから」

　茉莉は驚いた。それから心細くなった。だから心細さを打ち消すように、

「いらん」

　と、きっぱりこたえた。

「ママがおらんでも、茉莉は平気やもん」

　そして、ほんとうに平気だった。ブラウスがしわしわでも、お昼が購買部のパンばかりでも、夜中に一人ぼっちでも。

　何も変らない。

　茉莉は強いてそう思おうとした。惣一郎や九と駆けまわっていた日々と、道も土手も公園も区別なく遊びの世界だった日々と、あたしは何も変らない。

　チョウゼンとしていれば、いつも惣一郎と一緒にいられるのだった。

それは、光る風や青すぎる空を思いだすことと似ていた。どちらも茉莉の体の中に確実にあった。窓の外の風や空よりずっと確かに、ずっと豊かに、ずっと力強く。

「鯛？」

隆彦は頓狂な声をだした。茉莉が映画館で面接を受けて採用された、その翌日の昼のことだ。隆彦も馬場も帰りが遅く、夕食は仕事場で済ませてくる。帰れば、朝の早い隆彦は倒れるように寝てしまう。二組の布団は、一つを馬場が六畳間で使い、もう一つを茉莉と隆彦が、台所に敷いて使っていた。

「台所でよかですけん」

最初に隆彦がそう主張したとき、茉莉は内心ほっとした。馬場がいくら親切でも、同じ部屋で眠るのは気づまりだった。狭く、水道のカルキ臭のする台所ではあったけれども、隆彦と二人になれる方がよかった。

「なっしこげんと買ったとや？」

その隆彦は、でも鯛について怒っている。

「祝いとか言うほどのものやなかろうもん、アルバイトなんやっちゃけん。第一、ここらのスーパーの鯛とか、どこで獲れたもんかもわからんやろうが」

怒るとき、隆彦は首を前につきだす。それをかわいいと茉莉は思った。叱《しか》られてもこわくなんかない、と。

「いいじゃない、鯛くらい買っても」

東京の言葉で言ってみた。冗談めかせたいとき、茉莉は隆彦に標準語を使う。隆彦が笑ってくれたためしはないのだけれども。

いつものように、馬場がとりなしてくれた。

「悪かことなか。茉莉ちゃんも目利きやんか」

塩をつけた丸ごとの鯛を、盛大に音をたてて回る換気扇の真下で焼いてくれながらそう言った。

馬場は昼から仕事に出る。早朝の市場へはもう行かない身分だ。板長と共に市場に行き、板長の物の選び方や交渉の仕方を見学し、荷物を持つのはおもしろい仕事だ、と、馬場が隆彦に話していたのを茉莉は知っている。隆彦は神妙に聞いていた。市場から戻ると、隆彦はたいていもう一度眠る。昼近くに起きて、きょうのように馬場がまだいれば三人で食卓を囲む。

店での馬場の仕事の中心は下ごしらえなので、洗い場で働く隆彦よりも、午後は早くでかける。隆彦よりすこし早く帰ることも可能なのだろうが、必ず隆彦と連れ立って帰ってくる。

「馬場さんって、よか人やね」

二人きりのとき、茉莉はしばしば、隆彦に言う。でもいつまでもお世話にはなれんけんね、という、次の言葉はのみこんで。

卓袱台《ちゃぶだい》にならべた昼食を前に、茉莉と隆彦が、

「おめでとう」

「いただきます」

と言ったとき、馬場だけがそう言った。

「はじめての面接ですぐ合格とか、きっと茉莉ちゃんが堂々としとったけんやろうね」

そりゃあ茉莉はかしこいさ。

ずっと昔、惣一郎がそう言ってくれたことを思いだし、茉莉はたちまち嬉しく誇らしくなる。

「やめとった方がよかですよ。こいつすぐ調子に乗るとですけん」

隆彦が低い声で言った。馬場は、微笑んでいた。

3

東京の夏は暑い。玄関を開け放ち、窓という窓を網戸にして風の通り道をつくっていた福岡の家とは全然違う。東京の方が東なのに、と茉莉は思う。沖縄が暑くて北海道が

寒いのなら——茉莉はどちらにも行ったことはないが——、福岡より東京の方が涼しくてもいいはずなのに。

一日のうちでいちばん暑いはずの午後が、しかし茉莉のいちばん好きな時間だ。昼食をすませ、馬場がでかけたあとのアパートで、隆彦と二人だけになれる。

きょうはそうめんを食べた。そうめんに炒めた茄子《なす》と金糸玉子を添えるのは、喜代の決りだった。

ママとおなじことばしとう。

茉莉は胸の内で思う。他のおかずを思いつかないのだから仕方がないが、こういうとき、茉莉は自分を不甲斐《ふがい》ないと感じる。

ママやパパはどげんしとうとかいな。

落着いたら連絡するから、と言い置いてでたきり、何の連絡もしていない。

でも、と茉莉は考える。でもここには隆彦がいる。大好きな、そして茉莉を大好きだと言ってくれた、隆彦がいる。

グレイのブリーフにランニングシャツ、という恰好《かっこう》の隆彦は子供じみて見える。やせっぽちの、小柄な、色の白い隆彦。

「暑かね」

茉莉が言っても、

「暑か」

としかこたえない隆彦は、

「好《す》いとうよ」

と言って両頬を手ではさみ、唇に唇を押しあててみても、

「うん」

としかこたえない。

それでも茉莉には、午後がいちばん好きな時間だった。一日おきに映画館で働いているので、隆彦とすごせる午後も一日おきだ。食器を台所に運び、卓袱台を片づけて広くした六畳間の畳の上で、誰はばかることなく事を成せるのも。

行為のとき、隆彦は喋らない。茉莉にもとりたてて言うことはないのだが、黙って励むのも気詰まりなので、茉莉はときどき小さな声をたててみる。声は、しかし思うほどの効果をあげることもなく、なんとなく中途半端に、部屋の暑さや湿度の中に、うやむやにかき消されてしまう。


反対に、茉莉が苦手なのは午前中だった。市場から戻ると隆彦は寝てしまうので、茉莉は馬場と二人きりになる。馬場は茉莉の過去について知りたがった。どのへんに住んでいて、どこの学校に行っていたのか、や、どうやって隆彦と出会ったのか、どんな家

族がいて、どんな少女だったのか。

馬場にしてみればそれは当然のことだったかもしれない。後輩の連れてきた女だというだけで、見ず知らずの人間を部屋に置いてくれているのだ。三人の共通項といえば生れ育った街だけなのだし、そこでそれぞれが生きてきた時間の他に、話すことなどないのだから。

茉莉には、しかしそれは話したくないことだった。それでたいてい、

「もうよく思いだせん」

と言って黙った。茉莉が黙ると馬場は微笑み、

「話しとうなったら話してくれればよかけん」

と言った。隆彦が起きてくれればいいのに。茉莉はそう思っていたが、台所で横になっている隆彦が、しばしば目をさまして会話を聞いていることには気がつかなかった。

茉莉が仕事に行く日は、馬場が玄関で見送ってくれる。

「気をつけんしゃい」

と言って、寝て起きたままみたいな恰好で。それは混乱することだった。好きでもない男の人に見送られてでかけるということも、そこにまた帰るということも。

馬場はまた、茉莉に対して隆彦をかばうような発言ばかりした。茉莉にはそれも気に入らない。隆彦をかばうのはあたしの役だ、と思うからだ。

「あいつくさ、何も言わんばってん大変やっちゃないかいな」

と言われれば、わかっとう、と思うし、でもその一方で、

「単気筒の四〇〇とか乗っとった奴が、原付で市場んなか駆けずりまわっとうだけでもくさ、おもしろくないと思うったい」

などと言われれば、くだらん、と思いたくもなる。

「仕事は仕事やっちゃけん、仕方ないやん」

茉莉はついそんなふうに言い、そんなつもりはないのに隆彦を責めるような口調になっていることに苛立つ。

男同士、というのが気にくわなかった。茉莉には手出しのできないものに思えて、しゃくにさわった。

「行ってきます」

そういうとき、茉莉は逃げるようにアパートをでる。

「馬場さんが悪いとやないことはわかっとっちゃけん」

口をとがらせて、最近あまりそばにいてくれない惣一郎に話しかける。

「茉莉を見ててくれとうみたいに、おにいちゃんは隆彦も見ていてくれとっちゃろ？　茉莉の彼氏やっちゃけん」

おにいちゃんがいてくれる。

東京でも、茉莉はたびたびそう思う。前ほどはいてくれないけれど、でもやっぱりいてくれる。たぶん。

父親と二人で暮した三年間について、茉莉は、「おにいちゃんに護《まも》られていた日々」だったとはっきりと思う。茉莉の感じでは、惣一郎は、母親がいなくなってからつねに茉莉のそばにいた。以前にも増して濃い気配で。

そのせいで、福岡の街はすこしだけ輝きをとり戻したように思えた。茉莉をじゃまにしてはいないように。

茉莉は惣一郎の部屋で眠った。たまには自分の部屋でも眠ったが、そういう夜も、惣一郎はそばにいてくれた。それが茉莉の勇気になった。

可笑しいのは、そのことで茉莉が周囲から孤立する結果になったことだ。

たとえば朝のバスで会う痴漢を、茉莉は撃退した。手の甲にも顔にも、爪で思いきり傷をつけてやった。たとえば茉莉を急に避けるようになり、「ふしだら」とか「すすんどう」とか出鱈目《でたらめ》を言った上、「茉莉ちゃんと喋ると不潔がうつるっちゃが」とクラスじゅうに言いふらした泉やよいを、茉莉は音楽室に呼びだして、言い負かして泣かせた。どちらも、惣一郎がそばにいてくれたからできたことだ。

学校から帰ると、茉莉は家の中でまた踊るようになった。目をつぶる癖はあいかわらずだったが、もう歌は歌わず、かわりに音楽をかけた。

「おにいちゃんも踊る？」

茉莉が言っても、惣一郎はこたえてくれなかったけれども。

「淋しかね、茉莉ちゃん。でもじきに喜代さんも帰ってくるけんね」

祖父江七は、ときどきそんなふうに言った。

「九もおるけん、遊びに来んしゃい」

でも茉莉は淋しくはなかった。

ママがいなくなってから、あたしは随分元気です。

イギリスにいる喜代に、そんな手紙を書いたくらいだ。

「ママがかなしむよ」

そばで惣一郎にそうたしなめられた気がして、投函はしなかったけれども。

一度、喜代からいつもの絵葉書の他に、小さな包みが送られてきた。包みは新と茉莉の二人宛てになっていて、中にはビスケットと紅茶、それにブラジャーが一つ入っていた。茉莉の胸はまだそれほどふくらんでいなかったし、たとえば体育の時間に走ったり跳び箱を跳んだりしても、何ら支障はなかった。

「なあん、これ」

それで茉莉はそう言った。新は困惑した顔をしていたが、やがてぼそりと、

「乳かくしか」

とつぶやき、その言葉が露骨すぎるように思えた茉莉は、笑ってあげることができなかった。それで二人とも困惑顔を見合わせた。

「ママって意表をつくひとだね」

茉莉は言った。

「お母さんがおらんけん、茉莉ちゃんは乱暴やったい」

というのがその頃クラスで囁《ささや》かれている茉莉評だったが、すくなくとも寺内新の目にうつる茉莉は、すこしも乱暴ではなかった。

小島直之《こじまなおゆき》と出会ったのは、そんな日々の中だった。新の勤めている大学の研究生だった小島は、他の研究生や学生と一緒に、ときどき寺内家に遊びに来た。大人しい、目立たない男で、どちらかといえば気弱そうな印象があった。もっとも、茉莉は名前さえきちんとは知らなかった。新に来客のあるとき、社交の苦手な茉莉は、きまって部屋に引込んでいた。

ある日、その小島が茉莉の学校の前に立っていた。何の前触れもなく、いきなり。送っていく、と小島は言い、茉莉は送ってもらって家に帰った。その日、小島は家の中まで入らずに帰った。言いにくそうに、このことはお父さんに内緒にしてほしい、と言って。茉莉は、わかった、とこたえた。

おなじことが数回起こり、それは、茉莉が不良だという泉やよいの説を裏づけるかたちになった。茉莉はかまわなかった。望むところだとさえ思った。

「小島さんくさ、ちょっと気持ち悪いっちゃけど、かわいいところもあるとよ」

茉莉は惣一郎に報告した。

「すすめれば家の中に入ってくるし、すすめればコーヒーものむっちゃけど、すすめんかったらなんにもせんと」

どんなかたちであれ、他人に好意を寄せられるということが嬉しかった。それが大人の男性だということも。

茉莉には恐いものはなかった。悪い評判がたつことも、ほんとうに性的な経験をすることも、新や他の誰かに叱られることも。

「やりたくないことはやらなくてもいいんだよ」

生前、惣一郎は茉莉にいつもやさしくそう言ってくれていたけれど、何かをやれないのはつねに茉莉で、惣一郎は何だってやってしまった。一人で。恐いことも、危険なことも。ためらえば、茉莉はただ、置いてきぼりにされるのだった。

何も恐れない、という決意にも拘らず、しかし茉莉の身には「性的な経験」も「叱られること」も起こらなかった。起こったのは、新の研究データが盗まれるという事件だった。

それは、新の寝室に置いてあった。新自身の言葉によれば、

「個人的に大事なデータだっただけで、ある種の学者には意味を持つかもしれないが、それで世界が変るような研究データではない」

茉莉は無論、激怒した。一体何だってそんなデータを欲しいのかわからなかったが、問題は理由ではなかった。現に新は論文の提出ができなくなってしまったのだし、それは茉莉のせいだった。小島をときどき家に入れていたことを、茉莉は新に打ちあけた。

「小島くんを？」

新は驚いたようだったが、

「それだけで彼を疑うわけにはいかない」

と言った。茉莉にも、勝手な憶測をしないように、と言い渡した。茉莉にとって、でもそれは憶測ではなく確信だった。データが盗まれた日以来、小島が茉莉の前に現れなくなったのが、何よりの証拠ではないか。新もまた、茉莉から小島の話を聞いて以来、寝室じゅうをひっくり返して捜すことをやめていた。

茉莉は腹の虫が収まらなかった。

「絶対とりもどしてやる」

決意して、大学にのりこんだ。

小島はふてぶてしいと言ってよかった。いつもの、おどおどした態度は微塵《みじん》も見せな

かった。助手だか学生だかわからないが、おなじ研究室にいた若い女に、

「寺内先生のお嬢さんやけん、お茶ばいれちゃってん」

と指図したりした。

「外にでりいよ」

茉莉は言った。

ほっとくんだ、という、惣一郎の声がきこえたような気がしたが、ほっておくわけにはいかない、と、茉莉は心の中で言い返した。許せることと許せないことがある、と。

小島はにっこり笑って、

「かまわんよ」

と、言った。

「どこに行くね」

曇った、肌寒い日だった。その時間、新が講義を持っていることを茉莉は知っていた。講堂の前を通って図書館の方に歩いた。

「返しいよ」

歩きながら、茉莉はいきなりそう言った。大学に来るのはひさしぶりだった。かつて遊び場だった、広い構内。

何を？　と、小島は尋ねなかった。かわりに、いきなり茉莉にキスをした。何に使わ

れているのかわからない、随分と旧《ふる》い建物の陰で。頭をのけぞらせて逃れようとしたが、背中にまわされた腕の力が強く、逃れられなかった。

　キスは永遠に続くかと思われた。ようやく解放されたとき、茉莉がまずしたのは口を拭《ぬぐ》うことであり、地面につばを吐くことだった。小島は笑った。

「こげんして欲しかったたっちゃろ？」

　それは、茉莉が生れてはじめて感じた屈辱だった。

　誰かが茉莉の手を持ち上げた。手というよりも肘《ひじ》だった。うしろから、確かに。茉莉にはそう思えた。

　小島を殴ったのは茉莉だし、茉莉は自分でもそれを憶えている。曲げた指が、夜になってても痛むほど強く殴った。平手ではなくこぶしで。どう考えても、それは奇妙なことだった。殴ったのは自分だが、自分の意志でも力でもなかった。

『ジュリア』というのが、その夏茉莉が働いている映画館で上映されている映画の題名だった。非番の日ならただで観てもいいと言われたが、茉莉は映画に興味はなかった。仕事そのものは気に入っていた。制服があり、簡単で、暇な仕事だった。

「働いとうとこ、今度見にきいよ」

　隆彦に、そう言ってある。隆彦の働く料亭は新橋《しんばし》にある。川崎駅から電車で通っているのだし、仕事に行く途中にのぞくのは簡単なはずだった。隆彦の出勤するころになると、茉莉はそわそわした。

掃除のおばさんにひやかされれば、

「誰か待ってるの？」

「そうなの」

と、胸をはってこたえた。

茉莉の勤務時間は、午前九時半から午後六時までだ。夜は夜のパートの人が来る。三十歳くらいの、感じのいい女の人だが欠勤が多く、茉莉はこの一カ月で四度、夜も仕事をした。

「いいですよ」

彼女から電話で頼まれるたびに、茉莉はあっさりそう応じる。早く帰っても隆彦はいないし、やりたいこともない。

パンチ、という名前の紫色の飲料を、この映画館では売っている。四角いガラス容器になみなみと入っているそれは、つねに自動で攪拌《かくはん》されている。百五十円も払ってこんなものを飲む人の気が知れない、と茉莉は思う。それは、飲むまでもなく、うす暗いロビーいっぱいに、強烈に甘く人工的な匂いをただよわせていた。

楽しいことも、いくつかはある。東京に来てから見たもの、覚えたこと。たとえば、茉莉と隆彦は馬場の案内で、野球と競馬を観た。隆彦にサンダルを買ってもらったのは新宿のデパートだし、そのデパートのある通りは茉莉の気に入った。歩行者天国になっていて、にぎやかだったのだ。子供たちに風船を配っている人がいて、配るのは子供にだけだと断られたのに、隆彦がねばって一つもらってくれた。

おなじアパートに野良猫の餌づけをしている人がいて、そこにやってくる猫たちは、汚れているが、かわいい。小さいのでまだ子猫だろうと思われるのだが、どういうわけか、みんなしゃがれ声で鳴く。にゃあ、とか、みゃあ、ではなく、んんあ、とか、にに、とか。茉莉はその猫たちが好きだった。

ともかくここでやっていかなくちゃならないのだ。

チョウゼンとしよう。

かつて兄に言われたように、そして、いままでずっとそのやり方を通してきたように。

4

喜代と新が出会ったのは、銀座のビヤホールだったという。新はまだ学生で、喜代はそこで働いていた。茉莉がその話を聞いたのは、喜代のいない大晦日《おおみそか》だった。店屋ものの年越しそばを啜《すす》りながら、新がいきなり話し始めたのだ。

「もう、この人しかいないと思ったからね」

ビヤホールに日参した日々について、新はそう説明した。照れも笑いもせず、淡々とした口調で。

「ママ、どげんやった？」

誰もみていないテレビから、しぼった音量で歌合戦が流れていた。

「目立ってたな」

丼から顔を上げ、考え考え新は言った。

「背が高くて、化粧が派手で、気が強そうで」

茉莉は笑った。

「そのまんまやんか、ばかばかしか」

ばかばかしいか、とつぶやいて、新もすこし笑った。

喜代は長女で、弟と妹が二人ずついた。はじめて家族に紹介されたとき、家の中の賑やかさに、新は目をまるくした。そのとき下の弟は、まだ小学生だった。

「何ば思いだしようと？」

茉莉がひやかしても新はうろたえる素振りもなく、

「結婚するとき」

と、続けた。

「結婚するとき、ママには自由でいてほしいと思った。そのためにたとえば大学を辞めることになってもいいと思った。会社づとめをして欲しいと言われれば、するつもりだった」

茉莉は神妙に聞いていた。新が、大人同士のあいだのことを、子供に話すのはめずらしいことだった。はじめてといってもよかった。

「でもママはこのままでいいと言った。知らない土地にもついてきてくれた」

続きを待ったが、それでおしまいのようだった。新は眼鏡の奥から茉莉を見つめて、すまなさそうな顔をしていた。

「だけん？」

茉莉は訊いた。

「だけんママば外国に行かせたと？」

それは変な理屈だと思った。でていった喜代を理不尽だと思った。茉莉は話に興味を失ったふりをしてそばを啜り、口を動かしたままテレビに近づいてヴォリウムを上げた。喜代がいれば、食事中にテレビをみることなど許されなかったはずだ。新は何も言わなかった。

この夜、新の語ったことは、事実だったが事実のすべてではなかった。たとえば、「この人しかいない」と思い定めたのが新だけではなかったことや、何人もの男たちの中で喜代が結局新を選んだこと、いきなり新の下宿に転がり込んできて、「結婚しましょう」と言ったのも喜代で、新はむしろ困惑したこと、などは省かれていた。自分が一方的に惚《ほ》れ込んで、頭を下げて結婚してもらったのだ。新は、そんなふうに話した。

たとえばうだるように蒸し暑い昼間、六畳間で隆彦と身体を重ねながら、茉莉は自分がすべてを断ち切っていると思いたかった。両親も惣一郎も過去で、自分はそれらから遠い場所に隆彦と二人だけでいる、と。

隆彦の抱き方はおざなりだった。福岡にいたころのように、大切そうに茉莉を扱ってはくれないし、東京にでてきたばかりのころのように、服を脱がせるのさえもどかしいというような、乱暴だが情熱的な愛し方もしてくれない。

仕事に行くまでの短い時間を、隆彦はたいていごろりと横になって過ごす。最近では、茉莉がことさらに甘えたり気を引き立てたりし、服を脱がせてやらないとその気になってくれない。その気になっても行為は単刀直入で、かつてのようにいとしげに髪をなでてくれたり、言葉や唇で茉莉を幸福にしてくれたりはしない。

いつからか、行為のさなかに茉莉は目をあけるようになった。以前には、恥かしくてできなかったことだ。いまは、隆彦が自分を見ていないことを知っている。知っているから、茉莉はぽっかり目をあける。それは淋しいことだった。

隆彦は何を考えているんだろう。

ぽっかりと目をあけて、冷静な気持ちでそんなふうに考えるということは。

それでも茉莉はそれを求めた。過去とは違う現実を、自分で切り拓《ひら》いていると思いたかった。


映画館での茉莉のたのしみは子供だった。

『ジュリア』などという映画にどうして子供を連れてくるのか茉莉にはわからなかったけれども、夏休みの時期でもあり、昼間の上映にはしばしば子供や赤ん坊を連れた観客がいた。映画に飽きた子供たちが途中でロビーにでて駆けまわるのを、親たちは許しているようだった。走ったり騒いだりする子供には注意を与えるよう指示されていたが、茉莉はそんなことはしなかった。ただ放っておいた。そして、彼らのたてる笑い声や奇声や、足音やわけのわからない論理の会話を聞くのが好きだった。兄と妹の二人組は、ことさら興味深く眺めた。どの子供もかわいかったが、誰一人として茉莉の知っている子供には似ていなかった。

東京の子供やね。

茉莉は思った。一人ぼっちの子供には、話しかけてみることもあった。

「かわいいワンピースね」

とか、

「お母さん、映画好きなの？」

とか。内緒で売り物のパンチをのませてやることもあった。そういう茉莉の規則違反を、同僚も掃除のおばさんも黙認してくれていた。赤いじゅうたんの敷かれた暑苦しい内装のロビーは、茉莉には居心地のいい場所だった。働いてお金をもらっているのだと思うと誇らしく、出入りの業者の人たちにも、できるだけあかるく応対をした。

隆彦が仕事にでかける時間になると、あいかわらず茉莉はそわそわした。事務所から電話をかけて、ちゃんと起きているかどうか確かめたり、用意しておいた昼食を食べたかどうか訊いたりした。

「ここに寄っちゃあ？　いまやったら誰もおらんよ」

とつけ加えることも忘れなかったが、隆彦が来てくれることはなかった。

「今度な」

とか、

「もう遅刻やけん」

とか、気乗りのしない返事が返るだけだった。いいもん、と、茉莉は思う。隆彦が来てくれなくても、あたしはここでちゃんとやれるもん。自分に割りあてられた仕事でもないのに灰皿からこぼれた灰を拭い、胸を張った。そして、でも、万が一隆彦が顔をだす場合に備えて、鏡をみるのだった。

隆彦と馬場は、たまに酒をのんで帰ることがあった。ただでさえ遅い帰宅が、そういうときはさらに遅くなった。酒の弱い隆彦は馬場に抱えられるようにして帰り、二、三時間眠っただけで、市場にいく。

謝るのは、いつも馬場だった。

「すまんね、こげんのませてから」

おなじだけのんでいるはずなのに、馬場は少しも酔っていないように見えた。手際よく隆彦のずぼんを脱がせ、必要があれば水ものませて、台所の布団に寝かせた。茉莉はただ見ているだけだった。

「おう、茉莉、元気や？」

隆彦はそう言うこともあれば、着替えを手伝おうとした茉莉を、

「しゃあしか」

と怒鳴りつけることもあった。

「お前はもう帰れ」

と言うことさえあった。それが、茉莉のいちばん嫌いな言葉だった。

「今度は三人でのもうや」

馬場はきまってそう言うのだが、そう言われても茉莉は嬉しくなかった。馬場ではなく隆彦に、そう言ってほしかった。

そんなふうだったので、ある朝起きた隆彦が、馬場がでかけるのを待って大きな紙袋を差しだしたとき、茉莉は何も想像しなかった。

「なん？」

受け取って、のぞいた。浴衣《ゆかた》と帯が入っていた。

「茉莉に似合うっちゃないかと思ってくさ」

気がついたときには隆彦にきつく抱きついていた。嬉しか嬉しか嬉しか。自分でもあきれるほど素直に、そうくり返していた。

「来週、花火大会があるげな。結構人も集るらしいったい。休みもらえそうちゃが。馬場さんが頼んでくれたみたいくさ」

紙袋は、駅前の洋品店のものだった。洋品店の片隅に、どういうわけか浴衣が数枚ぶらさがり、均一の値段で売られているのを茉莉も見ていた。

「寸法、合うかどうかわからんけど」

隆彦の言葉に茉莉は笑って、

「かまわんくさ」

とこたえた。

「寸法とか合わんでも着られるくさ。つんつるてんでもおひきずりでも、そんなの全然平気やん。きまっとうやない」

自分で帯が結べないことは気にもしなかった。出鱈目な結び方でもかまわないと思っていた。

「隆彦があたしのことをもう好いとうっちゃないわけやないってわかって嬉しか」

茉莉は言い、

「嬉しすぎて言葉がおかしくなった」

とつけ加えた。隆彦は茉莉がひさしぶりに見るやさしげな表情で、はしゃぐ茉莉を見ていた。

「着てみてん」

と言うので茉莉はその場で服を脱ぎ、浴衣を着て、帯をぐるぐるに巻きつけて臍《へそ》の位置で結んだ。

「どげん？」

両手を頭のうしろにあて、腰をくねらせてポーズをとった。浴衣というよりローブのように、だらしなく茉莉を包んだその藍色《あいいろ》の布は、それでもぱりっとした木綿の染め物の、すがすがしい匂いがした。

「似合わん！」

隆彦が大声で宣言し、無論茉莉は挑発に乗って殴るまねをして、そのままじゃれあいながら唇をふさいだ。

ここにいてここにいてここにいて。隆彦を腕に抱きながら、胸の内で何度もそうくり返した。ここにいる、ずっといる、離れない。隆彦の胸に顔を埋めながら、そんなふうにもくり返した。

「一緒やもんね」

そして、最後には声にだしてそう言った。


生活のすべてが、茉莉には証明だった。自分が過去から遠くなったことの、そして隆彦がいれば大丈夫であることの。

現実は、しかし茉莉の認識とは違っていた。隆彦がときどき店を抜けだして問題になっていることや、洗い場の仕事が雑で、馬場がとがめても改めないことなどを、茉莉はまるで知らずにいた。

花火大会の日、茉莉は朝からはりきっていた。浴衣持参で仕事場に行き、夕方着付けてくれるよう、仲のいい掃除のおばさんに頼んだ。休みがちなパートの人にも、今夜だけは仕事を代れない、と、あらかじめ宣言して笑われたほどだった。

日が暮れるのをじりじりして待った。

約束の五時半ぴったりに、隆彦は現れた。ロビーまで入ってくることはせず、グレイがかったガラスドアの向うで、所在なさげに煙草《たばこ》を吸っていた。

「隆彦！」

茉莉はとびだし、腕をつかんだ。

「何してるの？　入って、入って。紹介したい人がいるの」

桔梗《ききょう》柄《がら》の浴衣は、きっちり着付けられていた。

隆彦も、しゃれのめしていることがわかった。整髪剤をたっぷりつけた髪はつやつやと光っていて、いつものシャツの上にジャケットまで羽織っている。

「よか。仕事終ったっちゃろうもん？　早《はよ》う行くばい」

吸殻を捨て、靴先でつぶす。

「入るのいやなん？」

茉莉はしゃがんで、吸殻を拾った。

「じゃあよか。ちょっと待っとって」

ロビーに戻り、吸殻を灰皿に捨てる。

「山野《やまの》さん、山野さん」

掃除のおばさんを呼んだ。すわっていたパートの同僚も。呼ぶつもりはなかったのだが、そばにフロアマネージャーも立っていたので、なりゆき上彼も呼んだ。

おもてに再びとびだすと、茉莉は隆彦に、一人ずつ紹介した。隆彦は仏頂面をしていたが、それでも一人ずつに、「あ」とか「どうも」とか挨拶《あいさつ》らしい声をだした。

「すごくお世話になってるの」

茉莉は隆彦に言い、隆彦はもう一度頭を下げた。

花火大会の会場まで、バスに乗った。駅の周辺からすでに混雑は始まっており、茉莉は逸《はぐ》れまいとして隆彦にぴたりと寄り添った。二人きりの外出は、ひさしぶりのことだった。

隆彦はやさしかった。

「今度ディスコ行こうや」

と、言ったりした。

「茉莉は踊るとが好いとうとに、こっちに来てから一度も踊りに行っとらんめいが」

隆彦と出会ったのもディスコだった。茉莉はなつかしく思いだす。西洋館を改装した、マリアハウスと呼ばれた大きなディスコ。どんなに夜遅くなっても賑やかで、窓からあかりがこぼれていた。そこに行けば友達がいた。甘ったるいお酒と、いい匂いの空気、そして音楽。

「マリアハウスみたいなとこがあるかな」

乗客をすし詰めにして運ぶバスの窓からは、土手が見える。空はまだ青白さを残している。アパートのならぶ殺風景な道だ。

「ちがうかもしれん」

隆彦は言った。

「あげな店はなかかもしれん。でも新宿にも横浜にも六本木にも、踊るとこはたくさんあるげな」

「縁日の匂い！」

バスを降りると、茉莉は歓声を上げた。土手ぞいに、出店がずらりとならんでいる。ヨーヨーをつった。焼きそばを食べ、りんご飴《あめ》を食べた。補助輪つきの自転車に乗った子供とすれちがい、すれちがいざまに隆彦が子供の頭を軽くなでた。それだけの仕草が、茉莉を温かな気持ちにさせた。

川は思いきり濁っていた。水量が少なく、雑草と蚊ばかりが多く、どういうわけか新聞紙や週刊誌があちこちに落ちている。

ぱーん、ぱーん、と、音だけが聞こえた。打ち上げの練習らしかった。

「隆彦の、どこが好いとうか知っとう？」

歩きながら、茉莉は訊いた。

「こげんふうに、あたしば守ってくれるところ」

目を閉じて、肩によりかかる。

「あたしが目をつぶっとっても大丈夫やろ？」

隆彦は返事をしなかったが、茉莉の背中に腕がまわった。茉莉は幸福なため息をつく。

ひときわ大きな破裂音がして、同時に歓声が上がった。隆彦につつかれたが、茉莉は目をあけなかった。二発目、三発目。続けざまに打ち上がり、しゅるしゅるとのぼる音もした。隆彦が笑う。

「目、あけりいよ」

「いや」

この方が安心だもん。隆彦にもたれたまま、茉莉は思った。弱い川風が額をなでるのを感じる。そして、唇に隆彦の唇が強く押しあてられるのを感じる。

翌日、茉莉の待つアパートに、馬場が一人で帰ってきた。

「隆彦は？」

茉莉が訊くと、馬場は、

「のみに行った」

と、こたえた。

「一人で？」

「一人で」

それだけだった。馬場はそれ以上説明しようとせず、

「風呂、先に入ってよかや」

と言った。茉莉は聴いていたカセットテープを止めた。不安が、自分の胸の中という
より部屋じゅうにひろがるのを感じた。

「何かあったと?」

できるだけ何でもなさそうな口調で訊く。

「なかよ、何も。あいつもたまには一人でのみたいっちゃなかとや」

不安に、苛立ちが加わった。

「のめんやん、隆彦はお酒とか。どうして一人で行かせたと?」

馬場は、むしろ恨みがましい目つきで茉莉をにらんだ。

「なんで俺のせいにするとや。隆彦に言ったらよかろうもん」

温厚な馬場に似つかわしくない物言いだった。

「言うくさ。隆彦に直接言うけんどこにおるか教えてよ。いつもどこでのみようと?

連れ戻しに行くけん。馬場さんが一人で行かせても、あたしは一人では行かせんけん
ね」

茉莉は馬場とにらみ合う恰好になった。たまたまアイロンをかけていたので、手に霧
吹きを持っていた。

「偉そうな顔すんな。隆彦の行き先とか、いちいちわからんたい」

「もうよか」

茉莉は霧吹きを持ったまま部屋をとびだした。とりあえず駅前を、捜してみるつもりだった。何があったにせよ、隆彦はあたしが守る、と決めていた。どこにいるにせよ、みつけだしてみせる、と。

かっとしやすいのがあたしの悪い癖だ、と、茉莉はこの夜学ぶことになる。飲み屋の数はあまりにも多く、行きあたりばったりに戸をあけても、隆彦がみつかるはずもなかった。店によっては露骨にいやな顔をされた。いいから坐《すわ》ってのんでいきなよ、と声をかけてくる酔っ払いもいた。道路には路上生活者が寝ていた。一目で客引きとわかる女たちもいた。茉莉は彼らを恐いとは思わなかったが、自分がはた迷惑な存在であることに気おくれがした。心細く、どうしていいかわからなかった。

自転車置き場の横で聞き慣れた声に呼び止められたとき、茉莉はほとんど泣きそうになった。

「帰ろうや」

馬場が言った。

「隆彦は大丈夫やけん、アパートで待っとこうや」

霧吹きを持ったまま、茉莉は馬場に従った。この街に住んで半年にもなるのに、自分がまるで馴染《なじ》んでいないことを思い知らされながら。

5

二年の予定で出発し、結局三年帰らなかった喜代がやっと帰国したとき、茉莉は高校一年生になっていた。一九七六年十二月。

喜代を見送った日と同様に、茉莉は新と二人で空港まで迎えに来たのだが、学校の制服は着ていない。あらたまった外出だろうとなかろうと、自分の着るものは自分で決めるのが当然の生活を、茉莉はすでに確立していた。

レンガ色の太い糸で編まれたぶかぶかのセーターと、極端に短いデニムのスカート。冬休みになるのを待って、髪をところどころピンク色に染めた。新学期が始まったら、教師がまた大騒ぎをするだろう。茉莉は校長室によばれる。そしてそのまま家に帰される。たぶん一週間の自宅謹慎で、髪は黒く染め直すことになる。

それでも構わなかった。茉莉はピンクの頭が気に入っている。真黒では重たすぎる、と思っている。それに、茉莉の好きな人たちは、みんなほめてくれた。

「ユニークだな」

新はそう言ったし、女友達——学校の友達ではなく、ディスコで知り合った年上の女

友達――は、みんな口を揃えて「いかしとう」と保証してくれた。隣家の祖父江九でさえ、

「茉莉らしかね。似合っとうよ」

と、言った。茉莉を「不良」とか「ふしだら」とか言って遠まきに見るクラスの女の子たちにしても、校則違反をする度胸もないくせに、どこかでそれに憧れているらしいことを、茉莉は知っている。

可笑しかったのは祖父江七で、茉莉を見ると目をまるくして、

「アカザみたいやねえ」

と言った。

「アカザって何？」

茉莉が訊くと、

「小さか葉っぱの一部分だけが赤か、茉莉ちゃんのごたあ可愛らしか草」

だと説明してくれた。

日が暮れて冷え込み、一分ごとに暗く深くなっていく夜空を、展望デッキに立って茉莉は一人で眺めている。喜代の乗った飛行機が着くまでにはまだ間があるので、新は空港内の喫茶店にいる。

「寒すぎるんじゃないか？」

でがけに茉莉は新にそう言われたが、

「平気」

とこたえた。

「どうせ車やろ？」

と。つめたい風に首をすくめ、袖口をひっぱって指をかくす。レンガ色のセーターは、茉莉の白い肌をひきたてているはずだ。ところどころピンク色の髪とも呼応している。

ママ、どげん顔でおりてくるっちゃろね。

胸の内で惣一郎に話しかけた。

茉莉ば見て、どげん顔をするとかね。

三年。それは、茉莉の考えでは、母親が娘をほうっておくにはながすぎる時間だった。毎週かかさず葉書が届き、誕生日やクリスマスにはいかにも若い娘の喜びそうな贈り物が届いたとしても。

三年という月日はまた、新の髪を見事に白くしていた。実際、この三年でパパは十年をとったみたいだ、と茉莉は思う。すくないお給料で娘を私立の学校に通わせ、妻に仕送りをする生活は同情するのに余りあるものだ。

飛行機を待ちながら、茉莉は自分がなぜ喜代に会いたいのかわからなかった。喜代に腹を立てているのだ。それなのにいちばん気に入っている服を着て、心臓をどきどきさせて喜代を待っている。

「展望デッキにのぼったことある？」

茉莉は隆彦を待ちながら、馬場と酒をのんでいる。隆彦もアイロンもほっといて、茉莉ちゃんものもうや、と馬場が言ったのだ。畳に足を投げだしてすわり、訊かれるままに、茉莉は隆彦と出会ったころの話をしている。

「展望デッキから滑走路を眺めとったら、飛行機が外国に行くとか嘘《うそ》やないかと思えてくると。飛行機はただ飛んどって、見えんくなる。そのあとは存在せんくなると。消えちゃうちゃもん。忽然《こつぜん》とおらんくなると。乗らんかった人は、ただとり残される」

馬場は首をかしげた。

「でも、お母さんはそのとき帰ってきたんやろう？」

あぐらをかき、カップ酒をカップから直接啜っている馬場を茉莉はみつめた。

「おんなじことやん」

馬場はしばらく考えて、

「そうかいな」

と言った。茉莉は笑った。あきらかに、馬場には話の要点が見えていないのだ。それなのに話を聞いてくれている。

「帰ってくるときも忽然と帰ってくると。外国からとかやなく、空の、どこでもなか場所から」

あの日のことを思いだすと、茉莉はいまでも不思議な気持ちになる。

帰ってきた喜代は、出発した日とおなじモスグリーンのスーツを着ていた。見慣れないオーバーコートを手に持ってはいたが、あとは何一つ違っていないように見えた。年さえもとっていないように。

そうしてそれでいて、喜代は茉莉の全く知らない気配をまとっていた。全身、一分の隙《すき》もなく。

茉莉と新を認めたとき、喜代の顔に隠しようもなく浮かんだものは、動揺だったと茉莉は思う。喜びでも懐しさでもなく動揺だった。

「おかえり」

新が言い、手をさしだして荷物を受けとると、それでも喜代はくっきりした笑顔をつくって、

「背がのびたのね」

と、茉莉に言った。

一歩おもてにでたとき喜代が立ち止まり、

「ああ、福岡のにおい」

と言ったことを茉莉は憶えている。

駐車場はすっかり夜に包まれていた。吐く息が白く、空には星がでていた。トランクに荷物を入れると、喜代は黙って後部座席に乗り込んだ。新の車に乗るときは、子供たちにさえ助手席を譲らなかったかつての喜代のその変化に、茉莉はひどく戸惑った。誰も何も言わないまま、新が運転席に、茉莉が助手席に乗った。

母親がそばにいることで、茉莉はどきどきしていた。嬉しいというのではなかった。ただどきどきして、どうしていいかわからなかった。

「ああ、川」

とか、

「ああ、池田のおばあちゃんのお店」

とか、ときどき喜代がつぶやく他は、三人とも言葉少なだった。

「髪の毛、いつ染めたの？」

とがめるというより面白がるような口調で喜代が訊いた。

「先週の水曜日。終業式やったけん」

喜代は似合うとも似合わないとも言わなかった。

「なかなか似合うだろ」

かわりに新がそう言った。

「家に着いたときやっと、ママは嬉しそうな顔になっとった。嬉しそうな、懐しそうな顔にね」

酔いも手伝って、茉莉は馬場に言うつもりのないことまで話していた。午前一時を過ぎても隆彦は帰ってこない。不安が、じりじりと茉莉の胸をおおう。

「家の中があんまり散らかっとっておどろいとったみたいやけど、それについては何も言わんかった。まあ、その日はね」

鞄《かばん》をあけ、夫と娘に土産を出して渡してしまうと、喜代は疲れたと言って寝てしまった。茉莉と新は食事をしていなかったので、長浜までラーメンを食べに行ったのだった。

車で行ったにも拘らず、新は日本酒を注文した。茉莉に訊きもせずコップ二つ分注文し、茉莉がのもうとのむまいと構わない、という顔で、一人で自分の分をのんだ。それが新流の乾杯なのだった。

「日本酒をのんだのは、あれがはじめてやった。それまでにも友達とビールやフィズくらいはのんだことがあったっちゃけど、日本酒も、それからパパと二人でのむのも、あれがはじめてやったと」

話しながら、茉莉は部屋の隅のラジカセを見ていた。隆彦が茉莉のために抱えてきてくれたラジカセ。茉莉は踊るとが好いとうけんね——。

「俺とのむのもはじめてやね」

馬場が言った。

一瞬訪れた沈黙を打ち消したくて、茉莉は話し続ける。

「その日もね、ラーメンのあとであたしはマリアハウスに行ったと。入口まで、パパが車で送ってくれたっちゃん。あそこに行けば絶対誰かしら知り合いに会えたし、隆彦もおったしね」

馬場は微笑んだ。

「お母さんに会えた日でも、隆彦に会いたかったとや？」

「もちろん」

茉莉は強くうなずいた。

その年の夏にそこで開かれたダンスパーティに参加して以来、マリアハウスは茉莉の大好きな場所だった。白い、クラシックな、外国のお邸《やしき》みたいなその建物は、いくつもある窓から明りと音楽といいにおいをまき散らしていた。

そこに来る客の中で、茉莉はいちばん年下の一人だった。そして、熱狂的に踊った。ディスコにいてもあまり踊らない子や、チークしか踊らない子もいたが、茉莉は彼女たちを軽蔑していた。冬でも汗をびっしょりかくまで踊り、くたくたになってはじめて飲み物をのんだ。つめたくて甘いお酒を、たいてい一杯だけのんで帰った。

男同士の客は入れないので、女のいない男たちがよく店の前にたむろしていた。気に入った女に声をかけようと待ちかまえているのだ。茉莉は声をかけられたことがない。茉莉を上物《じょうもん》さんなどと言うのは祖父江七だけらしいことを、茉莉はマリアハウスで学んだ。

もっとも、いったん中に入ってしまえば状況は違った。茉莉よりすこし年上の女たちは、茉莉をかわいがってくれた。

「茉莉ちゃーん。会いたかったあ」

そう言って抱きついてくる女もいた。

「茉莉ちゃんの踊り方むちゃ好いとっちゃん」

そう言って酒をおごってくれる女も。女たちは香水くさかったり煙草くさかったりした。美人だったり美人じゃなかったりしたが、茉莉の目にはみんな一様に大人びて、楽しそうに見えた。ドレスコードをらくらくパスする華やかな恰好をして、ディスコで、ちゃんと踊る女たち。

三重隆彦は茉莉にとって、はじめ、マリアハウスのドアをあけてくれる若い従業員にすぎなかった。似合わないスーツを着て、にこりともしないで。

「また来たと？」

とか、

「もう帰るとや？」

とか、声をかけられても茉莉は無言でうなずき、通り過ぎるだけだった。

ある時そう訊かれ、

「名前、何ていうと？」

「寺内茉莉」

とこたえた。

「茉莉ちゃんか」

そう言った隆彦の口調がなれなれしかったので、茉莉はチョウゼンと頭を上げ、

「違う。寺内茉莉」

と言ってやった。隆彦は臆することなくやさしげに笑った。

「それやったらやっぱり茉莉ちゃんやん」

隆彦を好きになったのは、たぶんあの瞬間だったと茉莉は思う。それやったらやっぱり茉莉ちゃんやん。

「隆彦、遅かね」

茉莉は言い、立ち上がって、いつも布団を干す窓をあける。返事をしない馬場の視線を、背中に痛いほど感じた。二人きりでいることが、ふいに気詰まりに思えた。

福岡にいたころの隆彦はやきもち焼きだったのに、どうしてここにあたしを置いておいたりできるんだろう。

そう思うと、心配よりも淋しさが先に立った。

うしろで馬場が小さく笑った。

「窓、しめりいよ」

ふりむくと、大仏のようにおおらかな顔をした馬場がいた。心配せんでよかよ。何もせんけん。そう言って酒を片づけ始める。

「俺は先に寝かせてもらうけん。茉莉ちゃんも寝《やす》みいよ」

台所の床がきしむ音、コップをゆすぐ水音。茉莉は淋しさでいっぱいになった。ほとんど泣きだしたい気持ちになった。窓をしめると、より一層淋しさが増した。

隆彦はその日、明け方まで帰って来なかった。ドアのあく音でとび起きた茉莉があれこれ尋ねても、

「寝とけよ」

とひとこと言ったきり、何も説明しなかった。酔っているようには見えず、着替えをして顔を洗うと、そのまま市場にでかけて行った。

「あんな奴、ほっとき」

玄関にとり残された茉莉に、馬場が布団の中からそう声をかけた。

映画館での仕事と、アパートに住みついた野良猫に話しかけることが、ここでの茉莉の生活のたのしみになっていた。猫たちは汚れていたが、子猫でさえ抱き上げると小さな口をカッとひらいて、小さな歯をむきだして鳴くところが頼もしくて茉莉は気に入っていた。誰にでもなつくような子猫は嫌いだった。

「へんな顔。あんたおっぺしゃんやね」

茉莉はそんなふうに話しかける。

「あんたは目やにがひどかし」

首の皮膚をつまんで持ち上げると、子猫は四つんばいの恰好のまま持ち上がる。

「あんたは愛想がなかもんねえ」

猫たちはおもての洗濯機のそばにいた。それで茉莉は洗濯をするたびに、彼らと顔を合わせるのだった。あちこちへこんだ、不潔きわまりないブリキの皿には、乾いたおかかのようなものがこびりついている。皿は、二階の住人が置いてやったものらしい。茉莉もそこに、ときどき牛乳を入れてやる。大人猫たちは牛乳をたいして歓迎しないようだったが、子猫たちは先を争って、ほとんど顔ごと皿につっこんで貪った。

子猫を見ていると、茉莉は勇気が湧くような気がした。なぜか、自分と惣一郎と九を思いだした。

九月。澄み始めた空気の中で、茉莉はいつものように猫たちにかまいながら洗濯機をまわしている。人が一人通るのがやっとの、庭とも呼べない敷地には、それでもまばらに芝が生えている。

あの夜以来、隆彦は茉莉にやさしい。そして、馬場は隆彦につめたくなった。馬場は何も言わないが、隆彦が職場で模範的とはいえない態度であることくらい、茉莉にも想像がついていた。

「信頼できる人やけん、心配せんでよかって」

二人でこっそり駆け落ちの計画を練っていたころ、隆彦は馬場についてそう言っていた。

「こげん小さかガキん頃から、ともかく世話になったけん、あの人には頭が上がらんたい」

その馬場に見放されたら、隆彦がどんなに心細く孤独か、考えただけで茉莉は胸が苦しくなる。茉莉は、誰にも隆彦を傷つけてほしくなかった。

隆彦は、それまでに茉莉の出会ったどんな男とも似ていなかった。惣一郎のように賢くはなく、九のように温かくもない。

「のぼり棒にものぼれんかもしれん」

茉莉は猫たちに言う。軽率で、けんか早くて、強くもないのにすぐ人につっかかっていく。

福岡にいるときも、一体何度けんかをしたかわからない。自分からつっかかっていくくせに、状況が手に負えなくなればすぐに逃げた。足だけは速いのだ。茉莉を置いて逃げることもあった。そして、

「茉莉は女やけん、痛い目にはあわせられんですむ」

と言うのだった。

隆彦の腕は細いのに、抱きしめられると痛いほど力強かった。細くてもけんかに弱くても、それは男の腕だった。

茉莉はなつかしく思いだす。深夜の志賀島《しかのしま》や生《いき》の松原《まつばら》、津屋崎《つやざき》や長垂《ながたれ》の海水浴場。隆彦のバイクのうしろにまたがって、あちこちの海にでかけた。

「海が好いとったいね」

隆彦に言われ、自分が首をかしげたことを憶えている。とりたてて海が好きなわけではなかった。

「だって、恋人っていったら海に行くべきやないと？」

そんなふうに主張した。

那の津の埠頭は、なかでも思い出深い場所だ。隆彦と、百回くらいそこでキスをした。百時間くらい話した。駆け落ちの計画もそこで立てた。夜の海は不穏だった。朝の海は

長閑《のどか》だった。目をつぶると、茉莉は鼻も口もいっぱいに、あの港の、濁った水の匂いを感じる。巨大な倉庫、長い長い堤防。すのこが積み上げられていた。

「二人で暮せたらよかよね」

茉莉はよくそう言った。

「隆彦さえおったらよか」

「家族とか、どげんすると？」

気遣わしげにきまってそう訊く隆彦の、生真面目な横顔を憶えている。

「行っていいって。行かないかんって」

茉莉はこたえた。それは茉莉の胸の中の惣一郎の言葉だった。

「ほんとかいな」

隆彦は笑った。

「そげんこと言う親は見たことなか」

岸壁にぶつかる水の音は、ざばりざばりと大きく荒々しかった。琉球海運とか野田商船とか、コンテナに書かれた文字をぼんやりと見ながら、茉莉はその水の音をきいていた。

洗濯機の音が、茉莉を現実にひき戻す。東京の、川崎の、アパートの敷地に。二人きりではない、隆彦との暮しに。

6

茉莉は東京を、よく言われるような「つめたい街」とか「危険な街」とは微塵も感じなかった。職場の人たちもアパートの大家さんもやさしかった。いつも買物をするスーパーの、レジのおばさんも感じがいい。ただ、茉莉は東京を、色のきれいじゃない街だと思う。空も、草木も、あるにはあるのにきれいじゃない。自然のものばかりじゃなく看板とか家々の屋根なども、福岡にくらべるとまるで色がないように思えた。

茉莉の生れ育った場所では、家の外に一歩でれば、そこは「世界」だった。街である以前に一つの大きな世界であり、空や風や日の光が、つねにその世界を調和させていた。東京にはその感じがない。

一九七八年秋、茉莉は十八歳になった。

誕生日の朝、茉莉に最初に「おめでとう」と言ってくれたのは馬場だった。そのことで、茉莉は馬場に腹を立てた。無遠慮なふるまいだと思った。隆彦は起きてすぐやさしげな言葉を吐けるような性格ではないのだし、だからといって忘れているわけではなく、辛抱強く待っていればたぶん夜になって、あるいは翌朝になって、ひょっとすると二、三日後かもしれないが、ともかくいずれ、ちゃんと祝ってくれる人だ。茉莉にはそれがわかっているし、それを待ちたかった。憶えていてくれて嬉しい、と思いたかった。

「隆彦と一緒に、ケーキでも買ってくるけん」

馬場はでがけにそう言った。

「なるべく早く帰るし、店から何かおいしいものを持って帰るけん、待っとき」

隆彦はそばに立っていたが、何も言わなかった。

「ほんとに早く帰れると?」

馬場がでかけてしまうと、茉莉は隆彦に尋ねた。

「夜ごはん、一緒に食べられる?」

隆彦はめんどうくさそうに、

「わからん」

とこたえてトイレに入ってしまった。

茉莉は淋しかった。隆彦を依然として好きではあったが、隆彦が以前ほど自分を好きでいてくれないように思えて不安だった。茉莉が望んでいるのは特別なことではなかった。すくなくとも、茉莉の考えでは特別なことではなかった。茉莉は愛され、理解されたかった。信頼され、大切にされたかった。それはあたりまえのことに思えた。子供だった惣一郎や九でさえ、そうしてくれていたのだから。

このごろ、隆彦の考えとうことがいっちょんわからん。

胸の内で、惣一郎にそう話しかけてみる。一時間かそこら後には隆彦も仕事にでかけ、茉莉はぽつんとアパートにとり残された。掃除と洗濯と買物くらいしか、やることのないアパートに。

嬉しい驚きは夕方やってきた。満面に笑みをたたえて、隆彦が帰ってきたのだ。ラジカセのヴォリウムを上げていたので、茉莉はドアのあく音に気づかなかった。畳の上で踊っていた茉莉は、人の気配を感じて目をあけ、すると部屋の入口に、なつかしい隆彦が立っていた。昔みたいにやさしい表情で、踊る茉莉をみつめている。

「隆彦！」

嬉しげな声がでた。

「もう帰ってきたと？　それとも忘れもの？」

「帰ったったい」

隆彦は言い、

「もっと踊らんや」

と、からかうような目つきで促した。部屋の中は西日がいっぱいにあたり、セックス・ピストルズの「GOD SAVE THE QUEEN」が流れている。

「もうよか」

照れくさくなって茉莉は言い、隆彦に駆けよると、汗ばんだ腕をまわして抱きついた。

「どうしてこげんに早く帰れたと?」

隆彦のつめたい耳に、ほてった頬をおしつけながら訊いた。隆彦は寒い街の匂いがした。東京の匂いだ、と茉莉は思った。

「馬場さんが、先に帰らんやって」

茉莉をさりげなくひき離し、隆彦はこたえた。

「お誕生日やけん?」

茉莉は目を輝かせた。

「たぶん」

隆彦がこたえるかこたえないかのうちに、茉莉は唇をふさいだ。一秒、二秒、もっとながいあいだ。

「すごかあ。馬場さん、やっぱりよか人やね」

唇を離すと、そう言った。

「帰りに競馬場によってきたったい」

隆彦は言い、ずぼんのポケットからしわくちゃの札と小銭をつかみだした。

「また?」

茉莉は小言用の顔をつくろうとしたが、上手《うま》くいかなかった。

「これで何かうまかもん食べに行こう。そのあとディスコに行ってもいい。デパートにも行って、茉莉の好きなもん買っちゃあけん」

隆彦がそう言ったからだ。

「でもその前に、きょうはこっちの部屋に布団敷こうや」

隆彦は競馬に凝《こ》っていた。休みの日は一日競馬場にいりびたっていたし、本人がそう認めたわけではないが、仕事をさぼってでかけることも、ときどきあるらしいことを茉莉は知っていた。同時に競輪もやってみたらしいが、隆彦によれば「競輪はラインの力関係に左右されるけんせからし」く、「競馬は馬だのみやけん公明正大」で、「本気で勝負すれば本気で稼げる」のだった。

川崎という街のせいだ、と茉莉は思っていた。ここには競馬場も競輪場も野球場もあり――無論野球はギャンブルではないが、男が女をほったらかして遊びに行ってしまう場所という意味で、茉莉には同じようなものに思えた――、酒をのむ場所があり、金で女が買える場所さえある。いやらしい映画を一晩中上映している映画館も。

「隆彦はこの街が好いとうと？」

西日の中で、敷布団だけを敷いた上で愛しあったあと、猿のように両手両足を全部がっしりからませて、隆彦にくっつきながら茉莉は訊いた。セックス・ピストルズはもう止まっている。

「かけらも好かん」

隆彦はこたえた。両腕に力を込めて茉莉を抱きしめる。

「街も人もこの部屋も——。こんなところ、好きなわけがなかろうもん?」

「じゃあ引越そうよ」

小さい声で、茉莉は言ってみた。怒鳴りつけられるのが恐かったからだ。隆彦は怒鳴ったりしなかった。わかってる、とこたえたあとで、茉莉よりさらに小さな声で、

「馬場さんと何かあるとや?」

と訊いた。そして、訊いたくせに茉莉にこたえる隙も与えず、指で茉莉の茂みを乱暴にかき回しながら、決して豊かとは言えない茉莉の胸に顔を埋め、さらに何か言いつのった。茉莉には聞きとることができなかった。

「やめて」

苦痛だったので、茉莉はうめいた。身をよじっても、隆彦はやめなかった。茉莉の身体を押さえつけ、ほとんどわめきながら顔を腹にこすりつけてくる。やめさせるために、蹴らなければならなかった。

隆彦は泣いていた。

「ばかやん」

茉莉は言い、壊れ物を扱うようにそっと、隆彦の頭を抱いてやった。隆彦は茉莉の首のうしろを濡らし、いつまでも弱々しく嗚咽《おえつ》していた。

仕度をして外にでたときには、清々《すがすが》しい気持ちになっていた。茉莉はひさしぶりに隆彦と手をつないだ。夕焼けは消えかけており、頭上には夜が始まっている。

結局、デパートには行かなかった。連れて行きたい場所がある、と隆彦が言い、二人は駅からやや離れた場所にある、一軒の飲み屋の暖簾をくぐった。まさ。暖簾の横の、あちこち破れた赤い提灯に、墨文字でそう書かれていた。

「おう」

四人掛けのテーブルに一人で坐っていた中年の男が、隆彦に言い、片手をあげた。

「坐《すわ》れ、坐れ。遅かったじゃないか」

やきとりの煙と匂いの充満した、古ぼけてはいるが温かな感じの店だった。壁に造りつけになった棚に、招き猫が坐っている。

隆彦はあごをつきだすような小さな会釈をし、戸惑っている茉莉に、

「ノブさん」

とだけ説明した。機嫌のいいときの声だった。隆彦が椅子に腰掛けたので、茉莉もまねをして隣に腰を掛けた。ビールが二つ運ばれ、隆彦がかしこまって「いただきます」と言ったので、茉莉もまねをして同じことを言った。

「いいね。いい感じだね」

ノブさんはにこにこして言う。両目の大きさの違う小柄な男で、きゅうりに味噌をつ

けて食べながら、焼酎《しょうちゅう》をのんでいた。たれのついた皿があるところをみると、やきとりは食べ終ってしまったらしい。

「隆坊、きょうは稼いだだろ?」

茉莉に向って言う。茉莉は曖昧《あいまい》にうなずいた。隆坊。隆彦とこの人は、一体どのくらい親しいのだろうかと考える。

「踊りにいくんだろ? これから」

尻上がりの「だろ?」に愛敬《あいきよう》があった。ノブさんは白いコットンジャージィの、オフタートルのスキーシャツのようなものを着ていた。袖口が随分汚れている。きっと奥さんがいないんだ、と茉莉は思った。

ほんの十分一緒にのんだだけで、ノブさんは立ち上がった。

「じゃあ俺は行くけど、二人とももっと食べなよ。俺のおごりだから」

隆彦が立ち上がったので茉莉も立ち上がった。

「いい、いい。坐れって」

ノブさんは苦笑し、腕を下に向けて振り動かす。

「ごちそうさん」

店の主人に言い、ツケがきくのか、金も払わずに出ていった。

「誰?」

引き戸が閉まるやいなや、茉莉は訊いた。

「約束しとったと？　びっくりするやない、急に知らん人に会わされたりしたら」

「ごめん」

隆彦は素直に言い、

「でも、いい人やろ。ノブさん、きょう万馬券あてたっちゃんね」

と、尊敬を込めた口調で続けた。

「店出しとったい、予想屋の」

茉莉は興味がなかったので、

「ふうん」

と、こたえた。

そのあとは、文句のない一夜になった。隆彦と二人でやきとりを食べ、大きなジョッキでサワーをのんだ。

「誕生日おめでとう」

隆彦が言い、ジョッキをぶつけ合った。

店をでて電車に乗り、新宿に行った。電車の中には、競馬新聞がたくさん捨ててあった。乗客が踏まざるを得ないほどたくさん、それも広げられたまま。茉莉は眉をひそめ、それでも臆することなくそれを踏みしだいた。こんなのもう慣れとっちゃもん、とばかりに。

ディスコは薄汚れた雑居ビルの地階にあり、入口脇にビールのケースが積んであったりして、マリアハウスとは全然似ていなかった。茉莉はまず、その狭さに驚いた。大音響は同じだったけれども。

「変な音楽がかかっとうね。コモドアーズかいな、これ」

茉莉は言ったが、ベースの音に血管を弾かれるような気がして、小さなロッカーにバッグを入れるや、フロアにとびだして行った。

フロアはけむっていた。茉莉の勤める映画館で売っている、パンチに似た匂いがした。甘く人工的でどこか粉っぽい、紫色の飲料の匂いだ。

「ひゃああ、ひさしぶりやん」

両手を上にあげて、半ばしゃがむように腰を落とし、茉莉は歓喜の声をあげた。店そのものと同様フロアも狭かったが、もはや気にならなかった。人混みをかきわけ、ようやく茉莉に追いついた隆彦に、

「あたし、十八になったとよ」

と言ってみる。音楽にさえぎられ、声は全然届かない。

「隆彦のそばで十八になったとよ。それで、いま隆彦と踊っとうとよ」

茉莉は気にせずに怒鳴った。何？　と言って、隆彦が横向きに身をのりだす。

茉莉は狂ったように踊った。背中を反《そ》らし、腰をつきだして回したり、髪をふりたてて足を踏みならしたり、笑ったり目をつぶったりした。そんな茉莉を見ながら、隆彦は小さな仕草でリズムを刻んでいる。

マリアハウスでもそうだったように、ここでも、茉莉の踊りは違っていた。上手いとか下手とかいうのではなくて、ただ、違っていた。それで、なんとなく人が避けるので、茉莉の周りにだけ空間ができた。ちっぽけな、茉莉が自由に踊れる――。

途中で一度、隆彦がバーカウンターからのみものを取ってきてくれた。茉莉はそれをのみ干し、また踊った。踊っていると、子供のころの安心な気持ちが甦《よみがえ》った。目をつぶって好きなように踊り、目をあければそこに惣一郎や九がいるような気がした。

「踊るとき、茉莉はどうして目ぇつぶるの？」

いつだったか惣一郎のした問いかけに、茉莉はいまならこうこたえる。

「おにいちゃんに会えるからにきまってる」

二時間後におもてにでたときは、二人とも汗をびっしょりかいていた。夜の風が肌をひやす。

「気持ちよかったあ」

茉莉は言い、隆彦の腕に腕をすべりこませた。ゴミ置き場の脇を歩きながら、肩に頭をもたせかける。鼻の穴をふくらませ、裏通りの夜気をすいこんだ。

「新宿も汚い街やけど、でもよか街やね、隆彦と一緒やったら」

最終電車の時間が迫っていることに、先に気づいたのは隆彦だった。やばい、と言ったのが隆彦で、走ろう、と言ったのが茉莉だった。全力で駅を目指しながら、揃って奇妙な笑いの発作に襲われた。こんな時間にこんな場所を走っていることが可笑しくて、走りながらくつくつ笑い続けた。片手をしっかりつなぎ合い、もう片方の手で腹筋をおさえながら。

幸福の余韻を抱えたまま、アパートのドアをあけた。あかりは全てついているが、何の音も気配もしない。

六畳間に、馬場が坐っていた。

「どこをほっつき歩いとったとや?」

低い、怒りをにじませた声で訊き、立ち上がって隆彦の目の前に立ちふさがった。

「え? どこをほっつき歩いとったか訊いとったい」

隆彦の胸ぐらをつかむ。

「やめて」

茉莉は馬場の腕をつかんだが、馬場は茉莉と目を合わせることすらしなかった。爪の白く乾いた、大きくて武骨な馬場の足が畳にこすれる。馬場の顔は憤怒に歪《ゆが》んでいた。

「どうして店にでてこんかったとや？　競馬か、パチンコか、それともまたあの女ね。あの女んとこの金は板長が返したっちゃけんな、わかっとうとや、隆彦」

　シャツの衿をつかんで揺すぶられ、隆彦はほとんど宙に浮いていた。

「やめて。お願いだから隆彦を放して」

　茉莉はヒステリックに叫んだ。それでも馬場は茉莉を見なかったが、つかんでいた手は離した。隆彦と馬場はにらみ合う恰好になった。

「何や、その悔しそうな顔は。言いたかことがあるんやったら言ってみてんやい。言い訳ができるとや？　お前が店をさぼるたびに俺がどれだけ謝っとうとや、他の職人や板長が」

「しゃあしかし」

　吐き捨てるように、隆彦がさえぎった。

「親でもあるまいし、馬場さんにそげん言われる筋合いはなか」

　隆彦の目つきも声も、茉莉が逃げだしたくなるほど悲痛でいたいたしく、恨みがましかった。

「あんな店、いつだって辞めちゃあけん。だいたい、俺が洗い場の仕事をして何になるとね？　馬場さんは帰れば店が待っとうし、修業とか言ったって、所詮《しょせん》ぼんぼんやろうが」

茉莉は、隆彦がまた泣きだすのではないかと思った。あるいは、自分が泣きだしそうなのかもしれないと。

「お前、昔からクズやったけど、ますますクズになったったいね」

馬場の声に、もう怒りは含まれていなかった。疲労と諦めがあるだけだった。

身をかがめ、肩から馬場に突込んでいった隆彦が馬場を床に転ばせたとき、茉莉は悲鳴を上げて隆彦にしがみついた。しかし、たたんで壁にたてかけてあった卓袱台を隆彦がひき摑《つか》んで振り上げ、打ちおろしたときには一歩も動くことができなかった。

もうすこし落着いていれば、二度三度と卓袱台を振り上げる隆彦をうしろからおさえることができたかもしれない。あとになって考えれば。

そのときの茉莉に、その余裕はなかった。それで馬場におおいかぶさって、泣きながら庇《かば》った。無論、隆彦のために。

卓袱台は後頭部と背中に容赦なく一度落ちてきた。衝撃はあったが痛みは感じなかった。それから尻と足に二度。茉莉にはその方が痛かった。あとから馬場が、「卓袱台の殴打より、茉莉ちゃんの重みで窒息するかと思ったったい」と言うことになるのだが、そのときの茉莉はともかく必死だった。必死で馬場におおいかぶさり、馬場の頭を抱きかかえていた。

隆彦の攻撃が止んでも、しばらく動くことができなかった。振り向いて、顔にまた卓袱台の落ちてくることが恐かったのだ。

「茉莉」

隆彦の声がした。ひどく不穏な声に思えた。

「どかんか」

茉莉は首を横に振った。

「どけって言いよろうが」

茉莉は首を振り続けた。

隆彦がでていったことに、茉莉はしばらく気がつかなかった。

馬場は目のふちを切り、頬骨の上を腫《は》らし、意識がやや朦朧《もうろう》としているようだったが、口元に手を翳《かざ》して呼吸を確かめた茉莉に、

「重か」

と言った。安堵《あんど》のあまり茉莉はまた泣きだし、濡れた顔で馬場に頬ずりをした。目を上げると、部屋の隅に一目で中身がケーキとわかる箱が転がっていた。今朝、馬場がでがけに、買ってくると言っていたことを思いだした。そして、きょうが自分の誕生日だったことも思いだした。隆彦とディスコに行ったのは、十年も前のような気がした。

7

茉莉が許せないのは、あの夜隆彦が馬場を殴ったことではなかった。でていったことだった。茉莉を置いて。馬場の許《もと》に、茉莉を残して。

「信じられん」

茉莉は山辺《やまべ》にそう言っていた。

「あたしには隆彦がすべてやったとに、ほんとにぜったい信じられん」

茉莉はいま、山辺稔《みのる》の部屋にいる。山辺は馬場とおなじアパートの、二階の一室に住んでいる。

山辺と茉莉は、これまでも顔を合わせれば立ち話くらいはする仲だった。庭に棲《す》みついた野良猫たちに、エサをやって可愛がっていたのが山辺で、茉莉は山辺に好感を持っていた。

「いいじゃん、それはもう」

信じられん、を連発する茉莉を、山辺は穏やかにたしなめる。

「おかげでこうなったんだしさ」

「それはそうやけど」

山辺の穏やかさは、つっけんどんな物言いばかりする隆彦との関係に疲れていた茉莉にとって、びっくりするほど温かでやさしいものだった。ただし同時に、つかみどころがないような気もした。

でていった隆彦は、翌朝荷物をとりに戻ってきた。茉莉には目もくれず、わざとのように荒い足音をたてて部屋を歩き、衣類や身のまわりの品を無言で鞄につめていく。

「待ってん」

茉莉が言っても、返事もしなかった。

「どこに行くと？　ゆうべのこと、馬場さんに謝った方がいいと思うっちゃけど」

洗面所まで隆彦を追っていき、うしろから茉莉は言った。隆彦は歯ブラシやタオルを、乱暴に鞄に落としていた。

「隆彦ってば」

茉莉は苛立って語気を強め、隆彦が手に持っていた整髪料をひったくった。

「何ばするとや」

低い声だった。本人は凄《すご》んだつもりだろうとわかったが、茉莉には、それはひどく子供っぽいすね方に思えた。

「返しいや」

鏡の前でにらみ合う恰好になった。

「いややもん」

茉莉は力を込めて言ったが、それは強《こわ》ばった声になった。ゆうべまで隆彦に暴力をふるわれたことは一度もなかったし、ゆうべのそれも、実際には茉莉に向けられたものではなかった。そうしてそれにも拘らず、茉莉は怯えていた。やせっぽちの、弱虫の隆彦。そう思っていたのに、いま目の前にいる男は、あきらかに自分よりも腕力があり、そのことを知っていて、しかも感情の抑制ができない。

「どこに行くんか訊いとったい」

自分が怯えていることが茉莉をさらに不安にした。

「あたしを置いていくと？」

ほとんど泣きだしそうだった。茉莉をにらむ隆彦の目は、憎悪といっていいほどの怒りと恨みがましさに満ちていた。

「茉莉には馬場さんがおるやろうが」

反論しなかったのは、あまりにもばかばかしかったからだ。馬場とのあいだに何もないことは、隆彦だって百も承知のはずだ。

「茉莉は気楽やもんな。引越ししたいだの何だの、文句言っとったらよかっちゃけん。そのくせ馬場さんには媚《こび》ば売って」

心外だった。しかし隆彦は言いつのった。

「誰にでも媚を売るっちゃろ。ぼんぼんの馬場さんとお似合いくさ。誰が連れてきてやったと思っとうとや」

「どうしてそげんこと言うと？」

不覚にも声が震えた。隆彦は軽蔑したように息をこぼして小さく嗤い、

「どうして博多弁なん？」

と言った。

「喋れるっちゃけん喋ればよかろうもん、東京の人間みたいに」

支離滅裂だ、と茉莉は思った。隆彦は支離滅裂で、言葉なんか通じないのだ。

「もうやさしくしてくれんと？」

泣くまいとすると、声が小さくなった。

隆彦はでていった。泊めてくれる女の人がいるのかもしれない。あるいは、ノブさんという人のところに行くのかもしれない。いずれにしても、それは茉莉の人生の外側だった。

ドアが閉まったとき、茉莉は和室に立ち、手に整髪料を握りしめていた。スティック糊《のり》に似た形状の、隆彦が「チック」と呼んで愛用していたものだ。何の考えもなく、茉莉は蓋《ふた》をとり、口紅のようにくるくる回して使いかけの中身をだした。ねっとりとまとわりつくような、甘い匂いがした。茉莉のよく知っている、隆彦の匂いだ。

茉莉が手放してしまったもの。隆彦は、すでに福岡とおなじくらい遠い。

衝動的に蓋を閉めると、牛脂に似たその整髪料が、容器の中でぐしゃりと潰れるのがわかった。

そのあとの一週間、茉莉は隆彦を待って暮した。きっと帰ってくる。そう思いたかった。馬場との関係は気まずかった。福岡をでるとき両親にもらった餞別はなくなっていた。いつのまにか隆彦が使ったのだ。ギャンブルに使ったのか女に使ったのか、それとも茉莉に買ってくれたサンダルや浴衣に使ったのか、わかりようがなかった。どちらでもおなじことに思えた。隆彦は帰ってこなかった。

秋は急速に深まっていった。駅前の薄汚れた広場には、ビラや新聞紙と一緒に枯れ葉が舞った。毎朝顔を洗う水道の湯が、なかなか温まらなかった。

「一週間たったっちゃんね」

茉莉は馬場に言った。たまには飲もう、と言われて、深夜のビールにつきあっているときだった。

「隆彦、もう戻らんとかな」

馬場が悪いわけではないことは知っていた。それでも茉莉は、馬場に対して好意的な気持ちになることができなかった。

「戻らんくさ。あいつのことは俺の方が知っとろうが」

そうかもしれない、と思うことが、耐え難いかなしみとなって茉莉の胸を塞《ふさ》いだ。隆彦のことは誰よりもあたしが知ってる、と、すこし前なら思っただろう。

「じゃあ、あたしはでていかないかんね」

顔を上げた馬場の表情を、茉莉はいまも憶えている。不安げな、困惑した——。

「何で。茉莉ちゃんがでていったら、あいつが戻ったとき——」

「矛盾しとう」

茉莉は遮った。

「そんなの矛盾しとう。隆彦は戻らんって、馬場さんが言ったたっちゃない」

立ち上がった馬場に両肩をつかまれ、唇をおしつけられた。茉莉は立ち上がるひまもなく、うしろに手をついて、倒れないように身体を支えるだけで精一杯だった。そうやって、茉莉は馬場の唇を受けとめた。目を固く閉じ、鼻だけで呼吸をしながら。

それは信じられないほどながく続いた。馬場は顔が大きく、唇も厚く力強かった。そして、どういうわけか、やたらに吸い込むのだった。

またた、と茉莉は思った。かつて父親の大学で、無理にキスをされた記憶が甦った。でも今回は事情が全然違う。ここは馬場の部屋なのだ。ここにいる自分が悪いのだ。

茉莉はひたすら我慢した。どうってことないやん。なんとかそう思おうとした。キスなんて、いっちょんどうってことないもん。

馬場は茉莉におおいかぶさり、唇といわず舌といわずやたらに吸いながら、どんどん息を荒げていく。

これが終ったら、と、茉莉は奇妙な冷静さで考えていた。これが終ったらここをでていこう。最初に家から持ってでた物以外は全部置いて、ここをでていこう。とりあえず夜があけるまでどこかで待って、それから仕事場に行こう。支配人に、映画館に住み込みで働かせてもらえないかどうか訊いてみよう。あるいは、どこか安いアパートを世話してもらえないかどうか。

ようやく男の身体が離れたとき、茉莉は自分の思考が澄んでいることに気づいた。恐くもなければ、かなしくもなかった。

「隆彦とか、忘れり」

馬場は言い、茉莉から目を離さずに、ずぼんを脱ぎ始めた。茉莉は、自分の着ていたセーターが首までまくり上げられ、片方の乳房がブラジャーからこぼれていることに気づいて、それを直した。立ち上がると、足がふらついた。白々と電気のついた部屋の中で、馬場はブリーフ一枚の姿だった。思いのほか白く、きれいな形をした足が畳を踏みしめている。やわらかそうな布越しに、その中のものが思いきり大きく隆起しているのがわかった。

だいきゅうちん。

遠いことを思いだし、茉莉は微笑んだ。九はどうしているだろう。

「もう行かないかん」

茉莉は言った。やさしげな声になったことに、自分でもおどろいた。もしも馬場がまたおいかぶさってきたら、それはそれで仕方のないことだと思った。どんな違いがあるだろう。

「したいと？」

茉莉は訊き、まっすぐに馬場をみつめた。奇妙なまができた。どちらも何も言わなかった。

やがて、馬場がずぼんを拾った。茉莉はほっとして微笑み、馬場の首に両腕をまきつけた。感謝のしるしのつもりだったが、馬場は身を固くして、

「殺されたいとや」

と、低い声で言った。

荷物というほどの荷物はなかった。

「止めんけん、朝まで待たんね」

馬場は言ったが、そうするわけにいかないことは、茉莉にもわかっていた。

「家の人に連絡した？」

食器を棚にしまいながら、山辺稔が言った。

「した」

茉莉はこたえる。

「いい子だ」

ステレオから、しぼったヴォリウムでチャイコフスキーが流れている。

電話には喜代がでた。

「ママ？」

泣かれでもしたらどうしようかと思っていたが、それは杞憂《きゆう》だった。

「茉莉なの？」

うん、とこたえると、元気なのね、と言われた。また、うん、とこたえると、よかった、と言われた。元気なのね、とおなじことを訊かれ、うん、とこたえた。茉莉は「うん」ばかりだった。それ以上何か言えば、喜代ではなく自分が泣きだすとわかっていた。

どこからかけてるの？　茉莉？

うん、で事足りる質問ではなかった。茉莉は深呼吸をし、声がふるえたり涙をこぼしたりしないよう注意して、ことさらあかるく、

「東京に決っとうやん」

と言った。喜代は聞いていなかった。そのときには遠くの方で、新を呼ぶ声がしてい

た。

「茉莉か？」

日曜日を選んで電話をかけたのだ。喜代と新は、かわるがわる電話口にでた。茉莉は山辺に言われていたとおり、住所も電話番号もきちんと伝えた。

「男の人と一緒に住んどると。隆彦じゃない人やけん。こっちで知り合ったと」

ちょっとした告白のつもりだったが、喜代も新もおどろいたふうはなかった。まるで、一緒に住んでいるのが隆彦でも山辺でもおなじことみたいだった。

「それで、まだ帰る気にならないの？」

喜代に訊かれ、

「なれん」

と即答した。横で新が、元気ならいいよ、と言うのが聞こえた。

ママとパパの空気だ。

茉莉は、そうすればあの家の匂いがするとでもいうように、ゆっくり息をすいこんだ。

ブラインドをおろして日を遮った居間の、緑のカーテンと緑の長椅子、たくさんの植物たち。

「いいわ」

喜代が言った。

「じゃあ私たちが遊びにいくわ。それならいいでしょう？　べつに連れ戻そうってわけじゃないのよ。茉莉、聞いてるの？」

「聞いとう」

あいかわらずだ、と茉莉は思った。耳ではなく皮膚が、声ではなく空気を、吸収してしまうようだった。帰るつもりはなかったが、電話をかけてよかったと思った。

電話でのやりとりを話すと、山辺は片手に布巾を持ったまま、もう一方の手で茉莉の頭をぽんぽんと軽くたたき、

「いい子だ」

と、もう一度言った。茉莉はそれをされるのが嫌いだった。あたしは野良猫じゃない、と思うのだ。

山辺は計測機器――というのが何のことだか茉莉にはよくわからないのだが、ともかく本人が説明してくれたところによれば計測機器というもの――を造る会社の技術者で、クラシック音楽を聴くことが趣味の、三十二歳の男だった。

馬場の部屋をとびだした夜、洗濯機の横にかがんでいる山辺と会ったことで、茉莉は救われた。

「こんな時間に旅行？」

茉莉の持っている肩かけ鞄――迷彩柄の、子供が一人入れそうに大きな――に目をと

め、たのしそうに山辺は訊いた。

「引越し」

茉莉は短くこたえ、馬場のせいで腫れあがった唇に、夜風があたるのを意識した。

「朝まで部屋におらしてもらったらいかん？」

自分はあばずれかもしれないと思いながら訊いてみた。たぶんあばずれなのだ、こんなことを頼むなんて。

「かまわないよ」

山辺は首をすくめ、あっさりとそう言った。

山辺とはそれまでにも話したことがあったし、山辺は馬場のことも隆彦のことも見知っていたので、説明するのにそう手間はかからなかった。

「まず家の人に連絡しなくちゃ」

茉莉が話し終えるとそう言った。茉莉に風呂を使わせてくれた上、自分は床に寝ると言い張って、ベッドを貸してくれた。ベッドに寝るのはひさしぶりだった。シーツの湿った、知らない匂いのベッドだった。

眠ることはできなかった。山辺も起きているようだった。茉莉は山辺に、一緒に寝よう、と言った。

ベッドの中で、茉莉は肉体に関して、もう節操など持つのはやめようと思った。淋しかったし、どうしていいかわからなかった。そう言わなければ悪いような気もした。しかし、事は成せなかった。山辺の身体が反応しなかったのだ。ひさしぶりだから、と、言い訳のように山辺が言い、茉莉は自分が安堵すべきかどうかわからなくて混乱した。抱かれたいような気がした。馬場には嫌悪感を持ったのに、知らない人ならばいいような気がした。

仰向けにならんで横たわっていると、淋しくてたまらなくなった。

「お願いや、けん重なってよ」

茉莉は懇願し、拒絶された。それで、ただくっついて眠った。昔、惣一郎としたように。

翌日、映画館に住み込むことは無理だとわかったが、七万円という茉莉の月収で住める部屋を、みつけてもらえることになった。

「お風呂は無理かもしれないけど」

支配人が言い、

「銭湯が近ければ大丈夫」

と、山野さんが言った。そして二人とも、そういう部屋は必ずあると請け合ってくれた。

山辺は孤独な人間だった。母親を早くに亡くし、父親とは反りがあわないと言った。

恋人はなく、性的なことにあまり関心がないのだとも言った。経験がないわけではないので、いずれできると思うけれど、とも。

部屋がみつかるまで泊めてもらうつもりだった。毎晩おなじベッドで眠った。身体に触れあったり、キスをしたりした。

「そのうちできると思うな。勘さえとり戻せれば」

山辺は冗談めかせて言ったが、寒いのか鳥肌を立てていた。

「できるよ。簡単やもん」

茉莉は熱心に言い、山辺のほそながい身体に、自分の肌をこすりつけるのだった。

職場で相談をした四日後に、条件にぴったりのアパートがみつかった。ワンルームに台所があるばかりではなく、玄関に小さな下駄箱まで付いたかわいらしい部屋だった。ただ、そのときにはもう、部屋は必要なくなっていた。

「で？　御両親はいつ来るって？」

食器をしまい終え、煙草をくわえて火をつけながら、山辺が訊いた。

「知らん。そのときには向うから電話するって」

間取りはおなじであるにもかかわらず、山辺の部屋は、馬場の部屋とまるで違っていた。六畳間にベッドが入っていたことと、ベッドの下にくすんだローズ色のカーペットが敷かれていたこと、おまけに大きなステレオセットと本棚があって、空間がほとんどないことが印象を変えていた。

また、山辺は自分の洗濯を茉莉にさせなかった。自分の食器さえ、茉莉に触らせなかった。

「自分の分だけしてくれればいいから」

穏やかに、そう言うのだった。

川崎に来て、十一カ月がたとうとしていた。思いもよらない状況になってはいたが、茉莉には気楽なことでもあった。

茉莉は山辺を特別に好きなわけではなく、山辺の方でもそれを知っていた。山辺も茉莉を特別に好きなわけではなく、茉莉はそれを十分承知していた。

「きょう何が食べたいと？」

たとえば、朝、茉莉は山辺にそんなふうに訊く。山辺はにやりとして、

「チンジャオロースー」

とこたえたりする。茉莉の手に負えそうもないものを、わざと言ってみせるのだ。でもすぐに言い直す。

「チャーハンだな」

茉莉が遅番のときには、逆に山辺が訊く。茉莉が食べたいというものを、山辺はちゃ

んとつくってくれる。そのうえ、夜道は危険だからと言って、映画館まで迎えに来てくれる。

そんなことが茉莉にはたのしかった。求めずに求められないことは、求めて求められないことよりも、はるかにバランスがいいということを、茉莉ははじめて学んだ。

8

まったくあたしはへなちょこだ。

一九七九年三月。茉莉は窓から晴れた空を見ている。ステレオからはチャイコフスキー。チャイコフスキー？　あたしが？　隆彦や、かつてマリアハウスで一緒に踊った女たちがいまのあたしを見たら、随分びっくりするだろう。でも、実際、チャイコフスキーは悪くなかった。目をつぶって聴いていると、ここでコントラバス、とか、ここでピアノ止めて、とか、つい指揮者のまねをして腕をふりあげてしまう。

山辺との暮しは平和そのものだった。自分が一体なぜここにいるのか、さえ考えなければ、「人生はまあまあうまくいっている」。これは、先週遊びに来た喜代の言葉だ。

連れだってやって来た喜代と新は、アパートには一時間しかいなかった。ホテルに泊っていると言い、翌日は親戚を訪ねると言った。その翌日に、いきなり仕事場に現れた。

制服姿の茉莉を見て、喜代は露骨に顔をしかめた。

「言いたくはないけど、似合わないわ」

まったくへなちょこなことに、その一言で、茉莉は胸に温かなものがこみ上げてしまった。なつかしさ、のようなもの。さびしさ、のようなもの。

ママってあいかわらず失礼な女やね。

晴れた空を見ながら、心の中で惣一郎に言ってみる。

山辺はつねに親切だった。両親にも礼儀正しく接してくれた。恋人というより保護者のような態度ではあったけれども。

茉莉の仕事が遅くなるときは、かならず迎えに来てくれる。居合わせた人々に、笑顔できちんと頭を下げる。

「今度の彼氏はやさしくてよかったね」

職場の人たちはみんなそう言った。それは、たしかにそのとおりだった。

また、山辺はある夜、以前から茉莉を見ていた、と打ちあけた。自分は威勢のいい女の子が好きで、茉莉はまさに威勢のいい女の子だった。そう言って、照れくさそうに微笑んだ。そうでなきゃ泊めたりしないよ。

茉莉にはよくわからない。山辺のこのちょっとした告白に関して、自分が「知っていた」と思うべきなのか、「知らなかった」と思うべきなのか。

ときどき顔をあわせる馬場誠とは、当然ながら気まずかった。

「元気？」

とか、

「隆彦から連絡あった？」

とか、声をかけるとじろりとにらまれる。にらまれるだけなら幸運な部類で、

「よくこげんとこに住んどうな」

とか、

「言葉まで変って奥さん気取りや」

とか、耳にささる言葉を投げつけられることもあった。

季節は冬から二度目の春へ、めぐろうとしていた。


山辺稔は映画が好きだった。封切りロードショウよりも、古い映画のリバイバルを好んだ。歌舞伎町や池袋、横浜、ときには下高井戸《しもたかいど》とか三軒茶屋《さんげんぢゃや》とか、おそろしく遠い場所——と茉莉には思える——まで足を運ぶ。茉莉は映画をそんなにおもしろいものだとは思わなかったが、休みの日に誘われればついていった。映画よりむしろ映画館に興味があった。自分の仕事に誇りを持っていたので、よその映画館を見ることは勉強だと思っていた。映画館は、どこもおなじ匂いがした。小さい映画館なら小さい映画館ほど、

その匂いが強く濃く漂う。しかし客の雰囲気は、茉莉の働いている比較的大きな映画館と、それら小さな都心の映画館とでは全然違っている。

「子供はいないのね」

茉莉はたとえばそう感想を述べる。

「売店が小さい」

とか、

「一人で来る人が多いのね」

とか。そして、胸の内で決って思う。あした支配人と山野さんに教えてあげよう、と。

山辺の好む映画は二本立てで上映されることも多く、茉莉は退屈のあまり眠ってしまう。

「茉莉ちゃん、終ったよ」

そっと肩を揺すられて目をあけたときの、ぽかんとした気分が茉莉はしかし嫌いではない。ぽかんとした、自分だけがとり残されたような。手足をのばし、椅子にすわったまま、ぞろぞろと出ていく他の客たちを眺める。

「おもしろかった?」

横を見上げてそう訊くと、山辺は可笑しそうに首をかしげ、

「あらすじを話してあげるよ」

と、言うのだった。

山辺との生活は楽ちんだった。セックスはなかったが、茉莉はそれで構わなかった。最近では試みることもしなくなっており、それでもベッドは一つなので、くっついて眠る。セックスのかわりに、山辺はときどき性的な話を聞きたがった。

「『ヰタ・セクスアリス』だよ」

そんなふうに言った。性的な話とはいっても、山辺はそれを、いやらしい感じで訊くわけではない。たのしそうに、むしろさばさばと訊くのだ。

「はじめての男は？」

山辺は単刀直入にそう始める。

「隆彦」

「いつ？」

「ずっと前」

山辺は目玉をぐるりと回してみせる。

「ちゃんと答えて。幾つのときで、場所はどこで、どんなふうにそうなったのか」

「何のために？」

茉莉が訊くと、山辺は当然だろうという口調で、

「僕がその気になるのに役立つかもしれないからさ」

と即答する。しかし、恥かしさを全力でこらえて茉莉が話しても、そういう効果は得

られなかった。

「性的な妄想を抱いたことは？」

別の日には、山辺はそう質問する。

「妄想？　なあに、それ。ないと思うな。あたし現実主義だもん」

茉莉の返事はたいていにべもないのだが、山辺は辛抱づよく誘導する。

「女子校に行ってたんだよね。先生とか先輩に憧れたことは？」

「ない」

「じゃあお父さんとの関係は？」

「普通。健全。いいかげんにして」

そして、結局どちらかが呆れておしまいになる。

「山辺さんはいやらしいな、もう」

茉莉がそう言うか、

「茉莉ちゃんは味気ないな、ロマンがないんだな」

山辺がそう言うかだった。

茉莉は山辺に、それでも訊かれればぽつぽつと、性的な出来事を語った。隆彦との、「めちゃめちゃ情熱的」なセックスのこと、やがてやってきた「乱暴なセックスの時代」と、さらにそのあとの「かなしいセックスの時代」のこと。

「いいね、それをもっと話して。そうだ、ちょっと待って。感傷的なヴァイオリンをかけよう」

冗談めかせて、山辺はそんなふうに言った。茉莉は小島のことも話した。

「大人の男の人にアプローチされるなんて初めてだったから、嬉しくなっちゃったのね、あたしは」

不思議なことに、山辺には正直に話せた。そして、おそらくそれは山辺を愛していないからだろう、と茉莉は思う。思うけれど口にはださない。

惣一郎や九のことは黙っていた。「最初に憧れた男性」も「理想の男性」も惣一郎だったし、性的なことについて言うなら、まっさきに「だいきゅうちん」が思いうかぶのだけれど。それは茉莉の秘密だった。あるいは、茉莉と九と惣一郎の、秘密だった。

湿度の高い、寝苦しい夜だった。そのころしばしばそうしていたように、茉莉は惣一郎の部屋で寝ていた。惣一郎の部屋は、世界中で茉莉がいちばん好きな場所だった。そこにいれば、自分勝手に「留学」してしまった母親のことも、そのせいで家事をしなくてはならない自分と父親の日々のことも、口げんかの果てに泣かせてしまった泉やよいのことも忘れられた。

茉莉がつねに感じている惣一郎の存在を、この部屋の中ではことのほか強くはっきりと感じられるし、ときには声が聞こえる気のするときもある。

「ここで寝てもいい?」

――仕方ないな。

「きょう、やよちゃんを泣かしてしまったと」

――知ってるよ。見てたからね。

「あたしがいかんと思う?」

(押し殺した笑い声)

「なあに、おにいちゃん、どうして笑うと」

――弱虫だね、茉莉は。

「弱虫? 何で?」

――考えてごらん。考えればわかるから。

「わからんけん訊いとうとに」

――弱虫だね、茉莉は。

惣一郎のタオルケットを、あごがかくれるまでひっぱりあげる。

「おにいちゃんの匂いがするっちゃん」

――弱虫だね、茉莉は。

「ちがうことも言ってんしゃい」

――言えないよ。

「……イギリス、いま何時かいな」

――九時間ひくんだ。パパに聞いただろ。計算してごらん。

まぶたが重くなり、手足がぽってりと怠《だる》くなり、茉莉は眠りにひきこまれていった。

「茉莉」

なつかしい、やさしい声がして、頰にあたたかい息がかかった。身動きができないのはタオルケットの上に何かがのっかっているからだ。

「茉莉」

嬉しい、と茉莉は思った。両方の肩に、手としか思えないものの重みを感じる。誰かが茉莉をそっと揺さぶっているのだ。

茉莉、起きろよ。起きないと置いていくぞ。

ずっと昔、惣一郎によくそう言って起こされた。こんな風に耳元で声をひそめ、と言うのだ。真夜中の、子供たちだけの約束。待って、おにいちゃん、待ってて。

九が庭で待ってるぞ。ほら、茉莉。

パジャマのボタンがはずされるのを感じた。つめたい手が肌に触れる。

「茉莉ちゃん」

ぎょっとして目をあけた。そこには九の顔があった。

ほとんど苦しそうに、九はおなじ言葉をつぶやく。暗いので表情までは見えなかったが、眉がせつなげにひそめられている。

「なにしようと？」

反射的に上体を起こした。九もまた、つられて上体を起こした。むきだしの、胸が見えた。

「九ちゃん、裸なん？」

びっくりして問うと、九はまじめくさってうなずいた。

「僕たちにも、きっとできるくさ。自然なことやけん。その、つまりくさ」

やめて、と、茉莉は言った。九が一体何を言っているのかわからなかったし、わかりたくもなかった。

「やめて、どきよ」

声がふるえた。恐怖が身体の奥からせりあがってきて、いまにも悲鳴を上げそうだった。それに、さっきからタオルケットごしに茉莉の下腹に押しつけられている、熱く硬いものの正体は、考えるのも気持ちが悪い。

「やめて。早くどかんね。こわいよ」

自分でもコントロールできず、声がすこしずつ大きくなる。九はいまや茉莉以上に怯えた顔をしている。

「すまん、ちがうったい」

何がちがうのか、両手を前につきだして言った。

「クワガタやが、蝶やが」

茉莉は聞く耳を持たなかった。

「帰るけん。すまん。帰るけん叫ばんといて」

怯えきった九は言い、茉莉がこくりとうなずくと、安堵のため息をついた。

「ほんとにすまん。もう、せんけん」

ベッドからおりた九のシルエットは、茉莉の眠気も九への気づかいも吹きとばした。

「いやあああああ」

自分でも驚くほど大きな声で叫びながら、茉莉はタオルケットを頭からかぶった。

新が部屋に飛び込んできたとき、九の姿はどこにもなかった。窓があいていて、レースのカーテンが風に揺れていた。

——だいきゅうちんだったな。

惣一郎が笑っていた。

白い木綿のブリーフを、ベッドの上に茉莉がみつけたのは、翌朝のことだった。

寺内新と寺内喜代の目に、娘の暮しぶりはなんだかちまちまとして見えた。ローズ色のカーペットに安っぽい白木のベッド、組立て式の本棚とステレオセットでほぼ一杯の六畳間は、喜代の感想では「なんだかみすぼらし」かったし、茉莉が「山辺さん」とだけ紹介した男はやけににこにこと愛想がよく、新の感想では「頼りなさすぎ」た。坐る場所がないのでベッドに腰掛けた二人に、それでも茉莉が紅茶を、山辺が小さなテーブル——普段は台所に置かれているものらしい——を運んできてくれた。

高校生活を途中で放棄したことについて、茉莉に後悔や反省はまるでないらしい。

「たのしくやっとうけん」

と言い、

「こないだ初めて銀座に行ったとよ。パパとママの知りあった街なんやろ」

と言い、ことさらあかるい口調をつくっているようにも思える娘に、喜代は、でも、

「人生はまあまあうまくいっているのね」

と、言うよりなかった。

福岡に戻って日がたつほどに、あれでよかったのだろうかと喜代は不安になる。茉莉はまだ未成年だ。無理にでも連れ戻すべきではなかったろうか。

茉莉がでていったあとの日々は、喜代にとって嵐だった。家族がすべてだった。すくなくともかつて一度は、そのように暮していたのに。

ガーデンプランナー、フローリスト、あるいはフラワーアレンジメント講師として、教室を持ったりホテルや飲食店に花を活けたり、他人の庭の設計を手伝ったり、という仕事をこなす日々の中で、喜代はふと、いまの自分を惣一郎が見たら何と言うだろうかと考えることがある。思慮深く、大人以上に大人びた、特別な子供だった惣一郎。

イギリス行きも、もっと遠くへ行くべきだ、と惣一郎が言ってくれている気がして、それに励まされ、支えられての決断だった。

高校を中退して、ちっぽけなアパートで男とじめじめ暮している茉莉を、惣一郎が見たら何と言うだろう。

「あたし、あばずれみたいかな」

風呂あがりのビールをのみながら、茉莉は山辺に率直に尋ねる。

「隆彦と暮したくて東京に来たのに、いまは山辺さんと住んでる」

ビールは喉の内側を流れ落ち、茉莉は自分の頬や肩や濡れた髪が、その液体をよろこんで迎えるのを感じる。

「それがあばずれ？」

「そういうわけじゃないけど」

たとえば道ですれ違うとき、馬場の顔にそう書いてある。

「ああいう御両親から、あばずれは生れないと思うよ」

ゆっくりした口調で、考え考え、山辺は言った。

「でも、おもしろいね。御両親は標準語なのに、御両親の前で、茉莉ちゃんは博多弁を話すんだね」

「ごちゃごちゃなの。まざってるのよ、あたしの言葉は昔から」

そうかな、と言って山辺は首をかしげる。

「そうは思わないな。現にいまは標準語じゃないか。まざってはいないよ」

「そうかな」

今度は茉莉が首をかしげた。

子供のころ、家の中で博多弁を使うのは両親への反発のつもりだった。両親への反発と、兄とのささやかな連帯感。

「もう、よく思いだせん」

めんどうくさくなって茉莉は言い、ごくごくと音をたててつめたいビールを飲み下す。

9

東京は寒い。しかも、なんだかすごく乾いている。だから肌は荒れるし、唇もしょっちゅう切れる。

「血がでてるよ」

そう言って、山辺はときどき茉莉の乾いた唇をそっと吸ってくれる。山辺の唇も乾いているが、とても温かい。

その瞬間、きまって悲しくなるのはどういうわけだろう。

労《いたわ》ってくれる人がいるのは幸運なことだ。茉莉は強いてそう考えようとする。

そりゃあ茉莉は賢いさ。

惣一郎の言葉を信じきっていたが、現状を考えてみると、茉莉の中に疑いがきざす。もしかすると、あたしはあんまり賢くないのかもしれない。

「高校、卒業しておけばよかったかなあ」

深夜、チャイコフスキーを聴きながら、茉莉は山辺にそう言ってみる。山辺の好きな、安くて甘い白ワインを片手に。

「どうして？」

山辺は不思議そうな顔をする。

「やめたくてやめたんでしょう？」

「そうだけど」

高校は、茉莉にとってたしかに憂鬱《ゆううつ》な場所だった。サンルーフつきの家だのステンドグラスのある教会だのチョコレート専門店だの、なんとなく気どった建物の多い一画に、高い塀に囲まれてひっそりと在った女子校。石づくりの、フランス窓つきの校舎。

「よく授業をさぼったの」

さぼっても行き場所がなくて、校舎裏の草地に一人でいた。

「踊ったり、ひとりごとを言いながら歩きまわったり、節のある草をちぎって、それで爪を磨いたりしてた」

孤独だった、と茉莉は胸の内でつけたす。おにいちゃんもいなかったし、九ちゃんもいなかった。進学したときにはママもいなかった。夜になればおなじ家にパパはいたけれど、あたしの昼間の生活からは、ひどく遠い存在だった。

学校の、あの高い塀の中で、あたしは一人ぼっちだった。記憶をたぐり、茉莉はつくづくそう考える。隆彦に出会って、塀からひっぱりだしてもらうまでは。

「学校の外の方が楽だった」

茉莉は説明しようとする。

「オルベラっていう喫茶店があってね、学校の中でわりと仲よしになった女の子たちとは、よくそこに行った」

古めかしい喫茶店だった。紫色の看板と、ガラスケースの中で埃をかぶっていた作りもののプリンアラモード。扉をあけると、てきぱきしたおばさんが出迎えてくれた。

「いったん家に帰って、夜になると踊りに行った。新しい友達ができて、そこに行けば約束なんかしなくてもいつも誰かがいて、そのあとみんなで海に行ったりしたの。朝まですっと喋ってた。楽しかったな」

いろんな人がいた。茉莉はなつかしく思いだす。みんな年上で、大人びていた。

それは、茉莉が初めて自分でみつけた居場所だった。九は勿論《もちろん》、惣一郎の幻も、追って来ない場所だった。

そうやって学校の外に居心地のいい場所をみつければみつけるほど、学校は居心地の悪い場所になった。オルベラに集るごく一部の友人を除くと、茉莉は自分が同級生たちに疎《うと》んじられていることを知っていた。周囲でささやかれる陰口と、彼女たちがふいに垣間見《かいまみ》せる敵意。

チョウゼンとしていればいい。

惣一郎の言葉に従えば従うほど、できていく溝。

「やっぱり戻りたくないな。学校、嫌いだったもん」

茉莉が言うと、山辺は微笑する。

「よかった」

「よかった？」

甘ったるいワインを持ったまま、オウムのように訊き返す。

「あたしやっぱり焼酎にする。山辺さんよくこんなの飲めるねえ」

台所に行き、流しにグラスの中身を捨てた。

「茉莉ちゃんがいなくなったら困るからさ、高校にであれ福岡にであれ、戻ってほしくないから」

まただ。茉莉はグラスをゆすぐ手を止めた。やさしい言葉のはずなのに苦しくなるのはなぜだろう。

大切なのは、受け容《い》れられ、望まれるということだった。家族とか、学校とか職場とか、そういう背景と一切関係のない場所で、自分が誰かに望まれるということ。心だろうと身体だろうと構わない。何をもったいぶる必要があるだろう。それに、好きな男と暮すよりも、よく知らない男と暮す方が簡単だということを、茉莉は発見してしまった。三人で暮すより二人で暮す方が快適だということも。

山辺はやさしい。茉莉を束縛しようとしないし、茉莉の方でも、自分の言動が山辺を怒らせるのではないかと、始終びくびくせずにいられた。

茉莉にとって、東京で出会ったいちばん重要な人間は自分を受け容れてくれた山辺稔であり、いちばん気の合う人間は山野牧子《まきこ》だった。茉莉が仕事熱心であることや、しばしば無給で残業——というか、欠勤がちな遅番の同僚の穴埋め——をしていることを、それとなく支配人に伝えて時給を二百円上げさせてくれたのが彼女だし、茉莉がいままで作ったことのない料理——茶碗蒸しやクリームコロッケ、チンジャオロースー——の作り方を教え、山辺を驚かせる手伝いをしてくれたのも彼女だ。

茉莉がついしてしまう、本当はしてはいけないこと——退屈している子供に話しかけるとか、売り物のパンチを味見させてやるとか——には見て見ぬふりをしてくれる。だから茉莉も、上映中のロビーの隅で、彼女がこっそり煙草を吸うのを目撃しても何も言わない。

「彼氏は元気？　仲よくしてる？」

からかうような口調で訊かれても、それが軽々しく口にされたものじゃなく、心配と親愛の情のないまぜになった何かだとわかるので、茉莉はにこやかにこたえる。

「元気。仲よくしてる」

と。

職場に迎えに来る山辺を、山野さんは気に入っているらしい。

「だって、やさしいじゃないの」

水色の上っぱりに紺色の運動靴という、清掃係の制服姿で山野さんは茉莉に言う。

「細面《ほそおもて》で、わ、り、か、し、い、い男だし」

「そうですねえ」

茉莉は曖昧にこたえる。

一度、茉莉は山辺と山野さんと三人で、映画を観に行ったことがある。観たのは『サタデー・ナイト・フィーバー』で、そのあとの食事は「奮発して」お鮨《すし》だった。山野さんはジョン・トラボルタに、「ちょっとちょっかいをだされてみたい」と言った。

「やっぱり。あたしたちって男性の趣味が似てますねえ」

茉莉は笑いながら言った。そのやりとりを聞き、山辺は芝居気をだして頭を抱えてみせたものだ。

「じゃあ僕には望みがないじゃないか」

あれはたのしい夜だった。三人で日本酒をたくさんのんだ。なかでも山野さんがいちばんたのしそうに、喋ったり笑ったりしていた。

五十六歳だというから、山野さんは喜代よりもずっと年上だ。御主人を亡くし、二人いる子供たちはどちらも結婚し、孫が一人いるという。一緒に暮そうと言われてはいるが、「そんなの冗談じゃない」そうだ。「独り暮しの自由を手放すつもりはない」らしい。

そんな山野さんに、茉莉は二度贈り物をした。一度目は片目のつぶれた野良猫で、仲間に苛《いじ》められて可哀相だと話したところ、彼女が欲しいと言ったのだ。

「アパートだけど、大丈夫」

山野さんは自信ありげに請け合った。

「もともとボロ家だし、管理人さんはとっくに味方につけてあるから」

二度目の贈り物はレコードだった。ジャケットにトラボルタの写真のある、ビージーズのＬＰ。

「あら嬉しい。トラちゃんじゃないの」

山野さんは目を輝かせた。

「飾っとくわ。残念ながら蓄音機は持ってないから、聴くことはできないけど」

春が過ぎて夏になった。「汚か」と思った川崎の街も、夏には街路樹がそれなりに緑を誇り、空は低く白い夏の雲を湧かすことが茉莉にもわかった。映画館は寒いほど冷房が利き、アパートはうだるほど暑い。ゴキブリの叩《たた》き方も、茉莉が東京に来て学んだことの一つだ。「虫恐怖症」の山辺に代り、茉莉は勇ましくそれを退治する。

夜になると、山辺は茉莉にキスをしたり、茉莉の胸に触れたりしたがった。胸や腹に顔を埋めたがることとさえあったが、そこまでだった。茉莉にとって、それは快適なことではなかった。どうしてもセックスをしたいというわけではなかったが、一方的に触られるのは苦痛で、自分だけが裸にされていくようで恥かしかった。黙っているのもばつが悪くて、嘘のまざったため息ともうめき声ともつかない声をだして身をくねらせてみるのだが、心ならずも熱くなってしまうのは茉莉だけで、山辺の肌はつめたいままだった。手をのばして探りあてたものが、肌よりもつめたくやわらかかったときには、びっくりして思わず手をひっこめてしまった。そして、自分がよく知らない男と暮しているのだということを、突然思いださせられる気がした。

喜代と新からは、ときどき小包が届く。干物や味噌が入っていたり、千鳥饅頭《ちどりまんじゅう》やまるボーロが入っていたりした。縫い上げたばかりのワンピースが入っていたり、どういうわけかわからないが、本が何冊も入っていたりした。

本はあたしじゃなく山辺さんが読んでます。

茉莉は葉書にそう書いて送った。離れたくてたまらなかった家や街なのに、小包をあけると、品物ではなく箱の中の空気が、懐しく恋しく思われた。

その年の盛夏に、馬場は福岡に帰った。茉莉はそれを大家さんづてに聞いた。もともとがらんとしていた、馬場の部屋を思った。隆彦の意地悪から茉莉をかばってくれた馬場を、訥々《とつとつ》とした博多弁を、台所で魚をさばくときの堂々としたうしろ姿や真剣な横顔を、思いだした。茉莉が山辺と暮し始めてからは、とげのある言葉ばかり投げつけてきた馬場。挨拶もできないままの別れだったが、茉莉は遠くで、馬場の幸運を祈った。

山辺の帰りが遅くなる日には、茉莉は山野さんと食事をして帰ることがあった。制服を脱いだ山野さんは光る装飾品が好きで、じゃらじゃらした首飾りや大きなイヤリングをつける。

「女は男次第ではあるけれど」

　そば屋でおかめうどんを食べながら、山野さんは茉莉に言う。

「だからといって、男に頼っていちゃだめよ。男なんて、死んでしまえばそれまでなんだから」

　そういうとき、茉莉は惣一郎のことを思う。やさしい人に違いない、とその惣一郎が断言した、九の父親のことを思う。残された祖父江七を、そしてやはり夫に先立たれた山野さんを。

「まあ、茉莉ちゃんはまだ若いから、そんな心配はしてもしょうがないでしょうけれど」

　茉莉は山野さんをまっすぐに見つめる。何かを受けとめそこねたような気持ちがする。若くても死ぬ人はいる。死ななくても、いなくなってしまう人も。

「どうしたの？　どうしてそんなにじっと見るの？」

　山野さんはしみもしわも白髪も多い。この人は実際に年をとっているのだ、と、茉莉はあらためて発見する。同じ職場で働いて、こんなふうに向いあって食事をしていても、自分とこの人とのあいだには、長い年月の川が流れている。茉莉にはその川が目に見えるような気さえした。対岸は、すごく遠い。

「なんでもないです」

茉莉は微笑む。喜代も山野さんのように考えて仕事を始めたのだろうか。息子を失い、いつか夫も失うかもしれないから？　茉莉には、しかし納得がいかない。失う前に失うことを恐れるなんて弱虫だ、と思える。あたしは弱虫にはなりたくない。手元のコップをするりと干した。

山野さんが目を細めて笑う。

「茉莉ちゃんはお酒に強いのね。さすが九州の女ね」

茉莉は胸をはって、

「はい」

とこたえる。

茉莉がもどかしく感じるのは、山辺のゆるぎない穏やかさだった。茉莉の目に、山辺は何も望まない男のように見える。ちゃんと給料をもらう暮しを十年もしていながら、学生時代と同じアパートに住み、同じ生活をしている。聴くレコードはつねにチャイコフスキーだし、飲む酒もいつも同じ、緑の壜《びん》に入った甘い白ワインだ。茉莉のことも野良猫のことも可愛がってくれるが、そのどちらも山辺の生活に影響を与えられない。ディスコに行きたい、と茉莉が言っても、山辺は困ったように首を横に振り、

「そういう場所は苦手なんだ」

と言う。山辺は自分の部屋から出たがらない。旅行も引越しもしたがらない。映画以外の娯楽にも贅沢《ぜいたく》にも興味がない。

「もっといろんなことをしてみたいって思わないの？」

不思議に思って茉莉が尋ねても、

「思わない」

と即答する。

「もっとあたしにくっつきたいって思わないの？」

「くっついてるよ、もう十分に」

「じゃあもっと大きい家に住みたいとか、別の仕事をしたいとか、いつかお店を持ちたいとか、そのうち可愛い子供が欲しいとかは？」

あまりじゃんじゃん尋ねると、山辺は悲しそうな顔になる。

「茉莉ちゃんは、このままじゃ駄目なの？」

こんなにやさしい他人を、苛めてしまった。そう思って茉莉も悲しくなる。あたしはガミガミしているだろうか。もしかしたら隆彦も、それででていってしまったのだろうか。

「駄目ではないけれど」

けれど、の続きは茉莉自身にもわからない。あたしは一体何を望んでいるのだろう。

考えてごらん、茉莉。

惣一郎なら言うだろう。

考えればわかるから。


あたしは愚図なのかもしれない。

茉莉はそう考える。考えて答を見つけるより早く、茉莉をとりまく世界の方が変化してしまうからだ。

秋が来て、茉莉は十九になった。猫が一匹いなくなり、山辺は風邪《かぜ》をひいて会社を二日休んだ。

「大丈夫？」

目を充血させ、洟《はな》をかんでばかりいる山辺に粥《かゆ》の器を差しだしながら茉莉は尋ねる。

「病院に行った方がいいんじゃない？」

朝。部屋のなかは丸めたティッシュや喉飴《のどあめ》の包み、読みさしの週刊誌やみかんの皮が散乱していて足の踏み場もない。

「大丈夫」

弱々しく微笑んで、山辺はこたえる。

「母親以外の誰かに看病してもらうのは初めてのことだよ」

その言葉の何かが茉莉をぞっとさせた。わずらわしさ、気味の悪さ、そして罪の意識。偽善的だ、と感じる。お粥とか作って、心配しているみたいなふりをして、あたしはいますごく偽善的だ。

「だからいまは嬉しい。鼻がつまって息苦しいし、熱のせいで関節が痛いけどそれでも嬉しいよ。茉莉ちゃんがいてくれるから」

こわい、と茉莉は思った。そんなに頼られたらこわい。

「ばかじゃん」

それでそう言った。

「そんなことより早く治して」

病気の山辺を気の毒には思ったが、冷淡な声がでてしまった。

「もう行かなきゃ」

早くアパートをでたいと思った。赤いじゅうたんの敷かれた、パンチの匂いの、広々とした職場に早く行きたい。

あたしは愚図な上に残酷なのかもしれないと、茉莉はまた考える。行く場所のなかったあたしを、嫌な顔もせずに受け容れてくれた人なのに。

パパ、ママ、お元気ですか。

その夜、ようやく熱の下がった山辺が寝ている横で、茉莉は気持ちをあかるくして葉書を書いた。

もうじき寒い冬がきますが、あたしは元気です。また小包をありがとう。たすかっちゃう。でももし期待してるなら、言っておくけど里心はつきません。また本を送って。山辺さんは本が好きみたいだから。茉莉より。

10

ながいながい滑り台。ペンキのはげた鉄柵に腰をおろして、茉莉は冬枯れた公園の地面を見ている。川崎に来たばかりのころ、この公園は茉莉の好きな場所だった。木々のせいか子供たちのせいか、ここは吹く風のやさしい場所に思えた。

いまは風がつめたい。木々は裸だし、子供たちの姿もない。それでも、アパートにいるよりは気が晴れた。

あの部屋にいるとなんだか息がつまる。茉莉は胸の内でつぶやく。

山辺は依然としてやさしかったが、それは無関心の結果であるように思えたし、それでいて言葉の上でだけは妙に無防備に、気味が悪いほど衒《てら》いなく茉莉に甘えるようなことを言った。

「ずっと一人だったし、他人は嫌いだと思っていた」

思いつめた表情でそう言ったかと思うと、

「でもいまは茉莉ちゃんがいる」

と、嬉しそうに目を輝かせて宣言する。

「茉莉ちゃんは僕に何も求めないよね」

質問ともつかず確認し、

「僕も何も求めないから」

と、まるでそれが正当だと言わんばかりにつけ足されると、自分がいいようにあしらわれているような、軽んじられているような気持ちになった。

こんなのは理屈に合わない。茉莉は思う。転がり込んだのはあたしだし、山辺さんを利用したのはあたしだ。でも——。みじめな気持ちで茉莉は認める。山辺にとっては、誰でもよかったのではないか、一人で笑ったり喋ったりし、セックスがなくても文句を言わず、家賃として、毎月少額とはいえ金を払う、そういう女なら誰でも歓迎だったのではないか。

すこし前までの茉莉には、東京で知らない男をひっかけるという行為——ひっかけるというつもりではなかったが、自分のしたことは事実それだったと茉莉は思う——のできた自分を誇らしく思うような気持ちもあった。福岡から遠く離れて、自分以外に頼るもののない状態で。

けれどいまは、おそらく自分があまり賢くないせいで、山辺の思う壺《つぼ》にはまっているような気がするのだった。

一方で、山辺はときに痛々しいほど卑屈に懇願する。

「どこにも行かないでほしい」

とか、

「僕を利用するなら徹底的にしてほしい」

とか。茉莉はこれまで、そんな物言いをする男を一度も見たことがなかった。

「男なんてみんな子供よ」

山野さんはそう言って笑う。でも、おにいちゃんは十二歳でも大人だった。九ちゃんだって、いまの山辺よりずっと大人だった。

茉莉は短く洟をすすって、鉄柵からぴょんと降りる。すくなくとも、公園には新鮮な空気があった。銀座とも新宿とも、福岡ともつながっているはずの空気だ。実感は湧かないが、喜代のいたイギリスとも。

空気は全部つながっている、という考えは、茉莉のなぐさめになった。惣一郎の部屋の壁に貼ってあった、世界地図を思い浮かべる。

「裸で暮してる人たちもいるんだよ」

一緒に眠る夜に、惣一郎は地図を見ながらそんなことを言った。

「船の上で暮してる人たちも。人間を食べる人間もいるんだから」

「うそ」

嘘じゃない、と惣一郎は言った。

「そんなの驚くほどのことじゃないよ。宇宙人だってどこかに潜んでるかもしれない。アメリカでは宇宙船が何度も目撃されてるんだから」

アメリカの位置もアフリカの位置も、茉莉はあの部屋の地図で憶えた。

人食い人間か。小さく微笑み、公園をあとにする。頬がひりひりし、寒さのせいで肌がささくれていることを思い知らされた。早く帰ってお風呂に入りたい。湯わかし器のせいで湯船が小さく、膝を縮めなければ入れない狭い風呂ではあったが、自分の体を清潔にできれば、部屋にしみついた山辺の気配から、身を守れるような気がした。


大晦日まで仕事があったので、たまには帰っていらっしゃい、という喜代の言葉に感謝はしたものの、茉莉は新年を、また東京で迎えた。それは思いがけず楽しい年越しになった。毎年お大師様にお詣《まい》りをする、という山野さんに誘われて、深夜の川崎大師に初詣《はつもうで》にでかけたのだ。山辺も一緒だった。

「初詣？　いいよ、そんなの。家で二人で新年を迎えたいな」

職場から電話をすると、山辺ははじめ、そう言った。

「ものすごい人出なんだよ。寒いし、電車賃もかかるし」

しかし山野さんが電話口にでると、山辺はいきなり意見を変えた。

「ぜひ、って」

山野さんは笑顔で、茉莉に山辺の返事を報告した。

仕事のあと、いったんアパートに帰った。山辺は不機嫌で、初詣には行きたくないのだと言った。それから台所にある包みがじゃまだ、とも。「台所にある包み」は喜代から届いたものだった。数の子だの餅だの瓶入りの黒豆だの、昆布だの干ししいたけだの。新聞紙に包んだ里芋とれんこん、ダンボール箱に入ったみかんもあり、たしかに場所はふさいだが、食料が豊富にあるのは見ているだけで安心で、茉莉は嬉しかった。

山辺はまた、茉莉のもらってきたガスストーブにも文句を言った。ストーブを買い換えた山野さんが、それまで使っていたものを譲ってくれたのだ。

「仕事場で、みんなにどんなことを言ってるの？　食べるものも送ってもらわなきゃならないとか、部屋が寒くていられないとか言ってるんだろうね」

「そんなこと言ってないわ」

「じゃあ、どうしてストーブなんかくれるんだ？　こんな狭い部屋、いままでの電気ストーブで十分じゃないか」

でもそれは、二本ある発熱管のうち一本が壊れていて、ちっとも暖かくないのだ。

「もういい。初詣だって、行きたくないなら行かなくていいよ」

茉莉が言うと、山辺は途端に心細そうな顔になる。

「茉莉ちゃんは？」

「あたしは行く」

間違ったことは言っていない、と思うのに、黙ってしまう山辺を見ると、後悔に似た気持ちにおそわれる。あたしも行かない、と言ってしまいそうになる。山辺の背中はそれを待っているのだ。

「あたしは、行く」

茉莉はほとんど自分に言いきかせるように、そうくり返した。そして、山辺が渋々ながら外出の仕度を始めると、ほんとうに悪いことをしたと感じるのだった。

「御無沙汰してます」

しかし、山辺は山野さんに会うと、上機嫌といっていい様子でそう挨拶をした。

「初詣なんて子供のころ以来です。新年はいい年になりそうだな」

人波にもまれながら、離れ離れにならないよう、さりげない仕草で茉莉と山野さんと両方の背中に、庇うように手をあてる山辺は、感じのいい、やさしい恋人そのものだった。

茉莉もつい浮き浮きした気持ちになった。夜気のつめたさや吐く息の白さ、人の多さまで何か特別な、心愉しいことに思えた。

「午前零時にお護摩が焚《た》かれるのよ」

人々の頭のずっと先、二段屋根のものを指さして、山野さんが説明してくれる。

「駐車場の方に池があるの。あとで行ってみましょうね。つるの池っていうのよ」

毎年来る、というだけあって、山野さんはこの寺にくわしかった。大きな金色のイヤリングをつけた顔で、にっこり笑って人混みも気にせず歩いていく。

夜中だというのに子供も老人もたくさん歩いている。茉莉は目をみはった。あかりの灯ったたくさんの提灯、まだ本堂は遠いのに、漂ってくる線香の匂い。

山辺の手が茉莉の手を包んだ。茉莉の手はそのまま持ち上がり、山辺の手ごと、すとんとコートのポケットに落ちる。

「こうしてなさい」

嬉しさが湧きあがり、茉莉は山辺の腕に顔をこすりつける。くうー、という声がでた。自分が喉を鳴らしたことに、茉莉は半ばおどろき、半ば照れる。

ポケットの中の温度は、外の温度と全然違う。

護摩木の煙を浴び、参拝をし、池のそばを通って、三人は境内の外にでた。

「一緒に新年を迎えられる誰かがいるっていうのは幸せなことよ」

山野さんが言った。茉莉が山辺の顔を見ると、山辺も茉莉を見ていた。一緒にいるのだ。しみじみと思った。すくなくとも、あたしはいま一人ぼっちではない。

そしてそれが、山辺に関して茉莉の持つ、最後の幸福な瞬間になった。

日がたつにつれ、山辺のやさしさは覇気のなさに変り、茉莉がそれに苛立つと、時々ひどく残酷なことを言った。

「茉莉ちゃんはみんなを利用してるんだ」

とか。

困るのは、そう言われるとそうである気がしてしまうことだった。

「ちがう。利用なんかしてない」

咄嗟《とっさ》に否定はするのだが、山辺が淋しそうに微笑んで、

「してるよ」

と言うと、どうしたって、している気がしてしまう。

「茉莉ちゃんは僕を利用してる。御両親のことも、山野さんのことも」

いったんそうなると、口論ははてしなく不快なものになった。喜代から届く荷物は確かに山辺の部屋を侵食しつつあり、山野さんのお古のガスストーブが、あかあかと燃えて部屋を暖めている。

「山辺さんは孤独すぎるわ」

家族と疎遠で友達もいない人生だから、この人は人の好意というものを信じられないのだ、と茉莉は思う。しかし、では、好意に甘えることと利用することとはどう違うのだろう。

「あたしたち、利用しあってるんじゃない?」

茉莉はそう言わざるを得なくなる。言った途端に、すくいようのない気持ちになる。

一月は、晴れた気温の低い日々が続いた。茉莉は職場とアパートとを往復し、家事も一人でこなした。帰りが遅れれば咎められた。茉莉といるときの山辺は、野良猫をかわいがること以外、何一つしようとしなかった。

福岡に帰りたい。

茉莉はそう思うようになった。山辺が自分を受け容れてくれたのは、山辺にとって、あのときの自分が野良猫同様だったからだ。家族も友人も恋人もなく、泊る場所さえない女だったからだ。そういうものに対してしか、山辺は心をひらけないのだ。

「帰ることにする」

公園に梅が咲き始めたころのある日、茉莉は山辺に、そう宣言した。

「帰るのは逃げるみたいでいやだったけど、だからこうなったんだけど、いまはもうどうでもいい。山辺さんを利用し続けるべきじゃないもの」

朝で、茉莉は仕事にいく仕度を終えたところだった。考えて、決心し、宣言した言葉だったのだが、それに対する山辺の返答は、茉莉の考えもしないものだった。

「利用してたの？」

山辺は、啞然《あぜん》といっていいような表情でそう言った。

「茉莉ちゃんは、僕を、利用してたの？」

茉莉は混乱する。

「そうじゃないけど」

混乱すると、言葉は自然に曖昧《あいまい》になる。

「だって、山辺さんが言ったんじゃないの、あたしが山辺さんを利用してるって。考えたらそうかもしれないって、あたしたちは利用しあってるんだって思った。だって、考えたら」

山辺が、茉莉の言葉を遮った。

「いいよ。利用でもいい」

沈黙ができた。山辺はまっすぐに茉莉を見ている。茉莉には、何といっていいのかわからなかった。かなしい、ということしかわからなかった。

「そんなの、かなしいよ」

それで、そう言った。

「あたしはやっぱり家に帰る。帰りたくなっちゃったの。山辺さんのこと、好きだけどそれだけなの。よくわからないけど、やっぱり利用なんだと思うの。だから、好きでもかなしいんだと思うの」

茉莉の目に、山辺は痛々しいほど傷ついて見えた。いまにも壊れてしまいそうに見えた。

「それでも、離れたくない」

山辺は、ゆっくりと言った。茉莉はますますかなしくなる。もう、何が何だかわからなくなる。

「どうして？」

そう訊くのがやっとだった。狭い、散らかった、でも見紛《みまが》いようもなく山辺と茉莉の習慣と生活の映しだされた部屋の中で。

山辺の表情が歪み、それは笑みだったのだが、諦めの色をたたえた笑みだった。

「茉莉ちゃんは僕にとって、三十三年の人生の中で、たった一人の友達だからね」

茉莉は大きく息を吐いた。言うべき言葉は、今度こそ品切れだった。自分が山辺のそれと同じ色の笑みを浮かべたことに、茉莉は気づきもしなかった。

「わかってる」

山辺は言った。

「僕はたいして利用価値がないよね。でも茉莉ちゃんが帰るなら、僕もついていく。今度は僕が茉莉ちゃんのうちに転がり込む。どこにいても、どうせ一人ぼっちなんだから」

びっくりした。山辺が——山辺でなくとも、誰かが——そんなことを言うなんて、茉莉は考えたこともなかった。山辺は仕事を辞めると言った。もともとやりたい仕事ではなかったからと言った。

「ついてくるの？」

小さな声になった。

「山辺さん、あたしについてくるの？」

嬉しいことなのかかなしいことなのか、茉莉には全くわからなくなっていた。

山野さんは喜んでくれた。

「若い人たちは冒険をしなくちゃ」

そんなふうに言った。福岡に帰ることのどこが冒険なのか、このときの茉莉にはわからなかったけれども。

「いただいたストーブは大事に持っていきます」

調子がいい、と茉莉は思ったが、山辺は笑顔で山野さんに告げた。三月。茉莉の送別会の席でのことだ。そば屋の座敷に茉莉と山辺が招かれ、二人を取り囲むかたちで映画館の人々がならんでいる。その中には、急遽《きゆうきよ》採用された、茉莉の代りのアルバイトもいた。一週間というひきつぎ期間は、茉莉が主張したのだった。茉莉自身が働き始めたときにそうだったように、ひきつぎなんて一日あれば事足りる、と、誰もが言ったが、茉莉はそうは思わなかったのだ。

映画館での仕事が気に入っていた。いろんなお客さんがいた。封切りのたびにやってくる人も、同じ映画を何度も観る人も。途中から入る人も、途中で出てしまう人も。寝に来るみたいな人もいた。常連とも言うべき数人の人々について、茉莉は後任者にきちんと説明をしたかった。

業者の人々についてもそうだ。エアコンやウォータークーラーの調整に来る人や、売店に品物をおろす人々、清掃器具のリース会社の人。新しいアルバイトが、もしそういう人たちをわからなくて失礼なことがあったら、それは前任アルバイトの名折れになると茉莉は思う。

「茉莉ちゃんは働き者だったからな」

支配人は何度もそう言って、茉莉がいなくなることを残念がってくれた。

「人気者なんだね」

耳元で山辺がささやいた。そこに淋しそうな響きがあることに、茉莉はかすかな困惑をおぼえる。かすかな困惑と、さらにかすかな苛立ちのようなものを。

誇りに思うよ。

すぐそばで、惣一郎がそう言ってくれていることがわかった。僕は茉莉を、誇りに思うよ。

春の夜だった。座敷には内側に障子のあるサッシ窓があって、そこから隣の銭湯の屋根と煙突が見えた。

挨拶を、と促され、茉莉は立ち上がり、

「みなさん、どうもありがとうございました」

とだけ言った。焼酎のグラスを重ねすぎて、それ以上立っていられなかったのだ。そして、拍手と笑い声に包まれた。

あっというまだった。

東京での二年間について、茉莉は奇妙な軽やかさでそう感じている。びっくりしたり、泣いたり混乱したりしているうちに、あっというまに過ぎてしまった。

「何？　どうして笑ってるの？」

缶ビールを手に東京駅のプラットフォームに立ち、首をかしげて山辺が訊いた。肌寒い日だ。しのしのとやわらかく降る春の雨が、屋根からしたたり落ちている。

「だって」

茉莉はこたえる。隆彦と乗ってきたその同じ列車に、茉莉はいま山辺と乗ろうとしているのだ。人が多くてなんとなく恐い、と思っていた東京駅も、いまではなんということもない。

「だって、思いもしなかったもの、こんなの」

「こんなの？」

「コブつきで福岡に帰ることになるなんて」

茉莉は言い、色のない東京の街の、雨に濡れた空気を深く吸い込む。

3　まず、飛び込む

1

またしても水炊き屋の座敷だった。白く濁ったスープがことことと音をたてて沸き、にんじんの赤い色や葉ものの緑を際立たせている。

新は無口だった。

「酒は、のめるんだったね」

とか、

「仕事は、じゃあすっぱり辞めてしまったわけだ」

とか、質問ともいえない質問を時折口にするほかは、静かに着々と食事をすすめた。

山辺は正坐《せいざ》をくずそうとせず、いたいたしいほど居心地悪そうに、

「いいお店ですね」

とか、

「おいしいです」

とか、小さな声で言う。

くっきりと化粧をし、こげ茶色のスーツに身を包んだ喜代一人が、座をあかるくしようと努めていたが、成果は少しも上がっていない。喜代の努力は、どこか的外れだった。

「いままでの会社で実績がおありになるんだし、仕事は探せばこの辺りでも見つかるわ」

たとえばそんなふうに言うのだが、山辺の実績など誰も知らないばかりではなく、そもそも山辺に就職の意志があるのかどうかさえ、疑わしい状況なのだった。

喜代はまた、自分でかいがいしく新と茉莉の器に鍋の中身を取り分けながら、

「ほら茉莉、山辺さんに取ってさしあげなさい」

と言ったりするのだが、山辺の分だけ茉莉が取るというのも奇妙な気がして、茉莉は手をだしあぐねる。その結果、山辺だけがセルフサービスという恰好《かっこう》になった。

茉莉が二年ぶりに博多駅に降り立ったのは、三日前のことだ。東京で列車に乗るときには雨が降っていたが、早朝の博多駅は晴れ渡っていた。

「わあお」

自分でも予期していなかった懐しさと嬉《うれ》しさがこみあげて、茉莉は山辺の腕に触れて

声をだした。山辺は、しかし浮かない顔つきだった。

「東京でお世話になっとったけん」

山辺を自宅に連れて帰ったことについて、茉莉は両親にそう説明した。茉莉にとって、山辺は恋人ではなかった。強いて言えば友達のようなもの、あるいは、いきがかり上拾ってしまった捨て猫のようなものだった。ついきのうまでの茉莉が、山辺にとってそうであったように。

しかし、そのようなことが喜代と新に理解できるはずもなかった。男と家出した娘が、別の男と帰ってきた。彼らとしては、長身で頼りなさげな目の前の男を、娘の新しい恋人として考えるよりなかった。もっとも、二人はいまのところ別々の部屋で寝ていた。茉莉が自分の部屋を山辺に貸し、惣一郎の部屋に落着いたからだ。

死んだ兄の部屋で寝たがるのはよくない、と言い続けてきた喜代も、これには反対できなかった。茉莉の部屋は、二人で——まして未婚の男女が——眠るには狭すぎる。

帰ってきた（そして転がり込んできた）二人がこの先どうやって暮してゆくつもりなのかは誰にもわからなかったが、ともかくそんなふうにして、茉莉は福岡に（そして惣一郎と暮していた家に）戻ってきたのだった。

で、気がつくとあたしはこの座敷に、しゃちこばって坐《すわ》っとっちゃん。

上品な味つけの鍋を食べながら、茉莉は胸の内でそうつぶやく。惣一郎の生きていたころは一家でいろいろな場所にでかけたし、外食も様々な店でした。しかし惣一郎亡きあとは、寺内家の改まった席、節目節目の外食は、いつもこの店なのだった。

「ビール、たくさんのめるようになったのね」

喜代が茉莉に言った。

酒は、東京での二年間に茉莉が発見した「得意なこと」の一つだった。実際、茉莉は酒に強かった。酒豪といってもよかった。他のどんな飲みもの——コーヒーや紅茶、浄水通りの店までわざわざのみに行った濃く甘いチョコレート、喜代の搾《しぼ》る新鮮な果物や野菜のジュース、「オルベラ」での茉莉のきまりだったクリームソーダ——より酒をおいしいと感じるし、かなり盃を重ねても、ふわりと心地よくなる以上には酔わない。ただ、かつてこの街に住んでいたころの茉莉には、それを知る機会がなかっただけのことなのだ。

他にいくつ、そういうことがあるんだろう。茉莉は考える。あたしの知らない、あたしについてのほんとうのこと。

「隆彦くんは、どうしてるんだ?」

ふいに、新がそう訊《き》いた。

「知らん」

茉莉はこたえる。隆彦の存在は山辺の知らないことではないとはいえ、山辺の前でそんなことを訊く新に、腹が立った。そして、隆彦という名前にいまだに反応してしまう自分自身にも。

隆彦さえいてくれればいいと思った。隆彦を守りたいと思った。どちらも叶《かな》わなかった。

「こんなところであなた方が心配しなくても、彼は彼できっとちゃんとやっているわ」

かすかに微笑《ほほえ》んで、喜代が言った。とりなす意図というよりも、正直な意見であるらしかった。

ひさしぶりに帰宅した茉莉にとっておどろきだったのは、喜代の生活の充実ぶりだった。イギリス留学後に始めた園芸家としての仕事は、半分趣味だと茉莉の目に映る程度のものだったのが、この二年で俄然《がぜん》本格化していた。ハーブの研究および紹介を始めたのが当たったらしい。もともと料理が好きだったこともあり、ハーブの育て方とそれを使ったレシピの本などを、様々な依頼のもとで、喜代は現在複数執筆中なのだった。地元のテレビ番組の講師は、すでに辞めていた。車で三十分ほどの場所に土地を借りてコテッジ式ガーデンを造るかたわら、二つの教室を主宰し、執筆に勤《いそし》んでいる。来客も外出も多く、それでいて家事にも手を抜いていないらしいのは流石《さすが》というほかなかった。

イギリスの暮しが余程性に合ったらしく、喜代は収入を安定させて、いずれは日本とイギリスを往き来して暮したいと、夢のようなことを言っていた。

なんかへんな感じやん。

正直なところ、茉莉は戸惑いを覚えた。かつてのように面と向って母親に反発することこそなかったものの、自分が喜代に、家の中にいてほしいと願っていることは否定できなかった。

「おにいちゃんが生きていたら全然ちがったんだろうなって、ときどき思うの」

ある夜、茉莉は山辺にそう打ちあけた。時間が止まっているかに見える、十七年間馴《な》れ親しんだ自分の部屋で。

「ママはおにいちゃんを溺愛《できあい》してたから、おにいちゃんがいれば、この家からでて行ったりしなかったと思う」

そしてあたしも。口にはださず、茉莉はそうつけ加えた。

「そうかな」

あいかわらずベッドにごろりと横になり、夕食後の時間をすごしていた山辺はこたえた。

「家の中でじっとしている女性には見えないけど」

ベッドカヴァーもカーテンもうす緑だ。喜代の手製の、洗いざらされた、茉莉には見馴れた——。

「山辺さんにはわからないのよ」

勉強机の前の椅子にすわり、茉莉は言った。淋《さび》しげな声がでてしまったことに、自分でもおどろく。

「まあ、そうかもしれないね」

山辺は認め、

「でもお兄さんは現に亡くなったわけだから」

と、躊躇《ちゅうちょ》なく言った。不自然な沈黙が部屋の中を支配した。茉莉には、それは依然として認め難いことだった。ことにこの家の中では、なにもかもに惣一郎の気配を感じるこの家の中では、とても信じられないことだ。現にいまだって、と茉莉は思うのだが、現にいまだって、耳をすませば惣一郎のくすくす笑いがきこえる。声というよりもっと濃くて強い気配のようなもの。惣一郎は部屋そのものの大きさにその存在を拡大し、茉莉を包んでいる。だめだよ、茉莉、そいつにはわからない。

茉莉は山辺に、惣一郎の部屋には入らないでほしいと言い渡してあった。そのときに山辺が見せた、傷ついたような表情。

「おにいちゃんは、この家にいるよ」

ゆっくりと、重々しく茉莉は宣言した。ほかに、どう言えばいいのかわからなかった。

「いまも、ちゃんといるのよ」

もどかしかった。もういいから止《よ》すんだ、という惣一郎の声がきこえた気がしたが、茉莉は止さなかった。

「おにいちゃんの部屋を見る?」

気がつくと、そう言っていた。

ドアをあければ、それですべてわかるはずだった。惣一郎そのものみたいなあの部屋を見れば、山辺にも惣一郎の存在が理解できるはずだった。

しかし、そうはならなかった。

「へえ、そのままにしてあるんだね」

ドアをあけ、茉莉が電気をつけると、山辺はまずそう言った。

「子供部屋なんだ」

つぶやいてあたりを見まわし、

「かわいい感じだな」

と、言った。茉莉には想像もできない言葉だった。自分と山辺はいまほんとうに同じ部屋に立ち、同じものを見ているのだろうか。

いたたまれず、茉莉は窓をあけた。恐怖に近い感情に、いまにも押し潰されそうな気がした。このひとにはわからないのだ。かわいらしい子供部屋? このひとはどうかしている。それともあたしがどうかしているのだろうか。

「見せてくれてありがとう。お兄さんの部屋っていうより弟さんの部屋っていう感じだね、地球儀なんかあったりして」

やさしげな声で山辺は言い、茉莉の肩に手を置いた。そうされたことで、茉莉は自分が震えていることに気づいた。庭の花々のあいだをぬけて、しっとりと甘い夜気が漂ってくる。

うわあ、という声が、ふいに夜気をつきぬけて響いた。

「なに？」

茉莉が身をのりだすと、山辺もうしろで同じように身をのりだした。山辺の頬が茉莉の頬に触れ、耳に息がかかった。茉莉は身体がこわばるのを感じた。庭は静まりかえっている。闇に目をこらしたが、黒々とした植物のかたち以外、何も見えない。九の声だと茉莉にはわかった。

「アパートの猫たち、元気にしてるかな」

茉莉が窓をしめると、山辺はそんなことを言った。

春は、やわらかな風と光で、高宮の町を彩っていた。今後のことは二人でゆっくり考えればいい、と新にも喜代にも言われているとはいえ、食事のとき以外は茉莉の部屋にこもりっきりで、職探しはおろか遊びにでようともしない山辺に、茉莉は困惑せずにいりだすのだが、渋々ついてくる山辺は、すこしも楽しそうに見えない。口実をつけてひっぱられなかった。あそこを見せたいとかここを一緒に歩きたいとか、

「なんにもない街だね」

子供のころダンボール滑りをした土手に連れていくと、眼下にひろがる街並みを見て、ぽつりと山辺はつぶやいた。悪気のある言い方ではなかったが、だからこそ茉莉は溝を感じた。埋めがたい、淋しい溝だと思った。

「上を見てて。飛行機がくるから」

はしゃいだ口調を装って茉莉は言ったが、青く澄んだ空は静かで、飛行機のくる気配はない。第一、飛行機がきたところで、それが何だというのだろう。

「仕事、したくないな」

上を見ることさえせずに、山辺は言った。

「じゃあ、しなくてもいいよ。あたしが働くから」

山辺はあきれたように、あるいは疲れ果てたように、不快なやり方で笑みをもらす。

「世間知らずなんだね」

高台を歩きながら、茉莉はどんぐりを拾った。ここなら目をつぶっていても歩ける。

「何をして幾ら稼げると思うの？」

腰をおろすと、山辺は手近の草をひきちぎった。

「それに、そんなことをあの御両親が許すわけないじゃないか。一人娘を働かせて、それでタダ飯を食う男なんてさ」

「じゃあどうしたいの？」

うんざりした声になる。茉莉は山辺の隣に腰をおろして、そのまま仰向けに寝転んだ。土と草の匂いが鼻をついて流れる。

福岡に帰ろうと決めたとき、茉莉には一つの計画があった。しかしそれはまだ口にすべきではないように思えた。そして、自分でも残酷だと思ったが、茉莉には山辺の存在が負担になっていた。そのことを山辺が知っているに違いないことも。

「山辺さん、あたしのことが好きなの？」

寝転んだまま訊くと、

「好きだよ」

というこたえがすぐに返った。

「あたしも山――」

言いかけた茉莉を遮って、

「わかってる」

と、山辺は言った。

「茉莉ちゃんも僕を好きだってことはわかってる。だから言わなくていいよ」

茉莉はため息をついた。あたしも山辺さんが好きだよ。でもね――。でも、の先を伝えたかったのだ。

言わなくていい、と言われて言わなかったことで、茉莉は自分を卑劣だと思った。卑劣で、弱虫だと。

「このへんにも、ホテルはあるんでしょ」

山辺が訊いた。

「いっぱいあるよ」

高校生のころ、隆彦と何度か行ったことがある。同級生たちより大人になった気がして、嬉しい気持ちで出入りした。

「行きたいの？」

茉莉が問うと、山辺は恥かしそうな顔をした。

「またできないかもしれないけど」

茉莉にはよくわからない。愛していなくても、愛されていなくても、山辺は裸を見たり触ったりしたいのだろうか。東京では、茉莉の方がむしろそれを望んだ。そうすれば、自分たちを恋人同士だと思えそうな気がしたからだ。

しかしいまは、山辺の肉体に触れたくはなかった。

「じゃあ、行こう」

気持ちと裏腹に、茉莉はあかるい声をだしてぴょんと跳ね起きる。山辺の腕をひっぱって立たせた。自分をしたって福岡まできてくれた山辺に対して、もう触れたくないなどと、どうすれば言えるだろう。他に頼れる人のいなかった東京でだけ、山辺が大事だっただなんて。

「家の中じゃ、こんなふうにくっつくこともできないものね」

腕をからませ、住宅地に続く坂を下りながら、茉莉は言ってみる。目をとじて、山辺にもたれかかりながら。

懐しさは、どこから湧き上がってくるんだろう。茉莉は考える。何年ものあいだ、この街をでたくてたまらなかったのに。

帰郷は、茉莉が予想していたよりずっとあっさり、茉莉を懐しさと幸福感で満たした。そして、それは両親でもなく、惣一郎をすぐそばに感じられる家でさえなく、街そのものの持つ力であるように思えた。

頭や心で考えたり感じたりする前に、髪や皮膚や手や足が、勝手に街の空気を吸収し、どんどん味わって元気になってしまう。小学校のそばの文具屋——駄菓子も売っていることを茉莉は知っている——や、「明治コナミルク」の看板、草のしげる空き地や、道幅の広いのびやかな住宅地。

東京で、壊れた電気ストーブの前で震えていたことや、台所で寝起きしていたこと、男を捜して飲み屋の戸をあけてまわったことや、その同じ男に卓袱台《ちゃぶだい》で叩《たた》かれたこと。それらはみんな、自分ではない別の誰かの物語に思えた。

茉莉は昼間街を散歩し、夜になれば惣一郎の部屋で眠った。山辺だけが、東京での日々が「誰か他の人の物語」などでないことを、茉莉に知らしめるのだった。


祖父江九にでくわしたのは、福岡に戻って二週間ほどたった日のことだ。よく晴れた真昼で、場所は惣一郎の墓前だった。その日、茉莉は山辺と連れだって墓参りをした。美しい霊園で、近くに池や水場や並木道がある。

「いいところだね」

山辺は言い、惣一郎の墓に笑顔を向けた。それは、あたかも小さな子供に向けるような笑顔だった。小さくて無邪気な、そして無力な。

周囲の木立で、キュロキュロと鳥が鳴いた。別の場所で別の鳥が、それに応《こた》えるようにまた鳴き声をたてる。

茉莉は小壜《こびん》のビールを持ってきてよかったと思った。持参した栓抜きで赤い栓を抜き、ことんと音をたてて壜ごと供える。みんなはおにいちゃんを子供だと思っているからお菓子だのジュースだの供えるけれど、おにいちゃんがもう子供ではないことを、あたしは知っている――。惣一郎はきっと酒に強いはずだと思った。こんなふうに美しく晴れた日に、一緒にビールをのんでみたいと茉莉は思った。

山辺は目をとじて手を合わせたが、茉莉は目を見ひらき、ただそこに立っていた。惣一郎とはいつも話している。墓石に話しかける意味はない。

そのときうしろに人の気配がして、振り返ると九が立っていた。

「あ。九ちゃん」

認めると同時に声がでた。惣一郎の存在をはっきり感じるときにも似た、力強い嬉しさがこみ上げる。

「九ちゃん、元気やった？」

あきらかに祖父江九であるのに、男は何も言わない。右手に菊を数本持ち、憮然《ぶぜん》とした様子で立ちつくしている。長身でがっしりとひきしまった体軀《たいく》は、惣一郎のあとをついて歩いていた少年とは別人のようなたくましさを備えていた。

「なつかしかあ。背、のびたねえ」

九の視線が山辺に注がれていることに、茉莉はようやく気づいた。同時に、こんにちは、と言う山辺の声がきこえた。

茉莉は山辺を九に、九を山辺に紹介した。

「おうわさはかねがね」

例によって調子のいい山辺が、微笑みながらそう応じる。

「ここで会えるなんて嬉しいな。なんだかおにいちゃんが会わせてくれたみたいで」

九の顔を見た途端、どういうわけか饒舌《じょうぜつ》になった。九は返事をしないばかりか、顔をこわばらせ、身体を小刻みに震わせている。

「どうかしたの？　九ちゃん？」

九の両目が、熱をだした子供のそれのように見ひらかれた。

「ぼくは茉莉ちゃんを好《す》いとうと。ずっとずっと好きやったと。子供のころから茉莉ちゃんばお嫁さんにすると決めとったとに。でももう叶わんみたいやね。その人と一緒になるとやろ。茉莉ちゃん、茉莉、幸せになって下さい」

言いおわるやいなや九は駆けだした。あっけにとられている茉莉の目の前を、九の放り投げた数本の白菊が舞った。

2

信じられない。

惣一郎の部屋のベッドで、茉莉は天井を睨《にら》んでいる。すでに午前二時をまわっているが、まるで眠くならなかった。

僕は茉莉ちゃんを好いとうと。ずっとずっと好きやったと。

祖父江九は、たしかにそう言った。真昼の墓地で、いきなり。

そんなことがあるだろうか。九に会ったのは二年ぶりだ。その前も、道で立ち話をする程度の間柄でしかなかった。無論、茉莉は九が好きだった。惣一郎と茉莉と九。三人は、どこへ行くのも一緒だった。一緒にいるのがあたりまえだった。しかしそれは昔のことだ。惣一郎の死が、すべてを一変させてしまう前のことだ。第一、惣一郎の死後、茉莉を急に避けるようになったのは九の方だった。

「どういうことなのかな」

九が駆けて行ってしまったあと、茉莉は山辺にそう問われた。訊きたいのは茉莉の方だった。

「さあ」

と言って首をかしげて、茉莉はただ茫然《ぼうぜん》と、九の去って行った方向を見ていた。あたたかい日で、空は青く晴れ渡り、キュロキュロと鳴く鳥の声の他には、何の物音もない。

「いつまで見てるの？」

山辺の声は、どこか遠くからのものに聞こえた。

散らばった白菊を拾って、墓石の前に置いた。九が深夜に窓からしのび込んできた、遠い日の記憶が脳裡《のうり》をかすめた。少年のころの気持ちのまま、大人になる人間などいるのだろうか。

山辺は執拗だった。家に帰るみちみち、九について質問することをやめなかった。ふりはらってもやがてまた必ず現れる、夜中の蚊みたいに。

「だっておかしいじゃないか」

怒ったような口調で、山辺は言った。

「何もないのに、お嫁さんにするとかって言うか?」

茉莉にはわからなかった。何をさして「何もない」と言い、何をさして「何かあった」と言うのか。九と自分の共有した時間、山辺と自分の共有した時間――。

「そりゃあ、何かはあるわ」

茉莉は言った。

「でも、それは山辺さんの想像してるようなことじゃないのよ」

門の内側、すぐの場所に雪柳が咲き、その横にレンギョウが咲いている。塀にそって、つるバラの垣根。この季節、喜代の庭は息苦しいほどに花々が溢《あふ》れる。借りた土地に造っている「ガーデン」の、秩序だった美しさとは対照的に、植物の勢いにまかせたかのような、雑多で過剰な花々だ。

「九ちゃんは、ちょっと変ってるの」

しまいに、茉莉はそう言って会話を終らせようとした。

「スプーン曲げで、テレビにでたこともあるのよ」

山辺は首をすくめた。

「そんなこと、関係ないじゃないか」

「そうだけど、でもともかく変ってるの。変った少年なのよ」

山辺は鼻先で笑った。

「少年？　僕には立派に一人前の男に見えたけどね」

茉莉は惣一郎のベッドに横たわり、昼間の出来事を何度も思いかえしている。やさしくて、正義感が強く、生真面目で不器用で、複雑な家庭の事情を背負った隣家の少年。山辺に告げたとおり、茉莉にとって祖父江九はいまも少年のままだった。しかしそうだとしても、あんなに堂々とまっすぐに、誰かに思いを告げられたのは初めてのことだ。我知らず、口元に笑みが浮かんだ。茉莉は掛布団をあごまでひきあげる。足先をもぞもぞと動かした。

「ちょっと嬉しかったかも」

惣一郎に、言ってみる。隣の部屋で寝ている山辺の存在を、忘れたわけでは勿論《もちろん》ない。九の思いに応えられない立場であることはわかっていた。そしてそれにも拘《かかわ》らず、九の言葉を思いだすと、体の中心に小さなあたたかなものが灯るような気がした。

翌日、茉莉は喜代に説き伏せられ、一緒に買物に行くことになった。もうすこしちゃんとした服を買わなくてはいけない、というのがその理由だった。

「服なんかいらん」

茉莉は言ったが、たしかにもう何年も、新しい服を買っておらず、どこに行くにもTシャツとジーパン、肌寒い日にはそこにレインコートを羽織るだけの恰好だった。レインコートは高校生のときに買ってもらったものだ。喜代に言わせれば「もうくたびれているし、男物みたいにそっけない」ベージュのコートだが、裏地が白にブルーのストライプであるところが——外からは見えないとはいえ——、茉莉は気に入っていた。

山辺も誘ったが行きたくないと言うので、喜代と二人ででかけた。喜代はひどく嬉しそうだった。デパートを二軒まわり、茉莉の服と、喜代の靴、それに食料品を買った。ガラス器を眺め、昼にうどんを、夕方にケーキを食べて帰った。茉莉が福岡に戻ってくれて嬉しいわ。喜代は二度、そう言った。

茉莉はなんとなくきまりが悪かった。喜代と二人でいても、話すことがないように感じた。かつてのように反抗的な態度をとることはできなかったし、かといって従順にもなれない。それで茉莉は街や雑踏や、店のウインドウや流れていく車の列ばかりぼんやりと見ていた。

喜代はいきいきとしていた。美しいといってもよかった。惣一郎を失い、無気力な抜け殻になってしまった母親とは、まるで別人のようだった。

「でもお兄さんは現に亡くなったわけだから」

そう言った山辺が思いだされた。山辺の言葉も喜代の態度も、茉莉には承服しかねるものだった。

この日の買物に、買物以外の意図があったことを、茉莉は家に帰ってから知った。新が山辺と話し合いをしたのだ。茉莉抜きで、差しむかいで。喜代はそれを、あらかじめ知っていたようだった。

「パパだって、なにも山辺さんを嫌ってるわけじゃないのよ」

買ってきた食料品を袋からだしながら、台所に立って喜代は言った。

「でも、これからのことについて彼がどう考えているのか、訊いておきたいと思うのは当然でしょう?」

新は山辺に、履歴書を書くよう指示したという。仕事を探す手伝いはするから、と。

夕食は気づまりなものになった。山辺は精一杯愛想よくしていたが、新は苦虫をかみつぶしたような顔をしていた。履歴書についても就職についても「わかりました」と応じておきながら、ではどういう仕事をしたいのか、という段になると曖昧《あいまい》に言葉をにごし、「それはまだ……」と言ってへらりと笑ったりする山辺の態度には、茉莉でさえ内心苛立《いらだ》ちを覚えた。

「そげん山辺さんをせかさんでもよかろうもん。無職なのはあたしもおんなじなんやけん」

言葉では庇《かば》ったけれども。

肌寒い日が続いた。東京から荷物が届き、山辺は茉莉の部屋に自分のステレオを据えると、ほとんど部屋からでなくなった。

「あの人、どうするつもりなの？」

茉莉は喜代に、何度となくそう問いつめられた。

「あたしが働くけん、もうちょっと待っとって」

その度にそうこたえ、事実、老舗《しにせ》のドイツ菓子屋――博多駅にほど近い場所にある、一部が喫茶店になった日あたりのいい店――で昼間のアルバイトを始めもしたのだが、

「お金の問題じゃないのはわかってるでしょう？」

と言われれば、それ以上返す言葉はなかった。

茉莉にとって、いちばん嬉しいのは、夜眠る時間だった。惣一郎の部屋は、惣一郎そのものだった。布団ごとベッドごと茉莉を包み、安心な気持ちで満たしてくれる。両親のことも山辺のことも、とるにたらない問題に思えた。自分にはかかわりのない問題のように。そこでは、茉莉は依然として小さな妹であり、兄と九の保護下にある幸福なみ

そっかすなのだ。

遠くにいくんだ、茉莉。もっと遠くに。

部屋そのものとなった惣一郎は、茉莉にそう語りかけてくる。それはあかるい、力強い気配だ。茉莉に、人生を恐れるんじゃない、と言っているみたいに。


梅雨《つゆ》があけると、夏はまぶしい光と厚ぼったい緑、夕立の前のむっとする埃《ほこり》くささや、鳴きたてるセミたちの声、それにひんやりとつめたい夜風で福岡の街を彩った。この街は酸素が濃い、と茉莉は思う。だから暑くても息苦しくならない、と。

アルバイトは楽しかった。商品の数が多い点と、生物《なまもの》を扱う点が映画館での仕事と違っていたが、接客という意味では基本的におなじだった。ケーキの箱に紐《ひも》をかけるやり方も、レジの打ち方も、茉莉はすぐに覚えた。暇があれば布巾であちこちを拭いた。客に尋ねられたときのために、店の歴史や近隣のデパートへの出店の有無、ドイツ菓子そのものの歴史まで覚えた。喜代が見たら「似合わない」と言うに違いない、やぼったい制服も苦にならなかった。

「デーちゃんばもらったとよ」

毎日のように、茉莉は残り物のケーキを持って帰った。新と喜代は喜んだが、実際にはどちらもあまり食べず、茉莉と山辺が努力して食べた。

山辺はくる日もくる日も機嫌が悪く、いまでは機嫌の悪いのがあたりまえになっていた。風邪っぽいとか頭痛がするとか、体の不調も訴えた。それを理由に食事にも降りてこようとせず、腹が減ればふらりと街にでて、勝手に食事をすませてくるようだった。隣の男に見張られている、と、被害妄想じみたことを言って、茉莉を責めることもあった。

たしかに、夜に茉莉が窓をあけると、隣家の庭に九が立っていることがあった。九はただそこに立ち、黒いかたまりのように見える茂みごしに、茉莉の立つ窓辺を見上げているのだった。微動だにせず、言葉も発せず。茉莉もおなじように黙って、立っている九を見つめる。どちらかがふいに背中をむけ、その場を離れるまで、おそらくほんの数秒、あるいは一分。

そんなふうに九を見ているとき、茉莉は自分でも説明のつかないかなしみに襲われる。それは過ぎ去ってしまったものたちの持つかなしみに似ている。しがみつこうとしてもとうに過ぎ去っていて、二度と手の届かないものたち。夏の夜は闇が濃く、土と木の葉の匂いがする。

おそらく山辺も、隣室の窓から外を窺《うかが》っているのだろう。そこから茉莉の姿は見えなくても、立っている九の視線の先に、茉莉がいることを感じとっているはずだ。茉莉はどうしていいのかわからなくなる。

それでもたとえば夕食のあと、両親が寝室にひきあげるのを待って、茉莉と山辺は居間で二人きりの時間を持つ。不機嫌で、口をひらけば茉莉を責める言葉ばかり吐く山辺ではあるが、深夜の居間で、黙々と残り物のドイツ菓子を片づけてくれる。

「無理しなくていいよ。毎日じゃ、飽きちゃったでしょう?」

茉莉が言っても食べる手は止めない。まるで、無理にでも全部食べきることが、茉莉に対する唯一の愛情表現だとでもいうみたいに。

「やめて」

耐えきれなくなって、茉莉は言う。

「あたしの方が胸やけしてきちゃうから、やめて」

すると山辺ははじかれたように顔を上げ、

「ひどいことを言うんだね」

と、傷ついた声音《こわね》でつぶやくのだった。居間には鉢植えがならび、扇風機が一台まわっている。壁には惣一郎のかいた絵が、カリカリに乾いたセロハンテープで貼ってある。テーブルには二つの灰皿。一つはどっしりしたガラス製で、喜代が大事にするあまり、新が使えずにいるもので、もう一つは使い込まれて黒く汚れた紅茶の空き缶だ。何もかも、茉莉には見馴れたものたちだった。

家の中で、あきらかに山辺は孤立していた。茉莉が自分のたった一人の友達だから、茉莉の行くところにはついて行く。そう言ってくれた山辺をこんな立場に置いてしまったことを、茉莉は心からかなしく思った。

「ごめんね」

それでそう口にした。

「福岡に来ても、山辺さんにはいいことは一つもなかったね」


「大学にいきたいって思っとうと」

丈高くのびたひまわりが生えたまま花びらを茶色くし、濃い青や赤だったタチアオイが秋風に色を褪《あ》せさせるころ、茉莉は喜代と新に——そしてこれがいちばん困難なことだったのだが山辺に——そう宣言した。

「昼はアルバイトをして、夜は勉強する。大学受験やなくて、大検受験やけど」

それは、東京を離れるときから決心していたことだった。山辺が仕事をみつけるまで待とうと思っていた。山辺にそのつもりさえあれば。

「学費、だしてもらえるかいな？」

四人は台所で朝食をとっているところだった。庭に面した窓はあけ放たれ、気持ちのいい風が入ってくる。

「いつか返すけん。約束する」

この決心には、山野さんの言葉が影響していた。喜代よりも年上で、茉莉を友達あつかいしてくれて、片目のつぶれた野良猫をひきとってくれた山野さん。御主人に先立たれ、一人暮しで、私服になると金色のアクセサリーを好んでつけていた。川崎の映画館の清掃係をしながら、一年に一度「お大師様」にお詣《まい》りをする、ジョン・トラボルタの好きな山野さん。

「女は男次第ではあるけれど」

その山野さんが、いつか茉莉にそう言った。

「だからといって、男に頼っていちゃだめよ。男なんて、死んでしまえばそれまでなんだから」

茉莉には、それこそが真理だと思えた。あの惣一郎が茉莉を残して逝ってしまうなんて、誰に想像ができただろう。

それに、もし山辺を養っていくのなら、茉莉自身が安定した職に就く必要がある。

「冗談だろう?」

山辺は弱々しく異議をとなえた。

「学校なんか嫌いだって言ってたじゃないか。二人でいられればそれでいいって、言ってたじゃないか」

箸を持つ手がふるえている。茉莉の目に、山辺はいまにも泣きだしそうに見えた。

「そうだ、この家をでて、二人でアパートを借りよう。僕がいずれまた働いて――」

その先を、茉莉は聞かなかった。

「あたしはもっと遠くへ行きたいの」

しばらくのあいだ、誰も何も言わなかった。よく晴れた日で、ラジオからは会話のじゃまにならない程度のヴォリウムで、英語の天気予報が流れている。

「きょうは放生会《ほうじょうや》ね」

喜代が言った。

「山辺さん、放生会って知ってらっしゃる?」

「いいえ」

どうでもいい、という口調で、山辺はこたえた。放生会など、いまはどうでもいいと茉莉も思った。筥崎宮《はこざきぐう》の秋の祭で、子供のころには惣一郎と九と、連れだって興奮してでかけた。そういえばもうそんな季節なのだ。

「露店がたくさんならぶのよ」

喜代が山辺に説明していた。

「おおらかな気持ちになるわ。あとで二人で行っていらっしゃいね」

そうだな、と、新が口をはさんだ。

「二人で行ってくるといい」

さめてしまったコーヒーを啜《すす》り、

「それから、大学のことは賛成だよ。学費については心配しなくていい」

と、ついでみたいにつけたした。


アルバイトを終え、一度帰って祭にでかけた。茉莉も山辺も気乗りがしなかったが、家にいるのも窮屈だった。

「僕を利用して、捨てるんだね」

バスの中で、山辺はそんなことを言った。

「大学に行くことが、どうして捨てることになるの？」

バスは混み合っており、茉莉は窓外の、灯ともしごろの街の活気をぼんやりと見ていた。

「あの家の娘に逆戻りしようとしてるからさ」

吐き捨てるような口調だった。

筥崎宮の参道は、ひたすら長くまっすぐで、あいだに道路をはさんでさらに長くまっすぐ続いている。振りかえればその先の海まで、視界を遮るものはなく、圧倒されそうな空の分量だ。その空は、青空の名残りと夕陽とで、涼しげなうすピンク色に染まっている。

「怒らないで」

人波を縫うようにして境内に向って進みながら、茉莉は言った。

「山辺さんはいい人だけど、このままじゃ二人ともろくでなしになっちゃう」

両側に、白いのぼりがずらりとならんではためいている。万民和樂、天下太平。

「あたしたち、別れた方がいいと思う」

たぶん、もっと早く言うべきだったのだ。山辺が隣で身をこわばらせたのがわかった。賽銭《さいせん》を投げ、手を合わせた。

「いやだ」

ぼそりと、山辺が言うのがきこえた。しかしそれはたちまち周囲の喧噪《けんそう》にかき消された。

「お店をひやかそう」

くるりと向きを変え、茉莉は言った。

「賑《にぎ》やかでしょ」

山辺の手をひっぱるようにして歩きながら、茉莉は言った。のぼりの下を、数人の子供たちが駆けまわっている。

「あたしたちみんな、ここで七五三したのよ」

自分の言葉が山辺を孤独にすることを知っていた。知っていても、どうしようもなかった。道路と参道の交わる場所に、運動会のような白いテントが立ち、その下にラーメンの屋台がでている。もうもうと立ちのぼり、空気にとけてゆく白い湯気の匂い。

「別れるのはいやだ」

きっぱりと山辺が言った。

「どこか別の場所に行こう。死んだお兄さんとか隣の変人とか、そういうのいないところで暮そう」

ありとあらゆる屋台がでている。ヨーヨーつり、お面、焼きとり、焼きそば、とうもろこし。かき氷にりんご飴《あめ》、東京ケーキ、ひよこ売り。大陸が近いせいか、チヂミやタピオカの屋台もある。脇道に行くと見世物小屋まであることを、茉莉は知っている。

「僕は茉莉ちゃんのためにすべてを捨てたのに、茉莉ちゃんは僕を捨てるの？」

「見て、博多おはじき」

あかるい声をだして立ち止まった。あなたを愛していないのだ、と告げるのは、何てむずかしいことだろう。

梅、桜、貝殻、おかめ。小石に似た小さなおはじきを、茉莉は手のひらにのせる。泊る場所がないから朝まで部屋においてと、山辺に言った夜が思いだされた。川崎のアパートの、野良猫のいる洗濯機の脇で。そんな突飛な申し出に、山辺はちょっと肩を持ち上げてみせただけで、かまわないよ、と、言ってくれたっけ。

「茉莉ちゃんは残酷だね」

山辺の言葉がつきささった。手の上のおはじきの、色とりどりの輪郭がにじみだす。

「茉莉！」

なつかしい声がした。その場にいた誰もがぴたりと動作をとめるほどの大きな声。

ふり向くと、人波の向うに九が立っていた。九の隣には、人目を引くほど顔の造作のくっきりしたかわいい女性——小柄だがグラマラスで、大胆な花柄のワンピースを着た女性——が立っており、九の腕をつかんでいる。

九は何か叫んでいた。女の手をふりほどき、茉莉に向って歩いてくる。茉莉には、言葉は耳に入らなかった。それは、ただなつかしい九ちゃんの声でしかなかった。

「行くんじゃない」

山辺が茉莉の肩に手をのせたが、茉莉は視界いっぱいに九の姿をとらえ、気づきもしなかった。

「迎えに来てくれたの？」

嬉しげな声がでた。九はそれにはこたえずに、

「茉莉ちゃん、俺とつきあってくれ！　俺は子供の頃からずっと茉莉ちゃんば愛しとうと！」

と、叫んだ。少年みたいな熱っぽさで。参道のまんなかで。

茉莉はあっけにとられ、ついで笑いがこみあげてきた。

「嬉しか！」

こたえるやいなや、九に手をつかまれた。ずっと昔、同級生にいじめられていた茉莉を、棒きれを振りまわして助けてくれた祖父江九の、あたたかく安心な手のひらとそれはまるでおなじ温度、おなじ感触なのだった。

3

祭の夕方だけあって、普段にも増して人出が多い。川ぞいにならんだラーメンの屋台、水面に映る提灯《ちょうちん》の赤。

「どうすると？」

九に手をつかまれ、ひっぱられるままに春吉橋《はるよしばし》まで来てしまった。ひっぱられるままに？　茉莉は胸の内で自嘲する。何て卑劣な物言いだろう。助けだしてもらったのに。

おはじきの屋台の前で、雑踏の中に九の姿を認めたときの、あのなつかしさと、湧き上がった喜び。迷子になった子供が家族に再会したみたいに、あたしは九ちゃんの腕にとびこんだ。茉莉ちゃんは残酷だね。そう言った山辺を、あの場所に残して。

「まかしとかんね」

依然として熱っぽい目を輝かせ、決意したように九が言った。握られている手のひらも熱い。

ラブホテルなんて馴れている。

狭くうす暗い入口をくぐり、九がフロントで鍵をもらうあいだ、茉莉はすこし離れた場所に立ち、くり返しそう思っていた。つい最近も山辺と来たし、その前には隆彦と何回も来た。全然たいしたことじゃない。

それなのにどういうわけか、足が震えていた。水槽の熱帯魚を見つめる。この魚たちにとってはここが家であり日常なのだ、と考えてみる。べつに特別な場所ではない、というように。

それでも動悸《どうき》は鎮まらない。悪いことをするような気がした。このような場所に九といることが信じられなかった。

部屋に入るやいなや、びっくりするほど強い力で抱きしめられた。唇をあわせながら、得体の知れない恐怖と罪悪感に、心臓がまるまる全部わしづかみにされるのを感じた。

ラブホテルなんて馴れている。

そう思おうとするのにどきどきして、全身が震え、茉莉はいまにも自分が泣きだしそうであることに気づく。

九はやさしかった。茉莉のブラウスに手をのばし、ボタンをはずそうとしてくれた。

「自分でできるけん」

茉莉は言ったが、声が震えた。

二人とも裸になった時点で、恐怖は極限に達していた。九の裸体はおどろくほど逞《たくま》しく、全身が筋肉であるかのようだった。

へなへなの掛布団に、逃げるようにくるまった。皮膚温度の高い身体がのしかかってくる。

「交尾は自然なことばい」

耳元で九があえぐように言う。あのことを交尾と呼ぶなんて九ちゃんらしい。意識の遠くで、茉莉はぼんやりそう思う。脚のあいだに押しあてられた、熱く大きなものを受け容《い》れようと努力しながら、茉莉の頭の中には子供のころのさまざまなこと、とうに忘れたと思っていたのに、色褪せるどころか無傷の色鮮やかさで立ちのぼり、押しよせてくるさまざまなこと、が渦巻いていた。

うったうったうー、うったうったうー、うったうったうー。一人でいる心細さを打ち消すみたいに、声を大きくして歌いながら踊っていた自分を思いだした。うったうったうー、うったうったうー。

学校への行き帰りに常に木の枝を持ち、からからと乾いた音をたてて壁や地面や側溝を、それでひっかきながら歩いていた九の姿も。三人で歩いていても、いきなりうしろから髪をひっぱられてからかわれるのは茉莉だった。「なまいき」なくせに「ぐず」だったから。うったうったうー、うったうったうー。

男の子たちを追い払うために、九がひきずっていたあの木の枝。

汗だくになり、ベッドは思いきりきしんだ。恥かしさをこらえて腰を浮かせてもみた。しかしあまりにも立派に屹立《きつりつ》した九のそれは、どうしても茉莉の中に収まろうとしてくれなかった。

「待って、九ちゃん、急がんで」

茉莉は息をはずませ、九の額にはりついた髪をかきあげてやりながら、そう言って微笑んだ。恐怖は消え、かわりに何かやすらかな気持ち、少年の九ではなく十九歳の九に、ようやく向き合えたような気持ちがした。

真剣さのあまり恐い顔になって、茉莉を突き上げようとする九をいとおしいと思った。とはいえあまりにもながい時間、それを受け容れようと格闘した疲労に、茉莉は自分でも気づかないうちに眠りにひきこまれていった。

「茉莉」

九の声がきれぎれにきこえる。

「いつやったか阿蘇高原で……」

手足が重くて、もう動くことができない。

「クワガタもくさ……」

九の声は、まるで子守歌だった。夜明けが近い。肉体は疲労困憊《こんぱい》していたが、茉莉の心持ちは穏やかだった。意識が途切れる寸前に、

——だいきゅうちんだったな

という惣一郎の愉快そうな声を、茉莉はたしかに聞いた気がした。事は成しきれなかったものの、茉莉はその夜——すでに朝になりかけてはいたが、放生会のその夜——、九の腕の中でぐっすり眠った。口元に微笑みさえ浮かべて。

目が覚めて、茉莉の胸に最初に浮かんだのは、山辺のことだった。ちゃんとバスに乗って帰れただろうか。

随分と高い位置につくられた窓から、白っぽい光が流れ込んでいる。隣では、九が裸のまま眠っている。

山辺さんを置き去りにしてしまった。あんな場所に、彼にとって不馴れな街の、祭の雑踏の中に。

「あたし、あばずれかな」

いつだったか、不安になってそう尋ねた茉莉に、

「ああいう御両親から、あばずれは生れないと思うよ」

と、真面目にこたえてくれた山辺なのに。

茉莉は小さく、しかし深々と、ため息を吐《つ》いた。物事はどんどん厄介《やっかい》になっていく。茉莉の思考が追いつけないスピードで。

隣で九が身動きをした。我知らず、茉莉は微笑む。山辺にひどいことをしていると考えながらも、それとこれとは別な気がした。山辺を置き去りにしたのは九ではなく茉莉だ。九は、何も悪いことをしていない。

「おはよう」

そっと言って、九を起こした。しわくちゃのシーツは、二人の汗でまだ湿っている。枕元の時計は午前七時をすこし過ぎたところだ。まだ早いが、茉莉は十時にはアルバイトに行かなくてはならない。

おもては晴れているのに、フロントは依然として薄暗かった。九が鍵を返しているあいだ、茉莉は前夜とおなじ場所に立ち、おなじ熱帯魚を見つめた。

朝早い博多の街を、手はつながずに歩いた。考えてみれば、小学校を卒業して以来、ゆうべまで一度も九と手をつないだことはなかった。駅へ向う通勤通学の人々と、逆の方向に歩いた。灯の消えた提灯、道に放置された幾つものゴミの袋。普段と変らない、澄んだ朝の大気。

九は無言で、しかも足早だった。追いつこうと、茉莉も足を速める。九の態度は、怒っているようにも、後悔しているようにも見えた。それは、有無を言わさず茉莉の手をとってひっぱった、なつかしい少年とは似ても似つかない、気難しくて不機嫌な、男のうしろ姿であるように思えた。

「昔、よう段ボール滑りばしたね」

浄水場に続く坂道をのぼりながら、茉莉は言ってみる。あとほんのすこしだけ、九と一緒にいたかった。家に至る脇道に、まだ入りたくなかった。

「あの土手に、行ってみらん？」

茉莉は言い、しかしそれは提案というより懇願のように響いた。すくなくとも茉莉自身の耳には。

風がやわらかい。土手は丈高くのびた草におおわれ、二人を誘うように、青く涼しげな匂いを立ちのぼらせていた。茉莉は土手の端に造られた道からのぼるつもりでいたが、九は斜面をそのままのぼり始めた。まわりじゅうでさわさわと草が鳴っている。

頂上までのぼり、地面に直接腰をおろした。ゴオゴオと空がうなり、飛行機が通過していく。昔からそうだ、と茉莉は思う。飛行機はいつもいきなりやってくる。空を見上げ、目をこらして待ち構えていても決して現れないくせに。

「なつかしかね」

目を閉じて言った。

「なつかしか」

　九もつぶやいたが、それはなんだかおざなりに聞こえた。二人のあいだに沈黙が流れる。

　かつて、毎日ここで遊んでいたころ、あたしは九ちゃんと、一体どんなことを話していたのだろう。どんな言葉で、どんなふうに——。

「ごめん」

　いきなり九が言った。

「きのうは上手《うま》く導けんで」

　ミチビケンデ？　言葉の意味を理解するのに、数秒のまが必要だった。ゆうべの、長時間にわたる互いの奮闘を思いだし、照れくさくなってうつむいて笑った。この人は導こうとしてくれたのだ。そう思うとしみじみ感動した。山辺と試すときにはいつも、茉莉の方がそれこそミチビコウとしていた。

「九ちゃんて、立派やね」

　愉《たの》しそうな声になり、茉莉は、もしかすると今朝の自分は、ひさしぶりに幸福な気持ちでいるのではないか、と思った。ひさしぶりに幸福な、そして安心な——。

　ふらふらと力なく、九が立ち上がった。

「九ちゃん？」

九は返事をせず、斜面に足を踏みだしたかと思うと、そのまま転げ落ちてしまった。

「いったい何？」

茉莉も慌てて立ち上がったが、九は下で声もなく立ち上がり、ずぼんをはたくと茉莉を見上げて、

「やったら」

と言った。

「大丈夫や？」

尋ねたがこたえず、茉莉を残して歩き始める。やったら？　それってどういうことだろう。一瞬の躊躇のあと、段ボールもなしに斜面を滑り降りてみたが、九は茉莉を待っていてはくれなかった。


山辺は帰宅していなかった。喜代も新もでかけていて、家の中はしずかだった。茉莉はシャワーを浴び、アルバイトに行った。山辺が現れるのではないかと、店のドアがあくたびに振り向いたが、現れなかった。祖父江九も。日あたりのいいテーブル席、甘い匂いのする店内、ドアがあくたびに鳴る鈴と、女性客の果てしないおしゃべり。一九八〇年九月。茉莉は二人の男を抱えてしまったと、思っていた。

山辺は帰ってこなかった。翌日も、その翌日も。クラシックレコードのコレクションもステレオも、箱入りの文学全集全十二巻も残したまま、姿を消してしまった。そればかりか、祖父江九も忽然《こつぜん》といなくなってしまった。

がらがらとなつかしい音をたてる引き戸をあけ、

「おばちゃーん、九ちゃんは？」

と尋ねてみるのだが、そのたびに七のやわらかな声が、

「ごめんねえ、おらんとよ。どこばほっつき歩いとるっちゃろうね」

と、返るのだった。

「いっちょん理解できん」

自分の部屋に戻った茉莉は、それでもこっそり惣一郎の部屋に入っては、兄にそう訴えた。

「九ちゃんはあたしを『好いとう』って言ったとに」

それについて、惣一郎からは返事がなかった。全身を耳にして、気配をとらえようと研ぎすませても、惣一郎は何も言わない。

「黙っとうとか、ずるかあ」

茉莉はそのことにもまた腹を立てた。おにいちゃんは昔から、九ちゃんばっかり庇うんだから。

茉莉は、空に向ってのびていたのぼり棒を思いだす。おにいちゃんも九ちゃんも、すぐあたしをのけものにして、二人だけで行ってしまうのだ。

台風が来て、しつこかった残暑をようやく連れ去った。十一月になり、茉莉は二十歳になった。九が旅にでたことを、このころになって茉莉はようやく七から聞いて知った。

「ふうん」

茉莉に言えたのは、それだけだった。

いいもん。茉莉は考える。隆彦も山辺も、九もどこかに行ってしまった。いいもん。あたしは全然平気やけん。

翌夏の大学入学資格検定に向けて、茉莉は勉強を始めた。自分でも驚いたことに、勉強はたのしかった。教科書という教科書が、すべて美しい書物にさえ思えた。丁寧に読んで理解すれば、知らなかったことが知れるのだ。

高校時代の茉莉は、成績こそそこそこだったが、授業も勉強も嫌いだった。教科書も学校も、嫌いだった。

試験勉強に関しては、惣一郎の部屋を使うことに両親とも文句を言わなかった。茉莉の部屋を山辺に貸していた日々の習慣上、茉莉が兄の部屋を二つ目の自室のように使うことに、新も喜代も、馴れてしまったようだった。実際、そこでは勉強がはかどるのだ。図書館のようにそっけなく、よく整頓された惣一郎の部屋。

そういえばおにいちゃんは優等生だった。遠いことを茉莉は思いだす。中学生だったとはいえ、あらゆる教科でらくらくと一番だった。あんなにそばにいたのに、そのことに何の感想も持っていなかった自分が不思議に思える。

試験は十一科目ある。茉莉の場合、退学した高校から「単位修得証明書」がもらえる科目が五つあるので、十一科目のうち六科目を受験することになっている。

「せっかくやけん、残りの五科目も受けたいっちゃ」

茉莉は惣一郎に、冗談めかせてそう言った。半分は本心だった。惣一郎は笑って聞き流した。

そりゃあ茉莉は賢いさ。

そして、そう言ってくれるのだった。

勉強することにそんなにも熱中できたのには、もう一つ理由があった。新の連れてきた家庭教師——新の勧める大学の学生——を、茉莉は大変に気に入ったのだ。彼女は茉莉の言葉をきちんと受け止めてくれる上、試験のために雇われているにも拘らず、二言目には、

「興味のないことなら憶えなくていいよ」

と、言うのだ。

「そこで点数をとれなくても、他でとって合格すればいいんだから」

と。

新の専門は化学なので、教え子は圧倒的に男子学生が多い。それなのに家庭教師として女子学生を——他学部からわざわざ——連れてきたのは、あきらかに娘の過去の行動——かつて新の教室の研究生とこっそり会っていたこと、高校を中退して男とでていったこと、別の男と一緒に帰ってきたこと——から、想像される危険（もしくは可能性）の排除だった。

島森《しまもり》ミチルは岡山県で生れ育ち、東京の女子大を卒業したあと九州大学に入学しなおした人で、現在二年生だが年齢は二十四になっていた。男の子のように短い髪をした痩《や》せた女性で、茉莉ははじめ、きつそうで恐い、と思った。

むしろのんびりした人だ、と、でもすぐにわかった。それどころか、多少無責任であることも。

ミチルは週に三日やってくる。五時に来て、夕食をはさんで十時まで、という約束で。しかしそのあいだ、茉莉にまるで勉強させないこともあった。「屋外学習」と言って、外に連れだすことさえある。

「大検なんて、すぐよ。絶対大丈夫」

ミチルはそんなふうに言う。

「毎年だいたい四〇パーセントは合格するんだから」

無論、茉莉はとてもそんなふうに思えない。

「六〇パーセントも落ちるの？」

絶対に無理だ、と思う。しかしミチルは笑って、絶対大丈夫、と請け合うのだった。

一緒に勉強するわけではなくて、茉莉が勉強し、質問があればこたえる、というのが彼女の基本姿勢であるらしかった。そのかわり、一度質問すれば、説明はとことんまで詳しく行われた。資料や、関係のある本なども見つけてきてくれる。それでいて、

「そんなに、全部律儀に見なくてもいいよ。言っておくけど試験には出ないし」

と、言うのだった。

また、茉莉にとって嬉しかったことに、ミチルは惣一郎の気配をすこし感じるようだった。

読んでもわからん。

たとえば茉莉が、胸の内で惣一郎に言う。

問題文そのものがへんやもん。

ほっとけよ、と、惣一郎が言う。そんな下らないものはほっとけよ。

「何か言った？」

ミチルは読んでいた本から顔を上げ、茉莉に尋ねる。

「言わない」

茉莉がこたえると首を傾《かし》げて、

「おかしいわね」

と言い、でもさして気にするふうもなく、読書に再び没頭する。

惣一郎に、さらに肉薄してしまうこともある。

それは実際的じゃない。

英語の構文の一つについて、惣一郎がそう茶々を入れたときだ。

「私もそう思うわ」

ミチルが言い、まず茉莉がぎょっとして、その茉莉の反応に、今度はミチルがびくりとした。ミチルのびくりは、椅子にすわったまま上体をひき、眉を持ち上げて茉莉を見つめる、という仕草になる。

「実際的じゃないけれど、正しくはあるのよ」

何もなかったようにミチルは続けた。

「憶えておいても損はないはずよ」

と。

「どうして？」

信じられない思いで、茉莉は訊いた。

「誰もなにも言ってないのに、どうして今ミチルさん『私もそう思うわ』って言ったの?」

ミチルは不思議そうな顔をする。

「聞こえたんだもの」

それからあっさりそう認めた。


冬のあいだ、茉莉はときどき隣家に顔をだして、七とお茶をのんだ。夫を亡くし、息子までそばを離れてしまった七が、気の毒に思えた。九がどうしているのか知りたいという気持ちもあった。どこにいるのか。一体なぜ突然いなくなってしまったのか。元気なのかどうか。

「どこにおるっちゃろうね」

七の返事は、いつも曖昧なものだった。

「ふらふらしてから」

七はやさしい目で茉莉を見つめる。まるボーロと濃く熱いお茶、それに自家製の漬物なんかをだしてくれる。

「茉莉ちゃんはまた可愛らしゅうなったね。お父さんとお母さんにそっくりやもんね」

年齢のせいか淋しさのせいか、七の言葉は日に日に長くなった。

「大学に行く勉強をしようちゃろ? えらかねえ。九はせっかく入学したとに、ほんにどういうことなんやろうねえ」

ため息と言葉がまざりあい、きりもなく――誰にともなく――こぼれては消えていくことに、茉莉は痛みに似たかなしみをおぼえる。惣一郎を失った、喜代のかなしみとだぶるのだった。

4

大学入学資格検定に、茉莉は落第した。夏の盛りに二日間に亘って受けた試験は、茉莉の感じとしては「上出来」で、「おもしろかった」とさえ思ったのだったが、秋風と共に送付されてきた結果通知は、六科目中四科目に合格、二科目に不合格、というものだった。

その日、寺内家の居間で通知書を見せると、ミチルは目をまんまるくして驚き、しばらく口もきけないようだったが、やがて心から愉快そうに微笑んだ。そばに喜代もいたのだが、喜代の心証などおかまいなしに、

「すてき」

と言った。

「すてき。茉莉ちゃんほんとに落ちちゃったのね。こんなに賢いのに。びっくりさせて

くれるわね。私だったらとてもできないわ」

無論茉莉はむっとした。むっとしたが、同時にどこかでほっとしてもいた。試験に落ちたことで同情されるのは嫌だったし、家庭教師として、ミチルが何か責任のようなものを感じてしまうのではないか、と心配でもあった。

「慌てることはないさ」

昼間、電話で結果を伝えると、新は鷹揚《おうよう》に言った。

「茉莉があんなに勉強して、四科目も合格したっていうだけで俺は感激だよ」

茉莉が意外に思うほど、ほんとうに「感激」している声だった。それはそれで茉莉をむっとさせ――パパって、あたしをばかだと思っとうと？――、かつどこかでほっとさせたのではあったけれども、ミチルの反応は、新のそれとはあきらかに違うものだった。

「全然心配ないですよ」

夕食の赤飯――四科目の合格祝いとして、喜代の炊いたものだ――を頰張りながら、ミチルは喜代と新にそう宣言した。茉莉がミチルを尊敬するのはそこだった。彼女は誰に対してもおなじ態度で、堂々と物を言う。

「来年、あと二科目合格すればいいわけでしょう？　しかも、一年あったら他のこともいろいろ学べるわ」

終始笑顔で、上機嫌にそう言った。

夕食のあと、二人で「ガーデン」まで散歩に行った。夜風を受け、一時間近く自転車に乗る。喜代が人生で三番目に大切にしているというそのガーデンは——一番目が家族で二番目がイギリスの思い出、三番目がガーデンだと喜代は言う——、ここ半年ほど、茉莉とミチルの夕食後の気に入りの散歩場所だ。

「いい風」

上空の半月を仰ぎ見ながら、のんびりした声でミチルが言った。「木綿が好きなのにアイロンかけが嫌い」なミチルは、いつもしわくちゃのシャツを着ている。きょうのそれは真白で、胸に一つついたポケットだけが、マドラスチェックだ。

「秋来ぬと、目にはさやかに見えねども」

有名な和歌の上の句をミチルが言い、下の句を茉莉がこたえるのは、ある種のゲームとして、二人の間ですでにすっかり定着している。

「風の音にぞ驚かれぬる。藤原敏行《ふじわらのとしゆき》」

「出典は？」

「古今集。秋上」

「月のさやかに照りたるが、は？」

「橿園文集《かしぞのぶんしゅう》？」

「あたり」

ゆるゆると言いながら、ゆるゆると歩く。敷地の片側は、喜代の言う「ウォールド」、石壁のてっぺんから下に、蔦《つた》とバラを流れるように這《は》わせた状態になっている。夜に見ると不気味だと茉莉は思うが、石と葉が湿って、ひんやりした匂いを放っている。

「どうして古典で落ちたのかしら」

楽しそうにミチルは言う。

「知識があるのに試験に落ちるということは、おそろしく要領が悪いっていうことよ」

「うん」

仕方なく、茉莉はうなずく。苦手な物理はともかくとして、好きな古典で落第したことは不本意だった。

「そしてね、要領を考えないのは、大物で上等な人間の証拠よ」

ミチルは言い、うらやましいわとつけ足した。私は昔から要領がいいの、と。

「なん、それ。変やない。ミチルさん自慢しとうと?」

壁ぎわの小道を進むと、左側は小さいながらも本格的な、整形式庭園になっている。迷路のように幾何学的に整えられた植込みのそこここに、ラベンダーやセージが植えられている。

「喜代さんって、根性があるのね」

ふいにミチルが話題を変えた。

「根性？」

「こんなものをここに造るなんて、信じられない根性だわ」

確かにそうだと茉莉も思った。テレビや雑誌が取材に来るのはごくたまのことで、それ以外のとき、ここは誰に顧みられることもなく、ただ在るのだ。突飛といっていい空間だった。「ウォールド」だの「整形式」だの、喜代以外の一体誰に、理解できるだろう。

「でも家の庭と全然違うとよ。可笑《おか》しかろ？」

茉莉は、ずっと思っていたことを言った。

「ここは、いつ来ても写真みたいにおんなじ感じじゃん。きれいで、整然としとう。家の庭はごちゃごちゃで、なんか植物が勝手に生きて繁殖しとうみたいやもん」

ミチルは笑って、小さく何度もうなずいた。

「極端よね」

「うん。パパとか、うちの庭を、ふざけて非整形式ガーデンとか呼びようっちゃもん」

土に砂利がまぜてあるので、二人で歩くたびに、靴の底で小さく軽い音がする。

「ここもすてきだけど、あの庭もすてきよ」

両手をひろげ、深呼吸か体操でもするような動作で、ミチルは言った。

「なんていうか、あなたたち家族に似合う庭だわ」

茉莉は首をかしげ、そうかいな、とつぶやいた。

二度目の試験までの一年間は、ミチルの言ったとおり「いろいろ学べる」日々になった。茉莉が予期したよりずっといろいろだ。そして、そこにはつねにミチルがいた。ミチルには、それまでに茉莉が出会ったどんな人間とも違う気配がある。家族も恋人もいるのに、家族も恋人もいないみたいな顔で暮している。誰ともつながっていない、自由で孤独な人間みたいに。

大学の正門のほぼ真向いの、食堂の二階にミチルは下宿している。お世辞にも新しいとは言えない自転車に乗って、どこにでもでかけていく。酒は一滴も飲まないのに、酒の席にも臆さずでかける。ディスコにも。

踊ることにかけて、ミチルの体力は、茉莉でさえ目をみはるほど果てしなかった。いったんフロアにでたら最後、ひたすら踊る。みんなが同じ振りつけで盛り上がる曲——茉莉はそれが苦手なのだが——がかかれば、知らないくせに見よう見まねで挑戦し、たちまち習得してしまう。決して上手くはないのだが、のびのびと、楽しそうに踊る。ミチルの踊りは動きが大きいので、目立った。

びっくりしたのは、ミチルが踊りながら喋《しゃべ》ることだった。マリアハウスの、おもてまで漏れるあの大音響のなかで。

「踊りは、かつて祈りだったのよ」

たとえばミチルはそんなことを言う。

「神様の怒りを鎮めてもらおうとする行為だったの。旱《ひでり》とか病気とか、人間の手に負えないことが起きたとき、みんな大地の上で力強く踊って、天に祈りが届くのを信じたのね」

そうかと思えば、

「運動と抵抗の関係について、簡潔に述べよ」

と言ったり、

「アブストラクシオン＝クレアシオンって知ってる？」

と言ったり、

「いまもし百万円あったら何をしたい？」

と言ったりする。質問の突飛さに、茉莉はしばしば笑ってしまう。ミチルが大学で学んでいるのは東洋史で、その前に卒業した女子大――東京の――で学んだのは家政学――それが何のことだか茉莉には見当もつかない――だったはずなのだが、家庭教師として彼女が披露する知識は、試験の役に立つかどうかはともかく、風変りで、広範囲におよぶものだった。

「あー、のどかわいたー」

音《ね》を上げるのは、いつも茉莉の方だ。フィズとかラム・コークとか、甘くて軽い酒をのむ茉莉の横で、ミチルは何ものまず、気持ちよさそうにまだリズムを刻んでいる。汗で額にはりついた短い髪を、犬みたいに顔を振って払いのけようとしたりもする。

「それじゃ無理くさ」

茉莉は笑って、指で払いのけてやる。

マリアハウスは、茉莉にとって、かつてとは決定的に違う場所になっていた。入れるだけでどきどきした、きらびやかな、大人っぽい、世界ではもはやなかった。ドレスコードをパスするかどうかで、あんなに緊張していたなんて滑稽《こっけい》に思える。ミチルと一緒にでかけるそこは、日常の、ちょっとしたお楽しみの場所だった。

「ドアのとこに立っとう男の子を好きになったことがあったっちゃん」

茉莉はそう打ちあけた。眉を軽く持ち上げ、おもしろがっているような表情で先を促したミチルに、

「ディスコが閉まってから海に行ったり、缶コーラば買ってもらったりして」

と、説明する。説明しているうちに、それがひどく遠い、子供じみた恋に思えた。ほほえましいと言っていいくらいに。茉莉は、そのことに自分で驚く。

十分に踊ったあと、自転車に二人乗りして帰ることも、あのころだったら恰好悪く思えただろう。隆彦と揃《そろ》いのヘルメットをかぶり、背中にしがみついてバイクのうしろに

乗れることを、ちょっと自慢に思っていた。

ミチルの恋人は奥村《おくむら》という名だった。新のゼミの学生で、いつも――ではないかもしれないが、茉莉が会うときにはいつも――、赤いベストを着ていた。二人揃って寺内家に夕食に来ることもあり、茉莉の目に映る彼らは、仲のいい優等生のカップルだった。現に、どちらも非常に優秀な学生らしかった。食卓での話題も、有機化学であったり中国の王様の逸話であったり、下火になったとはいえまだ幾つかの大学で細々と続いている学生運動のことであったりした。

奥村とミチルは、大学で戯曲研究会というところに所属していた。演劇をするのではなくて、戯曲を研究するサークルなのだと説明された。茉莉は演劇にも戯曲にも興味はなかったが、誘われるままに、ときどき部室に遊びに行った。

そんなふうにして、日々は過ぎた。洋菓子店でのアルバイトも続けていたので、それなりに忙しかった。

山辺の持ち物は、レコードを除いて全て処分してしまった。

「捨てちゃいなさいよ」

いつまでも置いてあるステレオや本や壊れたストーブを見て、ミチルがそう言ったので決心がついた。

「でも、大事にしとったもんやし」

茉莉が言うと、ミチルは呆《あき》れ顔で両手を広げた。

「考えたらくさ、あたしは山辺さんに悪いことばしたとに、さよならも言っとらんたい。あたしのものやないのば捨てるわけにもいかんめいもん？」

考えたらくさ、と続けようとした茉莉を遮って、

「そんなの考えすぎよ」

と、ミチルは言った。

「茉莉ちゃんはいつも考えすぎるのよ」

驚きだった。そんなことは考えてもみなかった。

「だって、あたしはずっと考える練習をしてきたっちゃもん」

思いがけず、強い語調になっていた。

考えてごらん、茉莉。考えればわかるから。

「あたしはちゃんと考えたいし、考えればわかるんだもの」

ミチルが茉莉をじっと見つめたので、にらみ合う恰好になった。茉莉はひかなかった。惣一郎の言葉を、覆されるわけにいかない。

「わかったわ」

ミチルは落着いた声で言った。

「じゃあ、考えてみて。ここは茉莉ちゃんの部屋なのよ。このガラクタはじゃまでしょ

う？　茉莉ちゃんにとって必要のないものでしょう？　捨てるのが当然じゃない？　どう？」

今度は茉莉にも納得がいった。

「当然やね」

同意し、にっこり微笑んだ。そして、ミチルと惣一郎には共通点があると思った。考え方に何か強い共通点がある、と。

「でもね」

首をかしげ、化粧っけのない唇にうすく笑みを浮かべて、ミチルは言った。

「考えるより、まず、飛び込む。それが必要な場合もあるのよ」

珍しく、ミチルがうつむいていたせいかもしれない。茉莉には、その言葉が茉莉にというよりミチル自身に、向けられたものであるように思えた。言いきかせるような、自分自身を納得させようとするような。

まず、飛び込む。

その言葉は、茉莉に土手すべりを思いださせた。物事には、準備する時間は与えられてないんだ。惣一郎も、そう言っていた。

喜代と新が、かつてのように仲のいい夫婦ではないことを、茉莉は無論知っていた。

不和というわけではなかったし、だからたとえばミチルや奥村から見れば、十分に仲のいい夫婦に見えるはずだということも、わかっていた。喜代の書いたものが本になれば、新は「おめでとう」と言う。新の学生が遊びに来れば、喜代は料理をつくってもてなす。茉莉が試験に落ちたときでさえ、六科目中四科目の合格を祝って、食卓を囲んだ。

しかし、二人はもはや日曜日に寝室に閉じ込もることはしないし、二人で外出することも、晩酌することもしない。それどころか、互いに相手に遠慮をしている。必要な言葉をかわすとき以外には、目を合わせることをあきらかに避けていた。

おなじ家の中で暮しとっても、べつべつの人生を生きとうごたあ。

茉莉は思う。

いいっちゃけどね、あたしは。

一体いつからそうなったのか、茉莉には上手く思いだせない。すべてが惣一郎の死をきっかけに変り始めた。でもあのころは、二人とも互いに相手を見ていたし、だからこそ口論にもなり、最後には喜代がヒステリックに叫んだり泣いたりし、そうなると新以外の人間には喜代を落着かせることができなかった。

喜代の留学が何かを決定的にしたのだ、と、茉莉にはどうしても思える。留学が、あるいはイギリスが。

「イギリスの思い出」は、喜代にとって余程大切なものであるらしかった。猫の絵のついた安っぽいマグカップや、下宿先の夫婦とならんで写っている写真、向うで知り合った人々からときどき届く葉書や手紙を、喜代はほとんどいとおしげなまなざしで、飽きずに眺めている。

きょうだって、と、茉莉は兄の部屋でつぶやく。

きょうだって、夕方ひょこっとおらんくなったとよ。台所から。まな板の上に、切っとう途中のにんじんが置きっぱなしやったんやから。

茉莉がぞっとしたのは、台所が暖かかったからだ。ガスの火はきちんと消してあったが、つい今しがたまでついていたことがわかったからだ。炊飯器からは炊きあがったごはんの匂いがしていたし、鍋にはたっぷりのスープができあがっていた。バットには衣をつけられたコロッケが、揚げるばかりの状態でならんでいた。まな板には、ぬか床からだして切りかけたにんじん。

足がすくんだ。茉莉は、自分でも気づかないうちに片手で口を押さえていた。悲鳴でも止めるみたいに。なぜあんなに動揺したのかわからない。喜代が忽然と消えてしまった、と思った。やっぱり、と思った。

惣一郎とおなじだと思った。やっぱりだ、と。まるで、自分がずっと予期していたことみたいに。

喜代は「ガーデン」にいた。庭仕事をしていたわけではなく、ただ立って、眺めていた。夕方から夜に色を変えていく空と、姿を見せ始めた星とを。

「ハーブをとりにきたの」

自転車で駆けつけた茉莉が、ママ、と声をかけると、喜代は言った。

「サラダにしようと思って」

それは不自然なことではなかった。毎日のように、喜代はハーブを料理に使う。でも、あたしが声をかけたとは、十分もたってからやろうが。十分も、もしかしたら十五分かもしれんけど、ともかくそんくらいながい時間、ママはただ立っとったとよ。知らん人みたいに見えたもん。

「この時間のガーデンが好きなの」

喜代の乗ってきた車までならんで歩く道みち、喜代は静かな声で言った。

「あの子たちがいちばんリラックスする時間だから」

植物のことばあの子たちとか言うだけで変やもん。

思いだし、茉莉は憤慨する。惣一郎のものだった勉強机には、物理の参考書とノートがひろげられている。

忽然と喜代の消えてしまった暖かな台所で、やっぱりだ、と思ったときの恐怖が、まだ体に残っていた。やっぱりだ、おにいちゃんとおんなじだ。あの晴れた朝の台所、惣一郎の皿の上で冷えていった目玉焼きとベーコン。茉莉は、夕方感じた恐怖の正体を見極めたくて考える。あたしは、でもママがおにいちゃんとおなじことをしたと思ったわけじゃない。そうじゃなく、ただ、それが起こるべくして起きたのだと感じた。おにいちゃんの身に起きた何かがママにも起きて、連れ去られてしまったのだ、と。

誰一人、おなじ場所にとどまってはいられない。

ガーデンに立っていた喜代は、たしかにとても遠い場所にいた。ここではないどこかにいた。茉莉を怯《おび》えさせたのは、おそらくその遠さ、人が内側に抱えている闇の濃さ、そして、とどまりたい場所に誰もとどまれないという事実だった。

5

浄水通りのチョコレート屋の喫茶テーブルに、茉莉はミチルと坐っている。初夏。

「ナマケモノ、あいらしかったね。それに子猿も」

華奢《きやしや》なカップをぎこちなく持ち上げ、窓の外を見ながら茉莉は言った。

「カメも」

と、ミチルがつけたした。ミチルはきょうも、しわくちゃのシャツを着ている。

「カメ？」

茉莉は笑った。

「変なの。カメなんてめずらしくもないやんか」

昔、隣家にだっていた。

「でも、あのカメはかわいかったわ。緑で」

あくまでもそう主張するミチルの、短すぎるくらい短い髪を、茉莉は恰好いいと思った。

「変なの」

そうくり返した。ミチルの言った「あのカメ」というのが、ついさっき動物園で見たカメのことなのか、昔九が可愛がっていたカメのことなのか、一瞬だけ、わからなくなったのだ。あのカメも、そういえば暗い緑色をしていた。

たまには昼間に、お日さまの下で遊びましょう、というミチルの提案によって、二人はきょう、午後いっぱい南公園の動物園ですごした。平日なのですいていた。遠足らしい子供たちが何組か、教師に引率されて歩いていた。

「ミチルさんって、どげんな子供やったと？」

子供のころ、ミチルがいたらきっとおもしろかったのに、と思いながら茉莉は訊いた。ミチルなら、九とも惣一郎とも、すぐに意気投合しただろう。

「陰湿な子供」

迷いもなく、ミチルはこたえた。

「もし茉莉ちゃんが私の想像通りのかわいらしい子供だったら、たぶん私は茉莉ちゃんをいじめていたと思うわ。それも、陰で」

思いもよらない返答だった。

「ほんとかいな」

軽く笑って受け流したが、そわそわした。ミチルの口調に、冗談めかせたところはなかった。

落着かず、茉莉は店内を眺める。西洋趣味と少女趣味をまぜたような内装のこの店は、茉莉の通っていた女子校からほど近い場所にある。必定《ひつじょう》、夕方のこの時間、周りでは、かつて茉莉の着ていた——そして大嫌いだった——制服姿の高校生たちが、にぎやかにコーヒーやチョコレートをのんでいる。

茉莉の視線を追って、ミチルは微笑んだ。

「なつかしい？」

「全っ然」

即答すると、ひどく断固とした口調になった。

ずっと、この街をでたかったのだ。茉莉は考える。おにいちゃんがいなくなってから、ここは居心地の悪い場所になった。それで街を逃げだした。隆彦と出会って——。

「東京の大学ってどげんなふうやったと？」

茉莉が訊くと、ミチルはシャツとおなじくらいくしゃくしゃの顔をしてみせた。

「楽しゅうなかったと？」

「全っ然」

茉莉のまねをしてこたえる。ふうん、と相槌《あいづち》を打ちながら、茉莉はミチルに親《ちか》しさをおぼえた。なんだ、おんなじやない。

もっと遠くに行くんだ、と、胸の中の惣一郎はくり返し茉莉に言う。でもあたしはここに戻ってきてしまった、と、茉莉はうしろめたい気持ちで考える。

「遠くってどこ？」

ふいにミチルが尋ねた。

「どうして？」

心臓をつかまれた気がして、茉莉は訊き返す。

「あたしいま何も言っとらんとに、なしてミチルさんは――」

「聞こえたんだもの」

茉莉に最後まで言わせず、ミチルはやわらかな声音でそう認めた。

「おにいちゃんの声が？」

びっくりして尋ねると、ミチルもびっくりした顔になった。

「まさか。茉莉ちゃんの声よ」

「うそやん」

ミチルは肩をすくめる。

「うそじゃないわ。茉莉ちゃんが何も言わなかったのは認めるけど、でも、聞こえたのよ。ときどき、聞こえるの」

「テレパシーがあると？」

それなら辻つまが合う、と思った。惣一郎の部屋で、いままでにも何度か似たようなことがあった。

「まさか」

ミチルは、しかしあっさりとそれを否定した。

「テレパシーだなんて、茉莉ちゃん、そんなものを信じてるの？」

呆れた、という顔だ。把手《とって》ではなくカップ本体を湯呑みのように持って、ミチルはすっかり冷めてしまったチョコレートをのんだ。

九にはあった、と、茉莉は思った。

「ミチルさん、信じてないの？」

「もちろん信じてないわ」

家庭教師をしてくれるときとおなじ、自信にみちた言い方だった。

「あのね、誰かが心の中で何を思っているか知りたいと思ったり、わかったと思ったりするのは想像力だわ。口にだされなかった言葉をくみとるために、必要なのはつねに想像力なのよ」

納得がいかない。じゃあ、あたしに聞こえるおにいちゃんの声は、あたしの想像力の産物なのだろうか。

「納得がいかない」

茉莉のかわりにそう言って、ミチルは笑った。

「想像するまでもないわ。茉莉ちゃんの場合、顔にかいてあるもの」

窓の外を、バスが通るのが見えた。子供のころから見馴れた西鉄バスだ。ゆっくり通りすぎるそのバスの手前で、たっぷり葉を茂らせた街路樹が、風に揺れている。

「で、遠くってどこなの?」

目だけで笑ったまま、ミチルはまっすぐに茉莉を見て訊く。夕方の光が、テーブルに斜めの影をつくっている。

「わからん」

拗《す》ねた子供みたいな声になった。ミチルは、喉の奥で空気をころがすみたいな小さな笑い声をたて、テーブルに身をのりだすと、茉莉の頬にすばやく唇をつけた。

アルバイトは楽しかったが、博多駅近くの目抜き通りにある店の立地上、かつてのクラスメートがときどきやってくる、という点だけは居心地が悪かった。というのも、彼女たちは茉莉に気づくと、まるでかつて大の仲良しだったみたいにはしゃぐからだ。

「寺内さん？」

最初はこわごわそう訊くくせに、茉莉が肯定の返事をした途端、頓狂とも思える声で、

「うわあ、ひさしぶりやねえ。どげんしよると？　突然学校に来なくなったけん、みんな心配しとったとよ」

と言ったり、

「なつかしかあ。いっちょん変らんねえ、すぐわかったっちゃもん」

と言ったりする。相手はお客なのだから愛想よくしなくては、と思ってはみるのだが、茉莉には相手が誰だかまるで思いだせないのだ。女子大生となった彼女たちは、おなじような服を着て、おなじような髪型をし、おなじような化粧をしていて、区別がつかない。見たことのある顔だ、と思うのがせいぜいだった。茉莉は困惑し、ひさしぶり、とか、うん、帰ってきたと、とか、短い返答をしてにっこり笑う。茉莉の目に、彼女たちは一様に幼く見える。

教室ではあたしを疎《うと》んじてたくせに。

はじめのうちこそそんな風に思い、胸の内で惣一郎に、
け、って思っちゃうよ。

と話しかけたりしていた茉莉だったが、いくらもたたないうちに、もしかしたら、自分で思っているほど嫌われていたわけではなかったのかもしれない、と考えるようになった。それ程に、彼女たちの言葉にも態度にも、邪気がなかった。

「わあ、茉莉ちゃん元気なん？」

無邪気にぱっと目を輝かせてそう言う彼女たちの言葉に、たぶん嘘《うそ》はないのだろう。それは不思議なことだった。高校生のころといまとで、一体何が変ったというのだろう。アイロンのあてられていない制服を着て、お昼はお弁当ではなくパンばかりで、授業をさぼって、裏庭で一人で踊っていた。

「元気くさ。ありがとう」

ケーキの箱に包装紙をのせ、カラカラと音をたてる滑車から紐をひっぱって、手際よくかけながら茉莉はこたえる。誰だかわからないけど、あなたもどうぞお元気でね。心の中で、そうつけ加える。

その年の大学入学資格検定に、茉莉は難なく合格した。のみならず、子供の時分から遊び場にしていた九州大学にも、一度目の挑戦で合格した。

「どっひゃあ」

が、曇った三月の午後、合否発表会場で茉莉の発した言葉だった。いつものレインコートにぐるぐると衿巻《えりまき》をまきつけ、喜代の編んだ手袋をつけた茉莉は、しばらくその場を動かなかった。

「困った」

それからそうつぶやいた。まったく意味もなく。

そういうわけで、一九八三年四月、茉莉は大学生になった。学部は文学部国文学科を選んだ。いちばん得意だと、自覚しているからだ。

選び方が安易やったかいなあ。

まだ風のつめたい夕方、寺内家の非整形式ガーデンで、茉莉は惣一郎に話しかける。

大学に行きたかって思っとったけど、何ば勉強したいかは考えとらんかったもん。

枯れ枝がつきささっているようにしか見えない「さし木」の鉢が、ベンチ状の台の上にも下にもならんでいる。その横には水仙と都忘れが、小さいスペースにいきいきと花をつけて植わっている。

どの学部を受験するかは、ミチルに相談した。すべての道はローマに通ず、というのが彼女の意見で、だから好きな学部を選べばいい、ということだった。

「でも、学部が違《ちご》うたら得らるう知識も違おうし、卒業してからの職業の選択肢だって違うてくるやろ？」

茉莉がそう反論すると、ミチルは笑った。

「おんなじよ」

自信を持って、そう断言するのだった。

ミチルさんの言うことはときどきわからん。

茉莉は惣一郎に言う。惣一郎は何も言わず、ただ、微笑んでいるような気配をあわあわと送ってよこすのみだった。

芽吹き始めた姫りんごの細い木の根元に、小指の爪ほどの大きさのカタツムリがいるのを見て、茉莉はにっこりする。生きのびろ、と、声援を送りたい気持ちだった。ママときたら、イギリスから帰って以来、カタツムリの駆除に情熱を持ってるんだもの。

白っぽかった空に、すこしずつすみれ色の夕闇がまざる。まだ帰りたくない、と体じゅうで感じながらおもてで兄と九と遊んでいた日々を、思いださせる夕空だった。

惣一郎がすぐそばまで近よってきたような気がして、その気配を確かめようと、茉莉は目をとじる。

遠くへ行くんだ、茉莉。もっと遠くへ。

「茉莉」

名前を呼ばれている。

「庭なの？」

喜代の声だった。現実にひきもどされ、

「そう、庭」

と、大声でこたえた。

「仕度したの？」

ふり向いて、した、と、こたえる。入学式に着た紺色のスーツ、生れてはじめて買ってもらった黒いパンプス。

「パパから電話があって、パパは大学から直接行きますって」

モスグリーンのスーツにオレンジの口紅であでやかに装い、勝手口に立った喜代が言った。

「だからもう行きますよ、学生さん」

学生さん。茉莉が合格して以来、喜代と新は娘をときどきそんな風に呼ぶ。茉莉にとって、それは奇妙なことだった。小さい頃から家に出入りしていた新の教え子たちこそが、寺内家で言う「学生さん」たちであり、彼らと自分は似ても似つかないものだからだ。

「その呼び方やめてってば」

待たせてあったタクシーに乗り込みながら言った。喜代がその言葉に込めるある種の敬意が、照れくさいと同時に自分には勿体《もったい》ないように、茉莉には思えるのだった。

「おめでとう」

ビールグラスが五つぶつかる。盛装した一家三人と、普段着のミチルと奥村。茉莉の入学祝いとミチルへの謝恩会をかねた寺内家の改まった外食の場所は、やはりいつもの水炊き屋だ。

「おめでとうございます」

和服姿の年配の仲居さんまでが祝福してくれて、茉莉はどうしていいのかわからなくなった。

そげんときは、のむ。

心に決め、実行した。ビールから日本酒へ、日本酒から焼酎《しょうちゅう》へ。新も機嫌よく盃を重ねており、喜代はかいがいしく鍋奉行をつとめている。

奥村とミチルはそれぞれ大学院に進学していた。こういう人たちを「学生さん」というのだと茉莉は思う。

「これ、ほんとうにおいしい」

ミチルは何度も言い、びっくりするほど旺盛な食欲をみせている。

「食べなさい、食べなさい」

新には、それが嬉しいようだった。

清潔に拭き上げられた畳、黒光りしているまるい柱、たっぷりした鶏のスープと、そこから上がる、やさしげな湯気。

「シアワセだ」

茉莉はついつぶやいた。酔っていたせいもあるとはいえ、家族の前でそんなことを口にするのは、すこし前までの茉莉には考えられないことだった。

「ミチルさんの率直がうつった」

それで、言い訳のようにそう言って、ぬるくなった焼酎のお湯割りをのみ干した。

「これからもずっと、要領の悪い大物でいてね」

ミチルが言い、それは他の三人を笑わせたが、ふいに茉莉を不安にさせた。

「もう家庭教師してくれんと？」

「不要でしょう？」

穏やかに訊き返された。不要じゃない、と言いたかったが、それが子供じみた言い草であることはわかっていた。

チョウゼンとするんだ。

惣一郎ならそう言うだろう。

ミチルは、質問したあといつもそうであるように、返答に時間がかかっても質問をくり返したりせず、物問い顔のまま茉莉を見てじっと待っている。

「不要」

茉莉がそう口をひらくと、よし、と、惣一郎の言うのが聞こえた気がした。

「よし」

実際にはミチルが言い、そのミチルを、奥村がいとおしそうに眺めているのが、茉莉の印象に残った。新と喜代が、茉莉をいとおしそうに眺めていることには気づかなかったけれども。


大学生活は順調に始まった。一年生はとるべき単位が多い上、とらなくてもいい単位にまで茉莉は登録し、さらに他学部の講義にも、興味の趣《おもむ》くまま、聴講生として許可を得てでかけた。その結果、アルバイトに割く時間はなくなった。

春から夏にかけて、オリエンテーションだの合宿だの、憂鬱《ゆううつ》な行事が続いたが、それが過ぎると落着いて、一日のほとんどを勉強に費せるようになった。

高校時代までと同様、茉莉は集団行動が苦手だった。どうしても、馴染《なじ》めないのだ。年齢が四つ上であることもあってか、いままでのところ親しい友人もいない。

なんだ、あたしいっちょん成長しとらんやん。

そう思って自分で苦笑したりもする。しかし、高校時代までとは決定的に違うことがあった。親しい友人はいなくても、茉莉は誰とでも親しく口をきけた。周囲から距離はとっていても、疎外感はなかった。それに何より、学ぶことが楽しかった。知らなかったことを知ると、知る前よりすこし遠くに行かれる。それが嬉しくて、片道一時間自転車をこぎ、毎日はりきって大学に通う。たまには新の車に乗せてもらって、六本松キャンパスで降ろしてもらうこともあるが、たいていは自転車を使う。福岡という街は、自転車で走るときにいちばん、他の街——たとえば東京——との違いがわかる、と茉莉は思う。色が美しくて、風がやわらかいのだ。

「まだ大学に飽きてないのね。驚きだわ」

九月に三週間ほどイギリスを旅して戻ってきた喜代は、茉莉を見て可笑しそうにそう言った。

「飽きたりせんくさ。ちゃんと卒業するつもりやもん」

たった三週間で見違えるほどいきいきとし、娘からみても美しさを増して帰ってきたように思える喜代に、茉莉はそう返した。

「頼もしいわ」

たいして頼もしくはなさそうな口調で、たのしそうに、喜代は言った。

たしかに茉莉は勉学に励んだ。たまにはディスコで息抜きもしたが、授業が終ると遅くまで図書館ですごしたし、「優秀な成績で卒業」すべく、レポートの類は一般教養科目でも熱心かつ丁寧に仕上げた。根をつめすぎてはいけない、と、新にしばしば注意されたほどだ。ではなぜ四年後の卒業式に茉莉の姿がなかったかといえば、茉莉はまた、恋におちたのだった。

4　恋におちる

1

一九八四年、秋。

大学構内にある床屋から、その男はでてきた。変った恰好《かっこう》の人だ、と茉莉は思った。見かけない顔だがここの学生だろうか、と。

大学には、実際いろいろな人間がいる。学生の年齢にも出身地にも、経済状態にも生活のリズムにも幅があった。教授、助教授、講師以外にも、大学には大勢の人が働いており、出入りの業者もたくさんいる。

その男性は長身瘦軀《そうく》、髪を短いおかっぱにしており、まるく小さい縁の眼鏡をかけていた。首にインド更紗《さらさ》のようなオレンジ色の薄布を、ぐるぐる巻きつけている。なんとなく昔の人みたいだ、と茉莉は思い、昔の人というのはたとえばオオクニヌシノミコトとか、と胸の内で補足して微笑《ほほえ》み、目が合ってしまう前に目を逸《そ》らした。

昼休み。空は青く澄みわたっている。茉莉が「学生さん」になって二年目になる。アルバイトをやめ、クラブ活動もせず、親しい友達もないまま、ひたすら授業にでて、そのあとは図書館で本を読み、帰って家族三人で夕食を囲む、という生活の甲斐《かい》があってか、どの科目もトップの成績を保っている。

「寺内さんは勉強家ですけんね」

同級生たちは、四つ年上の茉莉に敬語を使う。

「わあ、そうなんですか？　あたし、おんなし高校です」

とか。

なんだ、簡単やない。

茉莉は思う。これまでの人生で、学校という場所で、周りの人間に敬意を持って扱われた記憶が茉莉にはない。茉莉ちゃんは変っとう。茉莉ちゃんは乱暴やん。男の子とし か遊ばんめぇが。不良やし、ずんだれとう。だけん近づかん方がよか。

チョウゼンとしよう。その度に茉莉はそう思ってきた。チョウゼンとしていれば、きっとおにいちゃんが守ってくれる。

しかしいまは、無理に胸をはる必要もない。午後の授業まで時間があったので、茉莉はかつて段ボール滑りをした土手まで、自転車をとばした。学食の音と匂いに馴染《なじ》めないのだ。それで、茉莉はしばしば戸外でパンのお昼にする。最近になって、土手の下に有刺鉄線が張られた。歓声とともに地面を滑り降りる子供たちの姿は、もうない。かわりに静寂があった。高台の、閑静な住宅地の一角、人のいない芝生の斜面。

茉莉はそこに、横手の坂道からのぼる。ここで感じる、空気のやさしい乾きぐあいは変らない。道のわきのすすき、アキノキリンソウ、触ってはいけないと、かつて惣一郎にきびしく言われたウルシ系のかぶれる木。深く息をすうと、空気が淡く、透明な味なのがわかる。

芝生に腰をおろして、パンをかじりながら本をひらいた。

ミチルとは、もう随分会っていない。まじめにたくさん勉強しているとはいえ、夕食後の茉莉は退屈で、両親のつくりだすぎこちない空気から逃げだしたい気持ちもあって、夜の街にちょくちょくでかける。歩くだけでも気晴らしになった。博多の街には何だってあるのだ。深夜まであいている喫茶店とか映画館とか、ジュークボックスとポップコーンのある、一人でも入りやすいバーだとか。

入学したばかりのころは、そういう場所に、ミチルを誘って二人ででかけた。ミチルといると、自分が誰とも何ともつながっていない、自由で個人的な存在であると思えた。ささいなことでもよく笑うミチルにつられて、茉莉もたくさん笑った。

道で、ギターを弾いていたり、階段をおりるバネとかくねくね踊る人形とか、安直な玩具を売っている人たちと、意気投合するのもミチルの得意技だった。それで彼らと友達になるというわけではなく、ただその時、その場でだけ、友達みたいに言葉をかわし、場合によっては屋台で焼きとりやラーメンを、一緒に食べたりするのだった。

そのようなことが茉莉には楽しくて仕方なかった。隆彦や山辺といたときには知ることのできなかった、のびやかさであり力強さだった。また、ミチルとでかけるぶんには両親も心配しないようだった。

しかし、ある時から、誘っても会えない日が続いた。論文のための調べものがあるとか、たまたま別の約束があるとか、風邪《かぜ》をひいているとか。はじめのうちこそ鵜呑《うのみ》にしていた茉莉だったが、度重なる言い訳に、さすがに胡散《うさん》くささを感じた。

「なして?」

電話口でミチルに尋ねたときの、淋《さび》しさと惨《みじ》めさは忘れられない。

惨めさ。まさにその一語に尽きると茉莉は思う。なしてあたしを避けとうと? あたし、何か悪いことをしたね? まるで、男に捨てられてすがりつく女みたいではないか。

「そんなことあるはずがないでしょう?」

ミチルは笑って否定したが、

「ただ、もう茉莉ちゃんとでかけたい気分じゃないだけよ」

と、茉莉には信じられないあけすけさで言った。

茉莉は憤慨した。ミチルに対してというより、傷ついている自分に対しての憤慨だった。どうして、と訊《き》きたくてたまらない自分に我慢ができなかった。

「じゃあ、いい」

それで、そう言った。隆彦にも山辺にも、すがったことはなかった。ふいにいなくなってしまった九にさえ。

電話を切る直前に、ミチルがふわりと微笑んだ気配を、茉莉はたしかに感じた気がした。

「別れたんだ」

ミチルとの関係について、茉莉が奥村にそう告げられたのは、数カ月あとのことだ。

「なして？」

と、今度は心おきなく問うことができた。水炊き屋の座敷で、いとおしそうにミチルを見ていた奥村が思いだされた。

「茉莉ちゃんなら、わかってるんじゃないかな」

どことなく棘《とげ》のある返答だった。奥村は新の研究室に残って勉強する傍《かたわ》ら、就職の決った製薬会社のプロジェクトにも参加しており、忙しいせいか面《おも》やつれがして見えた。

二人は新の研究室にいた。旧校舎中の旧校舎、窓ガラスも割れてテープで補修してある、狭く散らかった部屋だった。

茉莉は目をまるくしてみせた。恋人同士の別れる理由など、当人たち以外にわかるはずがない。

「どげんでもいいけど」

小さな声で言った。

「あたしには関係ないっちゃけん」

奥村は何も言わなかった。ただ、茉莉を見る目に険しい陰が、垣間見《かいまみ》えたように茉莉には思えた。

かまわない。簡素な昼食を終え、乾いて色を失いつつある芝生に寝そべって、茉莉はため息をついた。どっちみち、もう家庭教師は不要なのだ。うんと勉強しよう。茉莉は決意を新たにする。うんと勉強していい成績で大学を卒業し、仕事を持って、立派に暮してみせる、と。


床屋からでてきた男性に再会したのは、数日後のことだった。日曜日の夕暮れで、夕暮れといってもすでに夜が降りてこようとしているぎりぎりの時間帯だった。夕食の準備をしていた喜代に頼まれて、いくつかの草――チャイブ、バジル、ローズマリー、と名前を書いたメモには見分けるためのイラストまで添えられていた――をとりに、茉莉はガーデンまで自転車をとばした。

青とうす墨をまぜたような空気のなかで、ぽつんと道に立っている人影が見えた。人影は動かなかったので、自転車が近づくにつれ、茉莉にはそれがあの男性であることがわかった。男性は白っぽいコートを着ており、両手をポケットに入れて、喜代のガーデンの方を向いている。

ブレーキをきしませて、すこし手前で茉莉は止まった。ふり向いた男性と目が合った。短く切り揃《そろ》えたおかっぱに、まるい小さな縁の眼鏡。コートのボタンはすべてはずされていて、首にはこの前とおなじ、オレンジの薄布が巻きつけてある。

男性が微笑んだ。微笑むと、頰の片側だけがくっきりとくぼむ。線の細い、随分と色の白い男だ。しっとりした冷気と夕闇のなかで、その肌も微笑みも立ち姿も妙になまめかしく美しく、茉莉は笑顔を返すこともできず、呆《ほう》けたように男をみつめた。片足だけ地面につけて、バランスを保つ。

「こんにちは」

男が言った。

「またお会いしましたね」

姿に似ず気さくな声だと茉莉は思った。低すぎず、あかるい、快い声だ。あのとき大学で、この男も自分を見ていたのだ、と思うと理不尽にどきどきし、仏頂面《ぶっちょうづら》でうなずくと、茉莉は自転車を降り、降りた自転車は倒して、男を脇によけさせる形でガーデンの木戸に向った。

「あなたの庭なんですか」

鍵穴に鍵をさしている茉莉のうしろで、驚いたように男が訊いた。

「母の庭です」

ふり向きもせずにこたえる。冷淡といっていいくらい、硬い声になった。

木戸を押しあけて、やわらかい土に踏み込む。

「あのう」

うしろからまた、声がした。屈託のない、大きな声だった。

「ちょっと入っても構いませんか」

ふり向いた茉莉に、男はそう尋ねた。ほとんどそわそわして、中に入るのが待ちきれないという表情で。

「どうぞ」

微笑みたかったのに、上手《うま》くいかなかった。男は庭に一歩入ると周囲を見わたし、壁を這《は》うバラにまず目をこらしたあと、整形式の植込み――そこにハーブがあるのだ――のなかまで茉莉についてきた。

「すばらしい庭ですね」

土と緑と夕闇の醸《かも》しだす冷気を心地よさげに呼吸しながら、男はそう感想を述べた。

「完全に英国式なんですね」

と。

「通りかかって、見とれてたんです。十年前にはなかったから」

「十年前？」

訊き返し、摘んだハーブを手に持って立ち上がった。

「ええ、十年ぶりなんです」

男は言い、茉莉の手元に目を落として、また微笑む。

「すてきな夕食ができそうだ」

茉莉は驚く。ただの草なのに、それが食用のハーブだとわかる男など、いるはずがないと思えた。

木戸に元どおり鍵をかけ、会釈をして別れた。会釈のとき、男はまたしても微笑み、

「さよなら。お元気で」

と言った。そんなことを知らない人間との別れぎわに言う男も、茉莉はこれまで見たことがない。倒れていた自転車を起こし、カゴに草を入れてサドルにまたがる。男は茉莉の家と反対の方向に、すでに歩き始めていた。

緊張したあ。

胸の内で言い、茉莉は小さく息を吐いた。結局、名前も訊かなかった。十年ぶりだと言っていた。標準語だったけれど、この街の人だろうか。ぼんやりと思いめぐらせながら、茉莉はペダルに足をかける。

その冬は、寺内家にとって波乱ぶくみの冬となった。一つには、喜代が沈みがちになり、それに伴って普段温和な新が苛立《いらだ》ちをあらわにするようになったためで、もう一つは、茉莉がまたしても恋におちたためだ。

喜代の口数が減り、表情ばかりか顔色さえ失っていく過程は、当初、新をも茉莉をも心配させた。喜代は仕事にも身が入らず、講演をキャンセルしたり、頼まれていた原稿を途中で投げ出したりした。体調が悪いと言って寝て過ごすこともあり、そうかと思えば霜のおりた早朝のガーデンで、一時間もぼんやり立っていたりした。

「どげんしたと、一体。ママがそげんやったら、パパが心配するやろうもん？」

つい怒りをにじませて、茉莉が言っても暖簾《のれん》に腕押しだった。

「なんでもないのよ」

と言ったり、

「ごめんなさい」

と言ったりするくせに、喜代の状態は変らないばかりか、ますます理解できないものになった。夜中に短時間だが外出をしたり、日に何度も涙ぐんでいたり。

何を訊いても説明してくれない喜代に、茉莉は苛立ちもしたが、それよりも不安の方が先に立った。こんなのはママらしくない。そして、茉莉にとって意外だったことに、新は心配することをやめてしまった。

「放っておきなさい」

眉をひそめ、苦々しげに茉莉にそう言うことさえあった。

家のなかはひどく居心地の悪い場所になった。

もう、うんざりやん。

茉莉は惣一郎にだけ不満をぶつけた。壁に世界地図が貼られ、蛍光灯つきの学習机と簡素なベッド、整理だんすの置かれた惣一郎の部屋の中で。

留学したり仕事を始めたり、いままでもくさママは勝手ばかりして、あたしとパパの生活を変えてきとうとに、まだ足りんっていうとかいな。

惣一郎は、笑っているような気配を送ってよこす。淋しそうな笑い方で。

遠くに行くんだ、茉莉。そしてね、ママも、やっぱり遠くに行くんだ。

それは茉莉の聞きたい言葉ではなかった。

いやよ。

それでそう言った。不安に胸がしめつけられる思いがした。

ママをつれて行かんどって。

懇願であり、同時に宣言であるつもりだった。惣一郎の気配が、今度は愉快そうに笑った。

ばかだな、茉莉は。僕がつれて行くわけじゃないさ。みんな、自分で遠くに行くんだ。茉莉もママも、そしてパパも。

惣一郎の気配は、最後まで笑っていた。半ば愉快そうに、半ば淋しそうに。

茉莉が恋におちたのは、そういう日々の最中だった。大学に行き、大学から帰り、両親との不愉快な夕食を終え、街に遊びにでるという日々。

「いつも一人やったいね」

ジュークボックスとポップコーンのある、バーと呼ぶにはあかるすぎる店のカウンターでそう声をかけられた。

「隣に坐《すわ》らないで」

すいているのにわざわざ隣のスツールに腰掛けようとしたその男に、茉莉はきっぱりと言った。虫の居所が悪かったし、男は、見たところ茉莉の好みではなかった。

「つっぱっとうったいな」

男は不思議そうに言い、頓着なく隣のスツールに掛けた。ビールとビーフシチュウ――茉莉は試したことがなかったが、メニューにはいくつか料理が載っている――を注文し、ジーパンのポケットから、くしゃくしゃになった煙草《たばこ》のパックをとりだして、一本くわえて火をつける。長く細く、煙を吐いた。

思いきり不快になって、茉莉は男を蔑《さげす》みの目でにらんだ。男は小さく笑って、

「憶えとらんと？　俺んこと」

と、言った。憶えていなかった。

「茉莉ちゃんやろ、九大生の」

男は日に灼け焦げた肌と茶色に染めた長髪、削《そ》げた頬と色のない唇、それに長い指の持ち主だった。

「誰？」

怪訝《けげん》に思って尋ねると、シバタ、というこたえが返った。

「シバタ？」

何も浮かんでこない。

「そうたい。博多以外の土地では死んでもラーメンを食わん男」

あ。

思いだした。と同時に片手をさしだされ、握るとがっしりした握手になった。シバタは、かつて茉莉がミチルと夜のそぞろ歩きを楽しんでいたころ、道端で物売りをしていた男だ。顔見知りになり、立ち話というか坐り話に花を咲かせ、シバタがさっさと店を

たたんで、三人でラーメンを食べにでかけたことも、何度かあった。

「どうしとったと？　渡辺通りからおらんくなって随分たつやない。よそであの緑のもの、ぺたぺたくっついて回転しながら壁をおりてくるやつとか売っとうと？」

まさか、と言ってシバタは笑った。好みではない、と思った外見も、誰であるか思いだした途端に、無害で親しみやすい小ざっぱりしたものに感じた。

「あれはもう昔のことくさ。古き良き時代のことたい」

たった一年ちょっと前のことなのに、大昔を振り返る老人みたいな口調でシバタは言った。

「ふうん」

それ以上訊いてはいけないような気がした。人の人生にはいろんなことが起こる。そして、それは外からは見えない。

時代は急速に変化していた。夜ごとマリアハウスで踊っていたきらびやかな女たちはもうそこにいないし、親不孝通りのにぎわいさえも、かつての、不穏でぞくぞくするエネルギー——そこにいるだけで心強くなり、陽気に発熱するような——をすでに失いかけている。

「そうや。ちょっと待っとって」

シバタは言い、物色するように店内を見まわすと、スツールを回転させて降り、指に煙草をはさんだまま、テーブル席にいる二人連れのところへ行った。

「ミチルさんはどげんしようと」

一分もしないうちに戻ってきて、灰皿に煙草をおしつけて訊く。コカコーラのロゴつきの、ちっぽけなガラスの灰皿だ。

「よう知らん」

茉莉がこたえると、一瞬の沈黙のあと、今度はシバタが、

「ふうん」

と、言った。

「噂《うわさ》は聞いとうけどな」

と。

「噂？　どげん？」

つい真剣な顔で訊いた茉莉を、シバタは可笑《おか》しそうに見ている。運ばれたビールに口をつけ、つまらない噂だよ、と言って肩をすくめる。

「ラーメン食べに行かんね」

「ラーメン？　だってビーフシチュウは？」

尋ねたが、茉莉にはどうでもよかった。それよりもミチルに関しての噂というものを知りたかった。

「あっちのカップルが食べてくれるげな」

肩ごしに親指で、さっきのテーブル席を示した。

「だけんこればのむまで待っとって」

シバタは言い、一人で来た客然として、正面を見すえてたのしげにビールをのむ。

2

同性愛者。

奇妙なことに、その言葉は茉莉のなかでラーメンと結びついてしまう。トタンをめぐらせた屋台のなか一杯にこもった湯気、せわしげに立ち働く店員たちのゴム長靴と、濡れた地面、大きなタッパーに入ったおろしにんにくと紅生姜《べにしょうが》。

「嘘《うそ》やん」

ラーメンを口に押し込みながら茉莉は言ったし、

「うん、嘘かもしれん。噂なんて無責任やけん」

と、シバタも言った。

「気にせん方がよか」

と。しかしその後何年も、実際には十年二十年経った後にも、同性愛者という言葉は、茉莉にラーメンを思いださせることになる。

ストリートでは、という言い方をシバタはした。街角や飲み屋やライブハウスに集る奴らのあいだでは、という意味だろうとわかりはしたが、変な言い方だと茉莉は思った。変な言い方だけどこの人に似合う、と。

その「ストリート」では、ミチルは同性愛者として有名なのだそうだ。東京の大学でも同級生と関係を持ち、同棲までして問題になった、とか。ある日相手の両親が乗り込んできた、とか。相手の女性は関係をひきさかれて泣いたが、ミチルは平然としていた、とか。とかとかとかとか。

また、それについて奥村がミチルに「真実」を知りたいと迫り、ミチルが何一つ否定しなかったことが、奥村とミチルの別れた理由であるらしい。

「嘘やん」

もう一度、茉莉は力強く口にした。噂の真偽は、自分が否定するかどうかにかかっている、という気がした。シバタは可笑しそうに笑い、でも俺にはどちらでもかまわない、と思っていることを隠そうともしない口調で、

「わかった。わかったけん食えや」

と、言った。

以前にも見惚《みと》れた、と、茉莉は思いだす。シバタのラーメンの食べ方は見事だ。おい

しそうというより気持ちよさそうに、まず麵《めん》だけを潔い音と共に身体に収め、それからスープを幸福そうな表情でのむ。あっというまだ。あっというまなのに、余裕があって、優雅でさえある。

美しい、と茉莉は思った。この人は、態度がすごく美しい。しかしシバタにはそうは言わず、

「早かぁ」

とだけ言った。それから急いで丼を空にする。そのことに、茉莉も自信がないわけではないのだ。子供のころから惣一郎や九に負けじと、手際よくきれいに食べる訓練をしてきた。手際よくきれいに、そして勿論《もちろん》、おいしく。

ビールをのみながらラーメンを食べる茉莉を、シバタは隣で満足そうに眺めている。火をつけたまま持っている煙草を、吸うことさえ忘れて。

柴《しば》田始《たはじめ》は、茉莉より六つ年上の三十歳だった。姉と弟のいる長男で、現在は父親の経営するガソリンスタンドの跡を継いで働いている。博多生れの博多育ちで、自称「博多以外の土地では死んでもラーメンを食わん男」だ。高校を中退したあとしばらく大阪で暮し、故郷に戻ってからも、「物売りとか水商売とかしてえらいふらふらしとった」。でも去年、自分は結局ここで生き、ここに骨を埋めるのだろうと悟ったという。

「って言ってもツヤつけとうっちゃなくてくさ、ちゃらちゃらしとうとに飽きたとかい

な」

　そう言ってひっそりと微笑んだ。

「大丈夫。いまも十分ちゃらちゃらしとうよ」

　憎まれ口をたたいたが、茉莉にはシバタの言わんとしていることがわかる気がした。しみるみたいに、わかる気がした。

「うちの母はここからでて行きたがっとうと」

　茉莉は言い、初対面ではないにせよそれに近い男に、いきなりそんなことを告げた自分に戸惑った。当然ながら、シバタも戸惑ったようだった。

「そうや？　でて行くって、どこにや？」

　わからんけど、と呟《つぶや》いて、喜代の哀《かな》しげな顔を思いだす。イギリス。そうなのだろうか。それが喜代の行きたい場所なのだろうか。すでに行ってきたのに？　茉莉が東京に行ってきたように。

　これらの話を、茉莉とシバタはラーメン屋でしていたわけではない。すでに店はでていた。それでもなんとなく別れ難く、話し足りなくて、長浜の港を漫然と歩いた。博多漁港から長浜船溜《ふなだまり》、福岡競艇場を見ながら那の津の埠頭まで。

　潮を含んだ風と、岸壁に打ちよせる波の音。夜中だというのにあかるいのは街灯のせいだけだろうか、と、茉莉は考える。幾つもの倉庫、何台ものトラック、もわりとした小豆色《あずきいろ》の空は雲がちで、月もでているにはでているが、輪郭が曖昧《あいまい》になっている。

「大学はおもしろかね？」

シバタが訊いた。茉莉は少し考えてから、顔に思いきりしわをよせて首を横にふった。

「勉強はおもしろいっちゃけど」

そうつけ足す。

「俺は勉強は好《す》かん。働く方がよか。身体使えるけん」

細くてごつごつした身体だ、と、茉莉は思う。手のひらが大きい、とも。

スタンドまで歩いてくれたら車で送る、とシバタに言われ、茉莉はそうした。無人のスタンドはぐるりと鎖で囲まれ、つやつやした給油機やホースや、洗車用の装置がその鎖に守られるようにして、眠るみたいに穏やかにそこにあった。

「ガソリンスタンド。よか場所やね」

挨拶《あいさつ》でもお世辞でもなく、茉莉は目を輝かせてそう言った。


翌朝目がさめて最初に、シバタに会いたいと思った。兄の部屋とお揃いのカーテン、お揃いのベッドカヴァーの自分の部屋で。机や椅子や、枕元の本や貝殻、バスケットに入れてあるTシャツやセーターといった見馴れているはずの物がすべて、きのうまでとほんの少し違うふうに見える。よそよそしい、あるいはいっそ、かわいらしい。

恋におちたのだということに、しかし茉莉は気づいてはいなかった。ただ潑剌《はつらつ》とした気分で、シバタに会いたいと思うのだった。

授業が終ったらガソリンスタンドに会いに行ってみよう。朝食の席につくより前に、そう決めていた。ゆうべ何かがあったというわけではない。シバタに会ったのは偶然だし、ラーメン屋に行ったのはミチルについての噂というものを知りたかったからだ。夜中に歩いてガソリンスタンドに行き、あとは、彼の愛車の赤いピックアップトラックに乗せてもらって帰った。そしていま、茉莉はシバタのことを思いながら、幸福な気持ちでトーストにバターを塗っている。

「マッシュルームって、炒めると黒ずんで汚れたみたいになってしまうのはどうしてかしら」

ため息のあとでそう呟き、喜代が皿をテーブルに置く。化粧けのない、土気色の肌だ。茉莉は眉をひそめる。

「ママの方がずんだれとう。マッシュルームなんて黒ずんどったってよかろうもん」

茉莉、と、玄関で新の呼ぶ声がした。朝食を中断し、行ってみると柴田始が立っていた。

「おはよう」

晴れやかに、シバタは言った。茉莉の顔を見た瞬間に表情が輝くのを、隠そうともしない。

「お客さんだよ」

まの抜けたタイミングで、新が言った。

「どうしてわかったと？」

玄関の外にでて、引き戸を閉めるやいなや茉莉は言った。嬉《うれ》しさを、隠そうとはしなかった。

「ちょうど会いたいって思っとったったい。きのうのきょうやし、変かいなって思ったっちゃけど、でも会いたいと思って、だけん午後にガソリンスタンドに行くつもりやったっちゃん。ちょっと顔を見よう、って。来てくれるなんて信じられん。会いたがっとうって、どげんしてわかったと？」

高揚した口調で、息を継ぐのももどかしく、茉莉は一気に言って、シバタを見上げた。

「それは俺の方が信じられんくさ」

わずかにはにかんだ表情で、しかし視線は茉莉から逸らせることなくシバタは言い、

「顔ば見に来たとは俺の方なんやけど」

と、ひとりごとのように続けた。茉莉にもシバタにも、それで十分だった。会えた、というより、互いの存在を確認できた。そう感じた。

訪問はたった五分だった。仕事のあるシバタはおもてに停めてあるトラックまで軽快

な足どりで戻ったし、両親が台所で訝《いぶか》しんでいるはずの茉莉は、うっとりした気持ちで家の中に戻った。今夜またゆうべとおなじ店で。そう約束して。

それからの日々は、茉莉には信じられないことの連続だった。幸福な驚きと幸福な安心、幸福な胸苦しさと、幸福な自信。柴田始は海のようにシンプルで複雑な、風のように無鉄砲でやさしい男だった。

毎日毎日、二人は会った。毎日毎日、別れ際には離れ難く切なくなり、送ったり送り返したりをくり返したあげく、赤いトラックの中で夜明けを迎えることもしばしばあった。

始は、喜代や新ともたちまち良好な関係を築いた。とりわけ茉莉が驚いたのは喜代の反応で、庭仕事を手伝ったり寺内家の車の整備——これは無論お手のものだ——をしたりする始の、礼儀正しさと無遠慮がないまぜになったようなやり方に、不快感を示すどころか信頼を置いているように見えた。

「始さんってば、可笑しいちゃん」

茉莉は惣一郎にも報告する。

「あたしのこと、俺のエンジェルとか言うとよ。二人きりのときだけやけどね」

惣一郎は、さわさわと温かな気配を送って寄越す。温かな、そしてほんのすこし淋しげな気配を。

茉莉には、柴田始のいない場所はつまらなく思える。大学も繁華街も、両親のいる家さえ。

「始さんが来ると、ママがちょっと元気になるっちゃん」

茉莉は惣一郎に、そんな報告もした。

「あたしもママと話しやすくなると」

柴田家にも、茉莉は出入りするようになった。両親とおばあさんと弟のいる、賑《にぎ》やかであかるい、いい家庭だと思った。

始はよく働く男だった。朝から晩までスタンドにいる。冬でも日灼けしているのは、戸外で過ごす時間が圧倒的にながい上、日光浴が好きでたまの休みも、海や公園や自宅の狭いベランダにねそべってばかりいるせいだとわかった。隣に横たわり、まわされる腕に重みをかけすぎないように注意しながら、始の皮膚の、香ばしい匂いをかぐことが茉莉は好きだ。

「俺のエンジェル」

甘い声で、そう囁《ささや》かれることも。

祖父江九から一枚の葉書が届いたのは、その年の暮れのことだった。

「上海《シャンハイ》にいるの？」

乾いて紙が反りかけた、観光土産店に何年も置かれていたに違いない古びた風景写真――川べりをそぞろ歩く中国の人々の写真、緑色にライトアップされた樹々が川面に映り、ゆらゆらと揺れている写真――のポストカードを手渡してくれながら、茉莉が読むより先に、喜代はそう訊いた。

上海にて　祖父江九。

最後に書かれたその一行が、喜代の目に入ったのだろう。

「知らん」

そっけなくこたえて、読み始めた。

旅、胡弓《こきゆう》、夕方の空、老人、租界、背すじののびた子供たち。

そんな言葉がちりばめられている。旅先からの葉書。それ以上のものではなかった。九がなぜそこにいるのかも、突然いなくなった理由も言い訳も、何一つない。上海にて。祖父江九。葉書はただそう結ばれ、しかし青いインクで書かれた思いの外律儀でかわいらしい文字は、茉莉に九の体温というか息遣いのようなものを感じさせた。

こんな字を書くんだ。

そう思った。上海。いったいどんな所だろう。好いとう。思いつめた顔でそう言った、隣家の青年を思いだす。

「九ちゃんは冒険家なのね」

喜代が、言った。

新年になり、茉莉は運転免許を取った。あの赤いピックアップトラックを、自分でも運転してみたいというのが動機だった。仮免許取得後は、こっそり始に練習させてもらった。教習所の車よりも座席がずっと高いので、視点が上がっておもしろい、と茉莉ははしゃいだが、

「いかんいかん、ギアはもっとやさしく変えらんと」

と始が言うときにはすでにエンストしており、

「大丈夫、もっと思いきって寄せて停めり。いつも左側空きすぎやん。ここはぶつかるものもないけん」

と言った直後には左が溝に脱輪する、という有り様で、辛抱強い私設教官もしまいに、

「茉莉ちゃんには運転の才能、なかね」

と断じた。

「だめ？　そうかいな。匙《さじ》投げると？　あたし見捨てられると？」

子供のころ、惣一郎は車が好きで、車にくわしかった――茉莉より頻繁に乗り物酔いをしたくせに――。市内を走る車ならたいてい、一目見て車種と年式を言えた。エンジン音を聞くだけで車種をあてることもできた。九にもそのセンス――あるいは熱意――

があり、三人で大通りまででては、あてる早さと正確さを二人が競った。たいていは惣一郎が勝った。茉莉はそれが誇らしかった。スカートに黒い埃《ほこり》がつくので喜代に叱《しか》られるにも拘《かかわ》らず、ガードレールに足をからませて坐って——。

始はにっこりと笑った。情ない表情の茉莉の頭を助手席から抱きよせて囁く。

「まさか。運転くらい俺にさせりってことたい。料金無料の安全運転。いつでも。どこへでも。いつまでも」

茉莉は幸福で溶けそうになりながら目をとじ、始と唇を合わせた。

運転免許証は、しかしちゃんと取得できた。茉莉は「お祝いにディスコ」をリクエストし、始と一晩中踊った。

大学には、あいかわらず真面目に通っている。そこでの茉莉は本の虫だった。先生の言うことより、本の方がおもしろい。そんなふうに思うこともあった。

それでも日々授業にでるのは、大好きな始の言葉に奮起したところが大きい。

「がんばりやの茉莉ちゃんが、俺と出会ったことで劣等生になったりしとったら、惣一郎さんに恨まれるけんね」

惣一郎を、惣ちゃんでもお兄さんでもなく「惣一郎さん」と、まるで年上の人間みたいに呼ぶ始を、茉莉はますます好きになってしまう。

あたしはもう、野良猫みたいじゃない。

茉莉にはそう思えた。もう遠くには行きたくない。

柴田始は茉莉にとって、兄のような友達のような恋人だった。言い換えれば、この世にある良い物のすべて、だった。

春。

「安いチケットが手に入ったから」二週間の予定でイギリスに行ってくる、と喜代が言ったとき、茉莉は始と一緒にガーデンの仕事を手伝っていた。届いたばかりのチムニーポット——煙突型の、随分と大きな植木鉢だ。てっぺんにちょこんと花を植える。数年前に初めて見たとき、茉莉は「まるで柱やん」と思った——を、トラックに載せて運び入れた。

「夜逃げみたい」

スタンドの閉店後にしか始が来られないので、作業は夜で、茉莉は車の中でそう呟いた。

「また？」

旅行の計画を聞き、最初に口をついてでた言葉はそれだった。喜代のイギリス行きは、留学を終えたあとから数えて五度目になる。商用ででかけたときでさえ、帰ってくると見違えるほどあかるく生き生きとしている喜代であるため、それについては、新も茉莉も、黙認もしくは賛成してきた。

「ええ」

でかける前からすでに活気の片鱗《へんりん》を見せながら、喜代はこたえる。すらりとした身体をずぼんとトレーナーに包み、ゴムびきの靴をはき、軍手をして。

どういうわけか、今回は行かせてはいけないような気が茉莉はした。行かせてしまったら、もう帰ってこないような気が。

「始さん、ごめんなさい。これ、もうちょっと左だわ、やっぱり」

離れた場所から目を細めて間隔を見定め、たったいま据えたポットを指さして喜代が言い、

「了解」

と、軽快に始が応じる。あたたかな夜気のなかで、土がやわらかな匂いを放っている。木々は香辛料に似た匂いを、花々は甘く湿った匂いを。

「何しに行くと？」

感情がおもてにでてしまわないよう努力して、茉莉は訊いた。

「何って、必要なものの買いつけもあるし、お友達にも会いたいしね。クローシェっていう霜よけのガラス箱、ほらうちのパーゴラの下にあるでしょう？　あれも頼まれてるのよ」

さばさばと喜代は言い、その返答に不審な点はなかった。

「ああ、そんな感じ。ぴったりだわ、ありがとう」

始に、大きな声で言う。

「行かんどって」

小さいが意志をこめた声で、茉莉は言った。驚いた顔で、喜代が茉莉を見つめる。

「今回は、行かんどって」

くり返した。汚れた両手をはたきながら、始が近づいて来る。月がきれいかあと言いながら。

喜代が、くっきりした笑顔をつくった。

「いいえ、行くのよ」

明快だった。もともと低い喜代の声が、つねにも増して低く愉《たの》しげに響いた。月に照らされた春の闇そのものみたいに。

3

この街の春は、空がその曖昧な薄水色を、空気にもやわらかく溶け込ませているようだ。銀杏《いちょう》あり蘇鉄《そてつ》ありの広大なキャンパスを歩きながら茉莉は思う。この街をでたいなんて、一体どうして考えたりしたのだろう。

灰色の石づくりの校舎は古く、上部に青と白のクラシックなタイル装飾がついている。ひんやりして昼間でも暗い自転車置き場――幼いころ、茉莉はここでよく一人で目を閉じて踊ったものだ。手首にビーズの腕輪などくっつけて――を抜け、窓の並ぶ廊下を進むと、右側が新の研究室だ。

ドアは内側に大きく開け放たれていた。

「パパ」

他に誰もいないことを確かめてから、茉莉はそう声をかける。

「遊びに来たっちゃん。入ってもいいと？」

狭く、日のあたらない研究室だ。つきあたりに仕事机と小さな応接セット。その手前には本棚が三列もある上、何が入っているのかわからないダンボール箱が、床に直接積み上げられている。

「いいよ」

弱い笑みと共に、新が腰を上げる。机の上には欧文と日本語がごちゃまぜになった紙束と、吸殻でいっぱいの灰皿がある。

物にぶつからないよう注意しながら、茉莉は応接セットの椅子の片方に腰をおろした。そこから視界に入るものはすべて、茉莉にとって子供のころから見慣れているものだ。

ガムテープで修理された汚れた窓、スチールのひきだし、色褪《いろあ》せた本の背表紙、学生の旅行土産だというつまらない人形だの置き物だの。

「何の授業だった？」

ポットのてっぺんを押し、急須にお湯を入れながら新は訊く。

「言語学。それから樋口一葉《ひぐちいちよう》」

「おもしろそうだな」

皮肉ともつかず、言う。

「文学か」

その言葉は茉莉に、自分がもう小さな娘ではないことを思いださせる。さしだされたお茶を啜《すす》った。黄茶と呼びたいくらい薄い、ここのいつもの緑茶だ。

こうしていると、ママのいなかった日々みたいだ。茉莉はぼんやり、そんなふうに思う。パパと二人暮しだった、中学生の日々。

「きょうも遅いのか？」

教壇に立つときには必ずネクタイをしめる生真面目な新だが、研究室でははずしている。白いワイシャツにグレイのずぼん姿の父親は、ひどく疲れているように見えた。

「うん。遅うなるね」

茉莉は、ここしばらく家で夕食を摂《と》っていない。授業のあとは、ガソリンスタンドの仕事を手伝っている。そうすれば、始のそばにいられるからだ。スタンドのすぐ裏にある柴田家で、夕食は簡単にすませる。仕事のあとは、始と街へくりだして遊んだり、海辺を散歩したりする。夜の街に、始はおそろしくくわしい。狭い階段を下り、重い扉を押しあけると突然大音響の響きわたるディスコだとか、暗い店内のいたるところに小鳥の剝製がぶらさがっている、いかにもあやしげなバーだとか。

始といれば安心だった。看板をだしていない店に入るのも、治安の悪い界隈を歩くのも。

行かないでほしいと頼んだにも拘らず、喜代は二週間のイギリス旅行を決行した。食器だの苗だのガーデニング用品だのを山程買い込んできて、無論それらは仕事ではあるものの、仕事だけではない種類の喜びと人格を、喜代にもたらしていると茉莉には思えた。

まるで二つの人生を持っているみたいだ。

茉莉と新に土産を携えて帰国した喜代を見て、茉莉はそう感じたのだった。そして、あたしとパパの知らない方のママの人生が、あたしたちの家を侵食し始めとう、と。

それは不安なことだった。不安で淋しいことだった。

「パパももっと外食とか飲み歩きとか、すればいいとに」

茉莉が言うと、新は苦笑した。

喜代は様々な料理をつくる。ごま鯖《さば》とかがめ煮とかおきゅうととか、どこの家でもつくる家庭料理から、果物をたくさん使ったたれで焼くスペアリブとか、ハーブとにんにくのスープとか、手の込んだ中華料理まで。

料理をし、洗濯をし、掃除をする。庭の手入れをし、講演だの書き物だのもする。いまだに旧式のミシンを使い、新のシャツや茉莉の夏のワンピースなどを縫う。息子が放浪している祖父江七を気遣って、お茶菓子を持って訪ねて行くことさえする。それでいて、ある日それらを放りだし、ふらりと遠くに行ってしまう。

ばかにしとう、と、茉莉は思う。

ガソリンスタンドの仕事を手伝っているのは始のそばにいたいからだが、親子三人で囲む食卓が気づまりだからでも、あった。そして、そんなふうに暮していることで、茉莉は新に悪いような気がしている。このごろますます無口になって、年をとって疲れて見える新に。だからこそこうして意味もなく顔を見に寄ってみるのだが、寄ったからといってどうなるものでもないのだ。

「お茶、ごちそうさま」

茉莉は言い、立ち上がってもう一度研究室の匂いをすいこむ。自分にとっての惣一郎の部屋や始の存在とおなじように、おそらく新が安心して逃げ込める唯一の場所なのであろう小部屋。

「朝食には戻れよ」

新は言った。


始の継いだガソリンスタンドは、昭和通りのはずれにある。海が近く、空の広い場所だ。まわりには、ぽつぽつと離れて民家や店屋が点在している。

はじめのうち、茉莉のそこでの仕事は掃除と洗車助手、それに車の誘導だった。始がガソリンを入れたりオイルの汚れを点検したりしているあいだに、茉莉は急いで灰皿の中身をあけ、窓ガラスを拭く。濡れた布と乾いた布と、二枚使って手早く、力強く。子供が乗っていれば、サービスにキャンディをさしだす。キャンディは三種類の味があり、小さなカゴに入っている。

やがて、奥の売店のレジも打たせてもらえるようになった。売店には車の手入れをするための様々な道具や薬品があり、それらの用途や商品名、値段や特徴を憶えるのは楽しかった。

スタンドには、始と父親の他に、アルバイトを含む三人の従業員がいた。三人は交代で休みをとり、午前九時から午後八時まで、定休日なし、の営業をこなしている。

「ガソリン、入れてみるや？」

ある日、茉莉にそう言ってくれたのは、三人のなかで一番年長の、藤原《ふじわら》さんという男性だった。藤原さんは小柄で、顔にたくさんしわがあり、左右の目の大きさが違う。

「はいっ」

即答したあとで、つい始の姿を目で探した。やらせてもらってもいいものかどうか、心許《こころもと》なかったのだ。始は近くにいなかった。藤原さんはにやにやして、銃のようなノズルを持ち、

「やってみらんとや？」

と、訊く。渡されたノズルは、想像したよりずっと重くて、片手では不安なほどだった。

「片手、片手。しかっと持ってんやい」

左手を添えようとした茉莉を、藤原さんは窘《たしな》めた。

「注入口の奥まで、深く入れてくさ」

言われたとおりにする。

「だすけんね」

背後の機械のボタンが押され、同時にノズルを持つ茉莉の手に、藤原さんの手が重なった。

「このレバーで調節するったい」

どくん、どくん、と液体の流れ込むのがわかった。ガソリンの匂いが鼻をつき、自分

のやり方が悪くてどこかに漏らしているのではないかと不安になる。

がたん、と、握った手にふいに大きな衝撃が伝わり、茉莉は思わず身をすくませた。

「ストッパー」

藤原さんが説明する。ノズルを一度抜き、再び、今度は先端を浅く入れる。

「あとは満タンまでちょっとずつちょっとずつ。これは自分の目で見て確かめるったい」

説明してくれながら、その部分は藤原さんが自分でやった。隣にしゃがみ、茉莉は息をころして見つめる。

注入口のなかなんて、暗すぎて小さすぎて見えん。

そう思ったが口にはださなかった。頭のてっぺんに日が照りつけ、コンクリートの地面からも熱が立ちのぼっている。

あとになって、茉莉は胸を張って姑に報告した。

「あたし、きょうガソリン入れたよ。白いトヨタカローラやった」

喜代と新の関係はともかく、茉莉自身の人生は順調だった。姑の両親もおばあさんも、会社づとめをしている弟も、茉莉を「茉莉ちゃん」と呼び、家族の一員のように扱ってくれた。

始の休みの日には、二人でドライブにでかけたり、電車で遠出をしたりした。茉莉は博多駅が好きだ。ものすごくたくさんの線路。かたちも色もとりどりの電車があり、ここから、どこにでも行かれる。大分へ、長崎へ、鹿児島へ。始の住んでいた大阪へも、茉莉の住んでいた東京へも。

「博多駅って、いつでもお祭のごたあ」

茉莉は始にそう言ったことがある。

「だってコロッケとかやきとりとか、甘ったるい匂いの焼き菓子とか、生きとうヒヨコまで売っとろうが」

始は笑った。

「そういえばそうやな。考えたこともなかったばってん。何で駅でヒヨコ売っとるんやろ」

嬉しくなって、茉莉も笑った。始が笑うと、それだけで茉莉は嬉しくなってしまうのだった。

「にぎやかやもん。たとえば東京駅は、人は多いっちゃけど全然にぎやかやなかった」

門司港《もじこう》から連絡船に乗って、下関まで足をのばしたこともある。連絡船は白いしぶきをあげ、おどろくほど速く走った。ちょうど雨の降り始めた夕方で、船室のガラス窓に無数の水滴がついて流れるのを、茉莉は座席で、始と指をからませたまま眺めた。

「雨もよかね」

みちたりた気持ちで呟くと、

「うん。雨もよか」

と、おなじだけみちたりた声で始がこたえた。それから軽く唇を合わせた。唇を合わせたいと思う瞬間が、きまって二人に同時にやってくるのは不思議なことだと茉莉は思う。う。不思議で、すばらしく嬉しいことだ、と。

祖父江九からは、あれからときどき葉書が届く。揚子江《ようすこう》。太極拳。国境。そんな言葉のならんだ葉書だ。武漢《ぶかん》にて。成都《せいと》にて。カトマンドゥにて。

大きなバックパックを背負って、汗やら泥やらのついたTシャツを着て、一人で旅をしている九が思い浮かんだ。

寝袋で寝たりもしているのだろうか。生活のためのお金は、あるのだろうか。誰かと出会って、好きになったりもしているだろうか。あたしが始さんと出会ったみたいに。

「おばちゃん」

茉莉はときどき祖父江七を訪ねる。

「九ちゃんから葉書がきとったよ。ダッカらしか」

七は微笑んで、「そうね」と言ったり「よかったたたい」と言ったり、「うん、うちにもきとうよ。元気しとうごたあ」と言ったりする。

「こないだ電話もかけてくれてね、大きな街に着くと、たまーにやけどかけてくれるとよ」

そう聞くと、茉莉は安心する。ダッカとかカトマンドゥとか、それがどこだか自分にはよくわからないけれども、ともかくどこかに九はいるのだ。ほんとうに、生きているのだ。

「会《お》うてみたか」

九について話すと、始は憧《あこが》れをこめた口調でそう言った。

「放浪とか、恰好よかやんか」

茉莉はたちまち不安になる。

「やめりよ」

真顔で言う。

「始さんは放浪したりせんどって。どこかに行ったりせんで」

チョッチョッチョッ、と舌で小さな音をたてながら、始は人差し指を振ってみせる。

「俺はどこにも行かん。スタンドもあるし、家族もおる。それでも放浪するときは、二人でしようや」

茉莉は心がとろけるのがわかった。

「約束やけん」

甘い声でねだると、始は茉莉のまぶたに唇をつける。そして、

「約束くさ」

そう請け合うのだった。

秋になり、冬になった。大学の卒業まであと一年数カ月というこの年の冬に、茉莉は妊娠した。

始は気をつけて、茉莉の中で果てないようにしてくれていた。

「くっついといたまんまがいい。子供ができてもかまわんもん」

茉莉が言ってもとりあってもらえず、必ず直前に茉莉から離れて放つ柴田始を、茉莉は「几帳面《きちょうめん》すぎる」と思っていたというのに。

「どげんしたらいいとかいな」

一人で病院に行き、妊娠が判明した日、始と食事をして夜遅くに帰った茉莉は、惣一郎の部屋で呟いた。

「信じられん」

信じようとすると、ふつふつと喜びが湧いた。ほんとうは、惣一郎に打ちあけるより先に、始に打ちあけようと思っていた。昼間ガソリンスタンドの手伝いを休んだので、きょうは柴田家ではなく、いまではすっかり馴染みになった、ジュークボックスのある

店で食事をした。二人きりで。打ちあける好機だった。

「でも、こわかったと」

ちっぽけな勉強机の前で、茉莉は言った。

「こんなに嬉しいとか、こわかったと」

こわがりだね、茉莉は。惣一郎が笑う。

「始さんが喜んでくれんかったらって考えたら――」

それは想像するだけで耐え難いことだった。それくらいなら、内緒にしたまま産んでしまいたいとさえ思った。

性急だな、茉莉は。

惣一郎は、驚いてはいないようだった。

「どげんしたらいいとかいな」

茉莉はくり返す。くり返すたびに喜びが湧く。大学をやめることになってもかまわなかった。喜代や新が怒っても反対してもかまわなかった。茉莉がこわいのは、始の反応だけだった。

ダンボール滑りと一緒だな。

惣一郎は言った。

茉莉はこわがりなのに、気がつくとダンボールにすわっている。すわったら滑り落ちる。誰にも止めてやることはできないし、自分でも止まることはできないのに。

茉莉はくすくす笑った。

「だって、ダンボール滑り、好いとうっちゃもん」

愉快な気持ちだがそわそわして落着かず、茉莉は部屋のなかを歩きまわる。ベッド。電気スタンド。整理だんすの上の地球儀。机の横の習字道具。おにいちゃんの部屋。

「おにいちゃん、おじさんになるったいね」

冗談めかせて言ったつもりが、自分の言葉に茉莉はたじろぐ。

「いつか九ちゃんが旅から戻って、あたしに子供がおったらきっと驚こうね」

惣一郎が伯父さんになる、という考えから気を逸らせたくて、そう言ってみる。

「男の子やったら、一緒に遊んでくれたりするとかいな」

九から届く葉書や手紙は、すべて箱に入れて惣一郎の机の上に置いてあった。惣一郎は、茉莉の兄であると同時に、九の親友であり、兄のようなものでもあった。

箱の一番上の手紙を、茉莉はひらいて読み返した。

寺内茉莉さま。

手紙はそう始まっている。破いたノートに、青いボールペンで丁寧にびっしりと綴《つづ》られた手紙。

私はようやくガンジス川にたどり着きました。その流れはかつて見たどの川の流れよりも力強く、神々《こうごう》しい。人々はここで洗濯をし、沐浴《もくよく》をし、またここに死体さえも流しています。揚子江流域では気エネルギーの重要さについて学びました。

「それ、何のことやろう」

読むのを中断し、茉莉は惣一郎に尋ねる。

「この前の手紙にも、気とかエネルギーとか書いてあったちゃけど」

人間は流れです、と、祖父江九は続けていた。

体内にはさまざまな流れが存在します。血の流れ、気の流れ、精神の流れ、など。そのどの部分もせき止めてはならないのです。

手紙はそのあと「水平」に流れる時間と「水平」に生きることの偉大さに触れ、あなたのことを考えながら、この大河を渡ります。

と結ばれる。カルカッタにて　祖父江九。

茉莉は窓の前に立ち、隣家の暗い窓を見つめる。

「惣ちゃん！　茉莉ちゃん！　遊ぼうや」

あの茂みの脇あたりに立って、元気な声をはり上げていた九ちゃん。

「流れはせき止めてはいけない」

茉莉は声にだしていってみる。

「ダンボール滑りとおんなじやろうもん」

5　運命の歯車、そしてガソリンスタンド

1

柴田始の反応は、茉莉の望んだ以上のものだった。茉莉の学業や周囲の反応、これからの生活といった様々な心配事の、どれ一つを思いだすより先に歓声をあげた。目をまるくして驚いた一瞬のあと、まず歓声で、次に抱擁《ほうよう》、茉莉にキスの雨を降らせ、その間ずっと、顔が壊れたみたいに笑顔だった。

二人は志賀島《しかのしま》にいた。

晴れた午後だが風が強く、冬の海は寒々しく波が高くて、手前だけ白く泡立っている。きな粉みたい、と、子供の時分から茉莉の思っている黄色っぽい砂浜に、黒く乾いた海草が打ちあげられている。

抱擁やキス、質問と返答、といった一連の行動をかなり長い時間くり返したあとで、

結婚しようや、と、始が言った。落着いた口調だった。茉莉のうしろに立っていたので、茉莉には、始の顔は見えなかった。見なくてもわかった。波の音がしている。

「大学は、やめんどってほしい」

次に始はそう言った。おぶさるように茉莉の肩を抱き、頬に頬をつける。

「あと一年やし、せっかくここまで頑張っとっちゃけん」

大学のことはよくわからんけど、と、始は続けた。結婚したっちゃ子供が生れたっちゃ授業は受けさせてくれるっちゃろうもん？

茉莉は返事をせず、うっとりと目を閉じて始にもたれる。大学はやめようと決めていた。大学卒業という肩書が、一体どれ程大切だろう。茉莉だけを愛してくれると言う始の存在や、生れてくる子供にくらべたら。

「始さん、水炊きは好《す》いとうと？」

茉莉はそんなことを訊《き》いた。嬉《うれ》しくて幸福で、身体の奥からくすくす笑いが込み上げてくる。両家で食事をするのはきっとあの水炊き屋だ、と、想像した。パパは無口で、ママはテーブルの上を取りしきってしまって、でもきっと、二人とも祝福してくれる。

「水炊き？」

可笑《おか》しそうに、始は訊き返す。風が砂をまきあげ、始は庇《かば》うように、茉莉におおいかぶさったままその風に背中を向ける。

そのままの姿勢で、茉莉は笑いながら始の両手をとってひっぱった。説明はせず、二人羽織《ににんばおり》みたいな恰好《かっこう》で砂浜を歩く。

「あたしたち、結婚すると？」

からかうみたいな声になった。

「ほんとやろうね？　絶対？　ほんとにすると？」

始の返事がそれにかぶさる。

「ほんとくさ。絶対。ほんとにするったい」

波打ち際に、釣り餌を集めているらしい人影が一つ見えた。バケツと火バサミを手に、ところどころで何か拾いながら歩いている。

どげんしよう。あたしはいま、ものすごく幸せやん。

人影を見ながら茉莉は思った。


すべてがあと一日早かったら。

その後の人生を通してずっと、茉莉はそう思うことになる。妊娠が判明し、始に打ちあけ、結婚しようと決める、そのすべてがあと一日早く起こっていたら、物事は全然違うふうになったかもしれない。

その夜、茉莉が帰宅したのは深夜だった。始とお祝いの食事をし、「一杯だけ」という約束で焼酎《しょうちゅう》ものんで、生バンドの入っているクラブで踊った。まだまるで実感の湧かない子供とやらも、踊ることが好きになるといいと、茉莉は思った。

「きっとみんな、びっくりするやろうね」

話すのは、そのことばかりだった。

「ああ。でも、ものすごく喜ぶくさ」

茉莉は始の弟の名を言った。

「克《かつみ》くんとか」

「藤原さんとか」

そのたびに始は、ああ、とうなずく。祝福される自信と、始自身の喜びとに、はちきれんばかりの笑顔で。

この笑顔が、あたしの世界のすべてだ。結婚も子供も、おまけみたいなものにすぎない。

茉莉もまた、嬉しさではちきれんばかりになってそう思い、我流の踊りを踊った。

家に帰ると、居間に新が一人でいた。足を踏み入れてすぐに、何かよくないことが起こったのだと茉莉にはわかった。コルトレーンが流れていた。新はソファにすわっていた。数年前に喜代が買い換えたそのソファは、以前のものとよく似た、褪《あ》せた緑色だった。

「おかえり」

新は、茉莉の胸がつぶれるほど弱々しい笑顔を浮かべて、

「ママが行っちゃったよ」

と、続けて言った。

「どこに？」

最初、茉莉は新が酔っているのだと思った。酔ってさえいなければ、この人はもっと毅然《きぜん》としているはずだ、と。

「さあ。イギリスじゃないか？」

どうでもいい、という口調だった。無責任な、あるいは疲れ果てた——。

「さあってことなかろうもん」

茉莉の声は震えていた。落着こう、と思うのに、思考がうまく働かない。テーブルに、酒の類は置かれていない。吸殻だけが五、六本、いつもの空き缶ではなくガラスの灰皿に、折れたり焦げたりして積み重なっていた。

茉莉の目に、新はいまにも泣きだしそうに見えた。喜代の編んだセーターを着て、膝の上で両手の指を組み合わせている。緑色のソファも、プレイヤーから流れる音楽も、部屋のなかの匂いもいつもどおりなのに。

「パパ、夜ごはんは？」

ふいに思いついて茉莉は訊いた。

「有難う。でももう今夜はいいよ」

依然として微笑を含んだ声で新は言った。茉莉は苛立《いらだ》ち、

「ママ、どこに行ったと？」

と、もう一度訊いた。訊いても無駄だと、あのときあたしにはわかっていた、と、茉莉はあとから思うことになるのだが、このときにはそんなふうに考えることはできなかった。台所や寝室を調べて、喜代の身のまわり品がなくなっていることを確かめた。

「どういうことなん？　手紙とかなかったと？　何時ごろにでて行ったと？　なして？」

居間に戻り、まだそこに新が力なく腰掛けているのを見た途端、言葉が迸《ほとばし》りでた。

「捜してみたと？　ガーデンは？　空港は？　東京の親戚とか、七さんのとことかは？」

そんなつもりではなかったのに、責めるような口調になった。夫婦が不和であることには、もう何年も前から気づいていた。ここのところ茉莉は恋愛に夢中で、家にほとんど寄りつかなかった。でも、だからといって、ある日忽然《こつぜん》と母親が姿を消す、などということがあるだろうか。

「騒いでも仕方がないよ」

新の言葉は茉莉を愕然《がくぜん》とさせた。仕方がない？

「九時ごろに大学から戻ったら、ママはもういなかった。何時ごろにでて行ったのか、

どうしてなのか、それは俺が知りたい。でもママには、もう何度も言われていた。でて行かせてくれって」

茉莉は自分が眉を持ち上げ、目をまるくしたのがわかった。喜代がするみたいに。

俺は、と言いかけて新は口をつぐみ、パパは、と言い直した。父親として話しているのだと、自分になんとか言いきかせようとしているのだとわかった。この期《ご》におよんでも——。

「パパは取り合わなかった。ママに、でて行ってほしくなかったんだ」

あたりまえやない、と、茉莉は口をはさんだ。事を重大に扱いたくなくて、軽々しい口調になった。

「きっとまた旅行やない。いずれ帰ってくるくさ。にこにこして、いらんお土産とか買って。あの人ほんとに勝手やもん」

沈黙ができた。新は低く笑って茉莉を見た。

「そう思うよな」

今夜初めて、眼鏡の奥の目が生気を帯びた。子供みたいな顔だ、と茉莉は思った。新はそばのゴミ箱から、捨ててあった紙をとりだす。

「手紙はなかった」

そう言って、紙をテーブルにひろげた。喜代のサインと捺印《なついん》のある、離婚届だった。

「かわりにこれが置いてあった。いらないと思ったから捨てた」

新はそう説明した。授業でもしているみたいに断定的な口調で。

茉莉は言葉もなかった。それはあまりにも生々《なまなま》しすぎた。朱色の捺印。万年筆で、しっかりと大きく書かれた喜代の文字。茉莉は、それを自分が、すでに過去の人を見るような目で見つめていることに気がついてたじろぐ。喜代の字の書かれたその紙は、しかしたしかに、壁に貼られたままの惣一郎の絵や、喜代が大切にとってある作文や習字の紙と似ていた。どこかが、決定的に。

「いずれママが帰ったら」

状況にそぐわない、あかるい口調で新は言い、テーブルの上の紙を半分に裂いて捨てた。

「こんなものは残ってない方がいいからな」

一九八五年十二月、喜代は出奔した。

それに続く日々は混乱を極めた。始に手伝ってもらいながら、警察に届けたり方々へ連絡したりした。喜代が留学していたころの大家夫妻や、わかる限りの知人、園芸の先生や業者、手紙や写真のやりとりをしていた、茉莉には誰なのかわからない人たちにまで、問い合わせてみた。皆、喜代とはもう十年近く会っていないと言った。嘘《うそ》のようには思えなかった。

「信じられん」

始や惣一郎に向って、そのたびに茉莉は語気強く言った。

「家のなかの何《なん》もかんもが、目の前で崩れてくごたあ」

もっと遠くに行くんだ、と、惣一郎はこたえた。

「俺がおるけん」

と、始はこたえた。力強い腕で茉莉を抱きしめ、不安をとり去ろうとしてくれながら。

入籍はぎりぎりまで待つことになった。娘の妊娠および結婚について告げられた新は、ただ、おめでとうと言った。

茉莉が大学に退学届を提出したのは、年があけてからだった。担当教授だけでなく、挨拶《あいさつ》に行ったほとんどすべての先生たちが残念がってくれたが、特別ひきとめられはしなかった。年をとった教授の中には、子供のころから茉莉を知っている人たちもいた。新と茉莉の置かれている状況に関して、彼らはそれとなく同情の言葉をかけてくれた。

「大丈夫です」

そのたびに茉莉はこたえた。

「母はいずれ帰ってきますから」

図書館に入ったとき、いちばん感傷めいた心持ちがした。三年間の学生生活のなかで、随分ながい時間を、茉莉はここで過ごした。坐《すわ》る場所も決っていた。温度も湿度も一定に保たれた、夥《おびただ》しい数の書物と机と椅子だけの空間。雨の日は、蛍光灯の光が目に痛いくらいだった。そして、この、匂いと音。茉莉は目をとじてそこの空気を思いきり吸い込み、ドアを閉めて立ち去った。

ママは関係ないっちゃん。

冬枯れたキャンパスを歩きまわりながら、茉莉はそう思おうとする。

あたしは姑さんと結婚するために学校をやめるっちゃもん。ママがおらんくなったこと、何の関係もないっちゃけん。先生たちは、物事をいっしょくたにしとう。物事が、いっしょくたに起こったけんいかんとよ。ママが、いかんと。

小島、という名前の男に、ずっと昔に無理矢理唇を押しつけられた場所を通った。曇った、肌寒い日だった。ちょうどここ、この旧《ふる》い建物の陰で、あたしはあの男を殴ったのだった。

自分でも理解できないことだが、すこし、なつかしいような気がした。身の毛もよだつほど、嫌な出来事だったのに。

理学部の裏側を抜け、講堂をおもてから眺める。思いきり胸を張って参列した、入学式が思いだされた。大学をやめたことを、ミチルには報告しよう、と考える。よくわからない理由で疎遠になったままだが、新の話では、ミチルはまだ大学院に残っているという。

正門に近づいている。右側に事務所、左側に床屋。茉莉は立ち止まり、最後に一度振り向いて、曇天の下の校舎群を眺めた。


福岡の街に、この冬はじめての雪が降った。喜代はあれほど大切にしていた「ガーデン」を、借地権もろとも他人に譲っていた。それだけでも決意の程が知れ、戻ってくる見込みはないように思えたが、誰もそれを口にださなかった。

寺内家の庭も雪に覆われた。手入れをする者もなく荒れていた庭が白く穏やかになったことを、茉莉は内心喜んだ。

茉莉の知らなかった幾つものことが、すこしずつ新の口から明らかになっていた。喜代がずっと家をでて行きたがっていたこと。イギリスに恋人がいるらしいこと。新がそれを知らされていたこと。

こういった事柄について新は口が重く、酔ったときにぽつりぽつりと語る以外には、話そうとしなかった。酒を控えている茉莉は、始に協力してくれるよう頼んだ。娘と二人きりじゃない方が、パパも話しやすいと思うから、と言って。

三人は、ときどき夕食を共にした。大学をやめ、スタンドの手伝いも始に禁じられている茉莉が、たいてい料理を担当したが、外食をすることもあった。茉莉と始は、それまで二人だけのデートの場所だった店に、新を連れて行った。新が、それまで家族を連れて行ったことのなかった店に、二人を連れて行くこともあった。カウンターだけの小ぢんまりとした料理屋で、新はそこの、常連であるらしかった。

「まあ」

茉莉を見ると、その店の女将《おかみ》は目を細めた。

「大きゅうなって」

初対面にしては妙だと思ったが、

「写真をね、先生によく見せてもらったとよ」

と笑いながら種明かしされた。

「それがうんと小さい頃の写真ばかりだったもんやけん」

いつかお会いしたかねと思っとったと。和服をきりっと着こなした女将は、そんなふうに言った。

この人とパパとは関係があるのかもしれない。茉莉がそう思ったのは、この店でだけ、酔っても新が喜代についてひとことも口にしなかったからだ。

「考えすぎやろうもん」

始はそう言ったけれども。

残された者たちの努力にも拘《かかわ》らず、喜代の行方は杳《よう》として知れなかった。ほんとうにイギリスに行ったのかどうかさえも——。

喜代の恋人らしい男について、新にわかっているのは名前だけだった。

「アンなんとかって、憶えてるか？」

ある時、むしろ愉快そうに、新は言った。深夜で、始を含めた三人で、台所のテーブルで酒をのみながら。

アンについて、茉莉ははっきりと憶えていた。喜代が留学中に知り合った親友で、最も頻繁に手紙のやりとりをしていた女性だ。流麗な筆記体で書かれた封筒の差出人の名前の、筆蹟《ひっせき》まで思いだすことができた。封筒には少女趣味な薔薇《ばら》のシールなどが貼ってあり、子供じみてる、とからかったことがある。

「じゃあママが、アンから手紙が来なくなったって言ったのも憶えてるか？」

そう訊いた新は、もう愉快そうには見えなかった。

「憶えとう」

茉莉はこたえる。

「一年とすこし前やろ。あたしが始さんに出会ったころ。ママは沈んどって、手紙が来ないからだとか言って、あたし、『ばかやん』って言って片づけたもん」

あの日々、たしかに喜代の様子はおかしかった。

茉莉の、「ばかやん」を聞いて、新は小さく笑った。小さく笑って酒に口をつけ、

「アンなんていなかったんだよ」

と、言った。

「アンブローズって、いうんだってさ」

誰も、何も言わなかった。ふーっと音をたてて、新が息を吐いた。それからまた、

「アンブローズ」

と、ひとりごとみたいにもう一度呟《つぶや》いた。今度は始が、つめていた息を吐いた。

「つまりパパは、一年以上前からそれを知っとったと？」

新はうなずき、だからママがでて行った日、真先に手紙を探した、と白状した。

「アンは嘘でも、住所はほんとうだろうと思ったからね」

そんな手紙を、喜代が残していくはずがなかった。ガーデンまで、事前に処分して行ったのだ。

その夜が、喜代の出奔にまつわることで茉莉が涙を見せた、最初で最後の夜になった。

もっとも、それは新が寝室にひきあげたあとのことだ。アンブローズというのが何者で、どこに住んでいて、手紙を寄越さなくなったあと二人がどうなったのか、何一つ知らないし知りたくもない、とくり返して、新は台所からでて行った。もう寝るよ、と言って。

「悔しか」

新には、あかるい声で「おやすみなさい」と言えたのに、茉莉は始に「悔しか」と言い、言った途端に声が揺れた。頭を腕にひきよせられたが、余計しゃくり上げただけだった。喜代に恋人がいたことではなくて、親友だと聞かされていたその女性が実在しなかったこと、あんなにもながい年月、喜代に欺かれていたことが悲しかった。ひどい、と思った。ママはほんとうにひどい。

しばらく始の腕のなかでしゃくり上げ続けた。始は茉莉の背中を、ぽんぽんとあやすようにたたいた。

「泣き虫の子供が生れてくるばい」

内緒話みたいに耳元でこっそり、そんなことも言った。何一つ可笑しくなどないのに、ひどく悲しくて悔しいのに、囁《ささや》かれると茉莉はくすくす笑った。しゃくり上げながら、嗚咽《おえつ》とまぜこぜにくすくす笑った。

始の言葉にはそんな力があるのだった。

もしママがあたしと始さんの子供が生れることを知っていたら――。茉莉はそう考えてみずにいられない。知っていたら、でて行くのをやめてくれたかもしれない。すくなくとも計画をすこし先に延ばして、そうしたらいろんなことが変って、そうしたら――。

台所は、喜代のいた日々のままに保たれている。十五年前の朝、惣一郎の訃報が届いたのもこの台所だった。始の腕のなかで、茉莉はぼんやりとそんなことを思った。

2

柴田始は茉莉の身体を気遣い、ガソリンスタンドでは仕事を手伝うことを禁じていた。しかし茉莉はしょっちゅうスタンドに顔をだした。他に行くところがなかったからだし、広くて整然としていて機能的な、スタンドという場所が好きになったからでもある。ブラシの回転する洗車場も、郵便ポストみたいに赤く四角い注油設備もおもしろいが、茉莉がいちばん心惹《ひ》かれるのは地下倉庫だ。そこには幾つものガソリンタンクが埋設されている。

「秘密基地のごたあ」

はじめて案内されたとき、茉莉はたっぷり一分間は無言のまま見とれ、それからそう口にした。倉庫は暗くひんやりとして静かで、壁のあちこちに掲げられた「火気厳禁」の文字だけが、けたたましいというか恐ろしいというか、ともかくその場の眠るような静寂をふきとばし、茉莉に危険を思いださせるものだった。

「感心した」

茉莉は言った。

「ガソリンスタンドの地下にタンクが埋まっとうとか、考えたこともなかったけん」

始は可笑しそうに茉莉を見て、

「感心しとうときの茉莉は鼻の穴がひろがろうが」

と、言った。

「すかん」

茉莉は両手を腰にあて、ふくれっつらをしてみせた。

春になるころには、失踪した母親を捜すことはやめていた。あのひとはいなくなった。そう決めてしまわなければやりきれなかった。

惣一郎に対してさえ、茉莉は母親の話をしなかった。かわりに新しいことを話した。たとえば柴田家のことを。

始の家にいるのは八十四歳になるおばあさんと両親、始より六歳若く、茉莉とおない年の弟が一人で、みんないい人たちだった。家族ではないが、頼もしい藤原さんを筆頭に、宮崎出身のたかしさんと、剽軽《ひょうきん》な若者の小田《おだ》くんという、三人の従業員がいる。小田くんは、去年の春に高校を卒業したばかりだ。

「小田くんやら可笑しいちゃが」

茉莉は惣一郎に、そんなふうに話しかける。

「『黙るだるまだ』ば反対から言うたら何や、とか、『猿、靴作るさ』ば反対から言うたら何や、とか、しょっちゅう考えとうらしくて、いいのば思いつくたびに教えてくれると」

「ガソリンスタンドって、ほんなごと恰好よか場所やが」

力強く、そう言うこともある。

「知らんかったけど、スタンドの壁は防火塀なんよ」

おにいちゃんは知っていただろうか。胸の内でぼんやりと思う。物識《ものし》りだったから、子供だったけど知っていたかもしれない。

「じゃあ、防火塀は二メートル以上の高さがないといかんっていうことは知っとった？」

茉莉は続ける。また別の日には、

「おばあさんね、おむつを縫ってくれとうと。ものすごくたくさん。赤ちゃんは布おむつで育てんと感受性が鈍くなるとか言うとよ」

と、報告する。

前へ前へ進む。茉莉はそう決めている。惣一郎の言う「遠く」とは、そういうことではないのだろうか。過去は見ない。いなくなった母親なんか、もう絶対に捜さない。

茉莉と新の住む家のなかは、かつてほど清潔ではなかった。家事はひととおり茉莉がこなしたが、喜代の大切にしていた家具も食器も、手出しされることを拒んでいるように、茉莉には思えた。部屋や階段の隅には埃《ほこり》がたまった。

新は気がつかないようだった。あるいは気がつかないふりをしていた。何も、誰も、新の関心を引くことはできないらしい。喜代にまつわる話題を、家のなかで茉莉が認めなくなったこととそれは呼応していた。一緒に喜代を待っているのでなければ、茉莉がいてもいなくても同じであるみたいに、茉莉の目には見えた。

惣一郎に報告する類の「新しい」話題、始の父親がたいそう酒呑《さけの》みである、とか、藤原さんはギャンブルが好きで、競馬や競艇で当てると豪勢にかたまりの牛肉を買ってきてくれる、とかを面白おかしく話しても、新はただ黙って聞いているか、「ほう」とか「よかったじゃないか」とか短い相槌《あいづち》を打つだけで、自分には関係がないとばかりに、遠い目をして微笑《ほほえ》むのだった。

五月になると、寺内家の非整形式ガーデンにはたくさんの花が咲いた。繊細な鉢物の幾つかはたちまち枯れ、文字通り無言の悲鳴をあげて残骸をさらしていたが、あやめもツツジも、レンギョウもバラも姫りんごも、世話をする者の不在にも拘らずあでやかに咲いた。

あたしは冷淡なんかもしれん。

枯れたり萎《しお》れたりした植物を端から処分しながら、茉莉はそう考える。ひきぬいた残骸は生ゴミに、空にした鉢やプランターは燃えないゴミに。

迫《せ》り出してきた腹がわずらわしかったが、そのわずらわしさが、茉莉を強い気持ちにもさせた。自分は一人ではないのだ、という気持ちと、一人できり抜けてみせる、という気持ちの、あいだみたいな勇ましさが湧くのだった。喜代の丹精した樹木が、おおらかに花を咲かせて蜂をひきよせ、やわらかな風が甘い匂いを運ぶ庭で。


「蒸し暑いわね」

浄水通りのチョコレート屋で、窓の外を見ながらミチルは言う。

「ほんと」

茉莉はこたえ、アイスコーヒーを啜《すす》った。大学を正式に中退した正月に、茉莉はミチルに電話をかけてそれを伝えた。ミチルはあの狭い下宿――食堂の二階、大学の正門のほぼ真向い――に、依然として一人で暮していた。

「あらまあ」

妊娠と中退を告げると、ミチルは言い、小さく笑い声をこぼした。低い、穏やかな、なつかしい笑い声だった。

「やってくれるわね」

もう会いたくない、と突然言いだして茉莉を悲しませたことなど、まるで気にしていないみたいだと茉莉は思った。

せっかく入学させてもらったとに、と、詫《わ》びめいた言葉を口にすると、

「勉強したのも入学したのも私じゃないわ」

と、そっけない返事を寄越した。茉莉はつい笑った。

「あいかわらずやね」

くしゃくしゃのシャツを着て、短い髪をしたミチルが目に浮かんだ。

なして急に会ってくれんくなったと?

喉元まででかかった言葉をのみこんだ。

「元気やった?」

かわりにそう訊いた。

「茉莉ちゃんは?」

尋ねられ、喜代の失踪を話した。どっちみち知られてしまうことだ。

「寺内先生、びっくりなさったでしょうね」

旅行だと思うけど、とつけたしたにも拘らず、ミチルは静かにそう言った。それが旅行ではないことを、最初から知っていたみたいに。

ミチルは、その翌週に岡山の実家に帰るところだと言った。一月の末には福岡に戻るので、そうしたらまた会って話しましょう、と。

きょうまで、それがそのままになっていた。窓から見える街は緑がみずみずしく、むわりと埃っぽい湿気を含んでいる。

目の前のミチルは、数年前よりも痩《や》せて見えた。短い髪は同じだが、もう少年じみてはいない。大きな目やそげた頬が、むしろ標準以上に女っぽい印象を与える。長袖のTシャツにだぶだぶのコットンパンツ、という服装も、それを強調しこそすれ、弱める効果はなかった。

「老けとう」

茉莉はそう表現した。他の人に対しては、決して言えないことだった。ミチルは愉快そうに目を見ひらいてみせ、

「大きなお世話」

と言って微笑む。

「茉莉ちゃんに言われたくないわね、破裂しそうなお腹しちゃって」

破裂？　まさか。まだまだやん、予定日は八月やけん。茉莉はこたえ、それでも十分かたく張りつめ、突きだしている自分の胴体に触れた。

「柴田始って、憶えとう？」

茉莉が訊くと、ミチルは眉を寄せて考えて、全然、と、こたえた。

「ほら、渡辺通りで物を売っとった、ものすごく日に灼けた人がおったやろう？『博多以外の土地では死んでもラーメンを食わん男』とか言ってくさ」

記憶をひっぱりだせたらしいミチルの返事は、

「ああ、あのサーファーくずれみたいな人」

だった。茉莉は大笑いした。

「そうそう。そのサーファーくずれみたいな人がね、あたしのダンナさんになると」

きゃあー、と、ミチルは口を動かした。大げさにおどろいた顔と身ぶりで、椅子から腰を浮かせまでして、でも実際には声をださず、無声映画みたいに。

こういうの、ひさしぶりだ。

心おきなく笑いながら、茉莉は思った。アイスコーヒーだけのつもりがケーキも注文し、終《しま》いにホットチョコレートまでのんで、店をでたときにはすでに夕方になっていた。

ミチルは、太宰府《だざいふ》の短大で非常勤講師をし、翻訳のアルバイトなどもしながら、大学院で東洋史の研究を続けていると言った。「親に勘当されるまで」、続けるつもりでいるらしい。

「恋人は?」

冒険だと思ったが好奇心にかられて訊くと、ミチルは首をすくめ、いまはいないとこたえたあとで、

「得難い男を逃がしたのかもしれないわね」

と言って笑った。

「ベビーシッターは絶対できないけど」

夕方とはいえまだあかるい初夏の街を、バス停まで連れだって歩きながらミチルは言

った。

「他に、何か手伝えることがあったらいつでも言って」

今度は茉莉が首をすくめる。

「たとえば？」

「たとえば、生れてきた子供が高校も卒業せずに大学に行きたいと言いだした場合の家庭教師とか」

真顔で言われたので茉莉がぽかんとすると、ミチルは真顔のまま、

「冗談よ」

と言った。道の向うから、かつて茉莉が着ていたのと同じ制服を着た、女子高校生たちが歩いてくる。にぎやかに、憂いなどなさそうに。


七月になると茉莉は入籍し、姑のトラックに荷物を積んでもらって、柴田家に引越しをした。式も食事会もない、ひっそりとした入籍だった。

「ごめんね」

せめて一緒にお食事でも、と姑の両親が何度も誘ってくれたにも拘らず、新が腰を上げず、うやむやにしてしまったことについて、茉莉は姑に心から詫びた。

「我儘《わがまま》を言うとか、パパらしくないっちゃけど」

実際、一日も早く入籍して引越すようにと主張したのは新の方だった。じきに子供も生れるのだし、そばに女手があった方が安心だから、と。

「子供子供って、みんなそればっかりやもんね」

そりゃあ仕方がないさ、と始は言う。

「みんな心配しとうったい。でも、それもあとすこしの辛抱やろうが」

辛抱なんか嫌いだと茉莉は思う。

——大騒ぎしなくても、子供は自分で生れてくるわ。

茉莉は耳を疑った。胸の内でつぶやいたつもりが、それは喜代の声だった。

——大丈夫よ。

声は、くっきりした笑顔を伴っていた。

「食事会とやらのことだってくさ」

始はおおらかに続ける。

「俺たちはしょっちゅう茉莉ちゃんのお父さんと食事をしとうわけやけん、それでかまわんめいもん」

気のせいだ、と、茉莉は思おうとした。いまのはあたしのひとりごとで、断じてあの人の声なんかじゃない。

一九八六年八月。茉莉は女の子を出産した。産声にビブラートがかかってる。それが、朦朧《もうろう》とした茉莉の意識に、最初に浮かんだことだった。小さくて儚《はかな》い、弱々しい、でもビブラートのかかった産声をあげて、あたしたちの娘は生れてきた！

二七四〇グラム。真夏の真昼に誕生したその子供は、さきと名づけられることになる。直後に病室にとび込んで来た姑は、人目も憚《はばか》らずに茉莉にキスの雨を降らせた。

「やめり。汗かいとっちゃけん」

茉莉が言うと、

「俺もかいとう。それもうんとたくさん」

と、茉莉の大好きな、顔が骨ごと壊れるみたいな笑顔で姑は返すのだった。

ひときわ暑い夏だった。病室にエアコンはなく、窓もドアも、昼間は開け放たれていた。隅に白っぽいうす緑の扇風機がとりつけてあったが、たいして役に立たない上、たいていの場合は回されてさえいないのだった。

茉莉と赤ん坊は、そこに十日間入院した。姑は毎日やってきて、赤ん坊に惜しみない賛辞を贈った。スタンドの面々も含めた姑の家族も、ほぼ毎日かわるがわる——ときには一時《いちどき》に——やってきて、花束や菓子、桃やスイカやアイスクリーム、果てはジュースまで置いていくのだった。

新も一度だけ顔をだした。

「おめでとう」

茉莉の顔をまっすぐに見て、そう言った。

「とてもきれいな赤ん坊だね」

「ありがとう」

茉莉はこたえ、

「パパの孫やけんね」

と、陽気な口調で続けた。

「学者肌かもしれんし」

新は口をへの字にして苦々しく笑う。

「どうかな」

幸せだ。困惑したような、でも間違いなく嬉しそうな、新の表情を見ながら茉莉は思った。いまだかつて、こんなに幸せだったことはない、と。


もう妊婦ではない、という解放感は、茉莉の想像をはるかに凌《しの》ぐ、素晴らしいものだった。妊娠中も大きなトラブルはなく、悪阻《つわり》も軽い方だったとはいえ、五カ月目あたりから足のむくみに悩まされていたし、背骨もしょっちゅうきしんだ。それに、発作みたいに突然、勢いよく襲ってくる不安が嫌だった。自分以外のものの命をあずかっているという、責任のようなものも。

「これでお酒がのめるーう」

退院し、道路にでた途端に茉莉は言い、柴田家の人々をぎょっとさせた。

「もうすこし待ちんしゃい。授乳期が終るまでたい」

姑の母親が言い、おばあさんは笑った。

「心配せんでものめやせんくさ。あんたやってそうやったろうもん。神様の塩梅《あんばい》でね、女は子供を産んだらくさ、お酒なんか欲しくなくなるとよ。のめって言われたってあんた、身体がうけつけんちゃけん」

そうだろうかと、茉莉は思った。あたしはいますぐにでも、つめたいビールがのみたいけどな。

「それにセックスもしたかぁ」

耳打ちして、今度は姑だけをぎょっとさせた。

病院の前で一枚、柴田家の玄関前で一枚、記念写真を撮った。二度とも赤ん坊は茉莉が抱き、その茉莉の肩を姑が抱いた。姑の家族を素敵だと思ってはいたが、よその家の家族写真にまざってしまったようなきまり悪さを、茉莉は感じた。カメラ係の弟の克は、二度ともシャッターを切る前に、小声で「チーズ」と、言った。

さきは特別な子供だった。特別でない子供というのがいるかどうかはともかく、その点において、始と茉莉の意見は完璧《かんぺき》に一致した。こんなに美しい赤ん坊は見たことがない、とか、賢い生き物だと一目でわかった、とか、日々心底から言いあった。小さくてもふっくらした唇が、さきは茉莉に似ていた。

茉莉は晴れて柴田始の妻になったわけだが、結婚生活は、両家を往き来する変則的なものだった。自分のことは心配せずともいい、と新は言い、現に衣食とも不自由なくやっているようではあったが、茉莉にしてみれば心配というより気がとがめて、顔をださずにはいられなかった。さきにも、もっとたくさん会ってほしかった。いまは無理だが、もうすこし大きくなったら、娘を新の住むこの家にも連れて来よう、と考えていた。

新は平日の夕食のほとんどを、件《くだん》の小料理屋で摂《と》っていた。そこの女将との関係は決定的であるように茉莉には思えた。それを責めるつもりも不快に思うこともなかったが、奇妙な気持ちではあった。新と喜代の両方に、自分が与えられていた家庭が玩具だったみたいな。

顔を合わせても、新と茉莉は喜代の名を口にしない。喜代などはじめから存在しなかったみたいに、あるいは、いまもそこにちゃんといるみたいに。

しかし、茉莉が引越してすぐに、新は電話を買い換えていた。留守電機能つきのものにだ。何も言わなくても茉莉にはわかっていた。パパはママを待っているのだ。

この年のクリスマス前には、新は居間にいきなりシャンデリアを取りつけて茉莉を呆《あき》れさせた。いつかシャンデリアのある家に住みたい。ずっと昔、喜代はそう言っていた。

「びっくりした」

茉莉は始に言う。

「あの人がでて行くとか思ってもおらんかったし、さきが生れてくることも、あたしたちが親になって、こげんふうにベビーカーとか押すことも知らんかった」

知らなかったこと、が、どんどん起こる。そして、誰一人ひとところにとどまっていられない。

「それでも」

茉莉の背中に温かく乾いた手のひらをあて、やさしい声で始は言った。

「一緒ならかまわんめえもん」

そのとおりだった。茉莉はいつも驚くのだが、始は信じられないほどシンプルに、ほんとうのことを言いあてる。茉莉の言いたいこと、言いたいのに上手《うま》く言えなかったこと、をぴたりと掬《すく》いあげてくれる。こんなふうにどんどん生きていくことが恐い。幸福も不幸も、両方とも同じくらい恐い。

「平気やな」

茉莉は力強くうなずいてこたえる。

「一緒やもん。平気に決っとうくさ」

寺内家に戻ると、テーブルに祖父江九からの手紙の置いてあることが、偶《たま》にあった。九は果てしなく遠い旅にでたらしい。過去は見ない、あたしには始さんとさきがいる、と思い定めている茉莉にとって、どこともわからない国から、いつともわからないタイミングで届くそれらの葉書や手紙は、過去から届くもののように思えた。遠い、平和な過去。自分の人生が、いまとは全然ちがうふうだったころ。

「九ちゃん、どこだって？」

九をかわいがっていた新は、彼から便りのあることが嬉しいらしく、必ず訊く。

「バグダッド」

茉莉はこたえ、それ、どこ？　と、ことさらそっけなくつけ足す。どこでもいいけど、と、言外ににおわせて。

「中東だよ」

新は微笑んでこたえる。

「イラクの首都だ。チグリス川が流れている」

煙草《たばこ》に火をつけ、一拍おいてから、

「政情不安定な土地だよ」

と、続けた。政情不安定な土地。茉莉は、胸のなかが不穏に波立つのを感じる。バグダッド。長旅でくしゃくしゃになった封筒を見ながら、小声でもう一度呟いてみた。

3

様々な土地から届く祖父江九の手紙は、茉莉の胸の底に、小さな、不穏な何かを残した。それは、九が政情不安定な土地を旅していると、新に教えられたからではなかった。文面そのものが、茉莉の胸に不安の渦をつくるのだ。そこにはつねに、茉莉が気づきたくないと思っていること、とうに忘れたと思っていた根元的な淋しさのようなもの——自分はそこから逃げおおせた、と、茉莉はいまも信じたいのだが——、が、濃く静かに漂っている。

川を流れていく死体を見た、と、たとえば九は書いていた。その死体の硬直した手はまるでサヨナラをしているみたいだった、と。実際に死体を見たわけではない茉莉の脳《のう》裡《り》にさえ、すぐに死んだ惣一郎が浮かんだ。

さよなら、またね。

惣一郎が茉莉に書き残した短い言葉を、九が知っているはずもないのに。

死。幼かった自分と九に、惣一郎が刻みつけてしまった拭《ぬぐ》いようのない印象。それは恐怖ではなく、誘惑だった。闇。おにいちゃんのいる場所。不可解な、それでいて心穏やかな気のする避け難い深淵《しんえん》。

　九はいま、そこにいるのだろうか。

　惣一郎が生きていたなら、きっと二人で旅をしただろうな、と思います。べつの手紙で、九はそうも書いていた。どうして惣一郎はあんなに呆気《あっけ》なくぼくらを見捨ててしまったのかな。彼が死んでまもなくのころは、惣一郎の魂と頻繁な交流がありました。でも最近は現れなくなった。まぼろしのように、まるで儚い夢のように、時々ちらりと顔をのぞかせる程度です。

　おなじだ、と茉莉は思う。あたしのそばに来るおにいちゃんも、このごろあんまり喋《しゃべ》ってくれない。それでもまちがいなくそばにいる。だからあたしは生きていかれる。

　九ちゃんもそうなのだろうか。

　手紙を読むたびにひっかかるのは、もう何年も会っていないのに、九と自分とがおなじ場所——惣一郎の死を中心にした闇の濃い場所、闇が濃すぎて燦然《さんぜん》と輝いてしまう場所——で堂々めぐりをしているような、不思議で不穏な気分になるからなのだった。

　茉莉には、だからこそ、さきの存在は奇跡に思える。やわらかな、はちはちした、生命そのものみたいな一つの物体。世界に対してまるで無防備に、しかしあきらかに世界と対立する物体として、赤ん坊は呼吸し、眠り、ひっきりなしによだれをこぼし、びっくりするほど大きな声で泣き、茉莉と始の暮す柴田家に存在している。たしかに。

さきは、自分と始の娘というよりも、どこか遠い、この世ならざる場所からのあずかりもののような気が、茉莉にはどうしてもしてしまう。かわいくて大切で、ずっと抱きしめていたいと強く思う一方で、尊すぎて、触ってはいけないもののようにも、また思えるのだった。

「赤ん坊が言葉を喋れんとは不便なことやね」

茉莉は始に、一度ならず言った。

「触らんどって、とか、いまは抱かれとうない、とか、言ってくれればいいとに怠《だる》いとか熱っぽいとかも、言ってくれないとあたしには判らないかもしれない。肌に触ってもよく判らないの」

そのたびに始はおおらかに笑う。

「触っても判らんときは、きっと熱をだしとらんったい」

始の、このおおらかさというか呑気《のんき》さに、茉莉はいつも救われる。

「そうかいな」

「そうくさ」

始の言葉は、魔法のように茉莉に効く。きっとそうだ、と思えるし、心配ないのだ、と思える。そばに始がいてくれさえすれば大丈夫。自分もさきも、始に護《まも》られている。

柴田あさ——始の祖母であり、さきの曾祖母——が、昼間はさきの面倒をみてくれた。茉莉が希望どおりガソリンスタンドで働けるように。あさがいてくれることが、茉莉には心底心強い。育児書を笑いとばし、

「抱きぐせ？　つくもんやったらつけばいいくさ。大人になっても抱かれたがる子がおるわけなかろうもん」

と自信満々に言うあさは、おしゃぶりのかわりに茹《ゆ》でたタコの足を一本、まるまるさきに与えたりする。

「のどに詰まらせんとかいな」

茉莉が心配しても涼しい顔で、

「こげん小さか口で、そげん芸当はできんくさ」

と言う。事実、さきはこの茹でたタコの足が好きで、小さな手で握りしめ、タコも手もよだれでべたべたにしながら、いつまででも、大人しくしゃぶっている。

あさは元々農家の娘で、海運会社に勤める男と結婚したのだが、その男が、ある日突然ガソリンスタンドを始めると言いだして、会社を辞めてしまった。二人の間には、すでに子供が三人いた。

「そりゃあたまがったばってん、不安やらなかったとよ」

さきを抱いてあやしてくれながら、あさは懐しそうにそう話す。

「あのころは油屋っていっとったと。敏《さと》い人やったんやね、船が、それまでの石炭から油に変ってね、それば見て、これからは石油の時代たい、とか言ってくさ」

あさの手は老人特有の乾き方をしているが、肉づきがいいので、輪ゴムでもはめているかのような手首が、さきのそれと似ている。茉莉は両者をぼんやり見ながら、あさの話を聞くのが好きだ。

「当時、店はいまの場所やなくて港の際にあってくさ、そっからホースを渡して船に油ばつんどったとよ」

みんな顔見知りでね。そう言って、あさは微笑む。野良着、と本人の呼ぶ質素な和服を、ゆるやかにざっくりと着て、台所を行ったり来たりするあさと、そのたびにきしむ床板。この家の台所はつねに糠《ぬか》の匂いがする、と、茉莉は思う。テーブルの上の蝿帳《はいちょう》は、みんなが順番に食事を摂るこの家の必需品だ。

重油、軽油、ガソリン、灯油。「油屋」ではみんな扱っていたという。あさの語る話は、茉莉には半分もわからない。

「一斗缶って何?」

夜になってから、始に訊く。その場であさに尋ねないのは、話の腰を折りたくないからだ。

一斗缶やら焼き玉エンジンやらはわからなくても、やわらかなあさの声音《こわね》を聞くうちに、港のそばのその油屋の光景が、茉莉にはくっきり思い浮かぶようになった。喧噪《けんそう》も匂いも、船も揺れる水面も。

その後自動車が普及して――あさはそれを、マイカー族がでてきんしゃって、と表現する――、油屋は店をいまの場所に移し、ガソリンスタンドになった。

スタンドの歴史はまた、一族の歴史でもあった。あさの三人の息子たち、始の父親と、二人の叔父。

グリム童話みたい、と茉莉は思うのだが、この三人の息子たちがそれぞれとても個性的だった。変り者、と言うべきかもしれない。長男と三男は仲がよく、家族ぐるみのつきあいをしている。

「洋介《ようすけ》おじさんはお釈迦《しゃか》さまごたあ人やけん」

と始の言うのが三男で、独身のまま、大阪と福岡に愛人と子供がいる。鉄道職員をしていて、鉄道と酒と釣りが好きだ。いつもにこにこして機嫌がよく、赤ら顔なので素面《しらふ》でもほろ酔い加減に見えるのだが、酔っ払っても普段と変りなく見える。

「始のお嫁さんかいな」

初めて会ったとき、おどけた顔でそう言った。キャスケット帽がトレードマークで、ツイードの背広などを着ている。変っていると茉莉が思うのは、この叔父さんが会話に出鱈目《でたらめ》な外国語をたくさんまぜることだ。ブラボーとかワッディジュセイとか、ジュテームとかグラーツェとかグーテンモルゲンとか。それを聞くと、茉莉はどうしても笑ってしまう。何度でも笑うので、逆におもしろがられてしまう。よう笑う嫁やなあ。

一度、茉莉はこの洋介叔父に、鰯《いわし》をごちそうになったことがある。とれたばかりの新鮮な鰯を、包丁も使わず指で三枚におろしてくれた叔父を見て、茉莉は目をまるくした。

「感心した」

鼻の穴をふくらませてそう言った。

もう一人、龍男《たつお》叔父という人物がいるのだが、彼のことは、茉莉にはよくわからない。二度程会ったが、小柄で無口だという印象を持っただけだ。始や親族たちの口ぶりから、みんなにあまり好かれていないらしいことが感じられる。ただ、長男である始の父親だけは、この人物を気にかけていた。さきのお宮参りの日のことも、龍男にも一応声かけとかんや、と言ったのは父親で、よかよべつに、と、めずらしく始が反対したのを茉莉は聞いていた。

家族。

世捨て人のように、東京から福岡に移り住んで戻らない新は、親戚づきあいというものを好まなかった。柴田家の面々は、茉莉にとって初めての親族、大家族だった。始がなぜこんなにやさしい人間なのか、茉莉はわかったような気がした。賑《にぎ》やかでおおらかで、互いに互いを信頼している一族のなかで、まっすぐに育てられたからだ。そのおなじ環境のなかで、さきを育てられることが嬉しかった。

冬が過ぎ、春になった。柴田家での新しい生活には、学ぶことがたくさんあった。仕事のこと、家族のこと、そして、嫁であるということ。そのひとつひとつが、茉莉にはものめずらしく、おもしろく、まぶしくさえあった。ただ、よその家族に紛れ込んでしまったような違和感が、つねにあった。茉莉はそれを、いけないことのように感じる。大好きな姑にさえ、言えないことだからだ。

先週、茉莉は姑と買物に行った。青と白のしましまのバギーに乗せ、さきも連れて行った。その日はスタンドの重鎮である藤原さんの誕生日だったので、柴田家が昔から贔屓《ひい》《き》にしている魚屋に、頼んであった大皿の刺身を取りに行ったのだ。魚屋の主人は、姑を始さんと呼び、茉莉を奥さんと呼ぶ。奥さん。

それは幸福なことだった。ベビーバギーを押し、買う予定もないのにぴかぴかの烏賊《いか》や焼きたての穴子を物色し、日ざしがまぶしく、姑の横で、奥さんなどと呼ばれることは。

えへへ。茉莉はやにさがってしまう。甘やかな気持ちで、さきを包んでいるタオルケットを直したりする。白い、くり返し洗うのであちこちほつれた、ミルクくさいタオルケット。

柳橋連合市場では――。

たとえばかがみ込んだ拍子に、ふいにかすめるのだ。灯ともしごろの屋台で下準備をしている人たち、川の水量の変化、魚屋の店台、茉莉の生れ育った町の市場。

「あら茉莉ちゃん、一人で来たと？」

魚屋のおばさんは、路地で踊っている茉莉を見つけては声をかけてくれた。学校に行くといじめられるの、と言うかわりに、茉莉はただ黙ってうなずいた。おにいちゃんも九ちゃんもどっかに行っちゃったから、と言うかわりに、おつかい頼まれた、と、嘘をついた。

「えらかねえ」

善良なおばさんを、茉莉はにらみつけたものだ。

あそこでは、あたしはたぶん、いまも「茉莉ちゃん」なのだ。そう思うと、茉莉は目眩《めまい》にも似た不思議さにとらえられる。柴田家の「奥さん」みたいな顔をしている自分が、ひどい嘘つきであるような気がする。

「こんなにしょっちゅう家をあけて大丈夫なのか？」

茉莉が訪ねて行くと、新は言う。静かな、気づかわしげな口調だが、眼鏡の奥の目は可笑しそうで、頻繁すぎる茉莉の訪問を、喜んでいないわけではないことがわかる。

運ぶ。

「自動車やったらすぐやけん」

赤いピックアップの助手席にカゴを置き、お見舞の果物みたいにさきを入れて茉莉は

茉莉はこたえる。

「平気」

「ママのパパにも顔を見せてあげようね」

と言いながら。

家のなかは、薄汚れていてもなつかしく安心な気がする。茉莉の部屋も惣一郎の部屋も、何一つ変らずに残っている。すこしずつ古ぼけながらも。

訪ねて行くと、新はさきに音楽を聴かせる。ドリス・デイやコルトレーン、シナトラやナット・キング・コールなんかを。赤ん坊には言葉はわからないが音楽はわかる、と、新は言う。昔、喜代がそう言っていたのだ。

「何も問題はないか？」

たまにだが、新にそう訊かれる。

「向うの人たちと、ちゃんと上手くやってるのか？」

その訊き方に、どこか淋しげな響きがあり、それが茉莉を胸苦しくさせる。

「平気」

返答が、そっけなくなってしまう。

「おばあちゃん、甘やかし屋なんよ」

急いでそんなことを言ってみる。

「さきだけじゃなく、あたしや始さんのことも甘やかすと」

新は微笑む。

「どうやって？」

「夕飯に好物ばっかり作ったり、二人で出かけてきって言ってさきを見ててくれたり」

そうか、と、新はこたえる。依然として微笑んだまま。

レコードの音のなかで、たいていの場合、さきは大人しくしている。よく眠るし、滅多に熱もださないし、天使みたいにいい子だ、と、茉莉も始もよく話し合う。

「俺のエンジェルの娘やけん」

そんなふうに囁かれ、心が濡れてしまうこともある。

「いい子だな」

無論、新も言う。茉莉の意見では、さきを見れば誰でもそう思わずにいられないはずなのだ。

「目元がママに似ているな」

茉莉は返事ができなくなる。新しい電話機とシャンデリア。新は喜代を待っているのだ。

茉莉はあさを信頼しているが、あさの予言は見事にはずれた。子供を産んでも、茉莉は酒を嫌いにならなかった。以前よりのめるようになったくらいだ、と思えた。解禁になって最初にのんだのは焼酎で、お湯で随分薄められていたにもかかわらず、天にのぼるほどおいしいと茉莉は思った。

「ごはんよりお菓子より、コーヒーよりお茶より、あたしはお酒が好きやん」

柴田家の面々の前で、茉莉はそう宣言した。

「大丈夫です」

心配そうにしているあさに茉莉は請け合い、

「お酒をのむと身体がふわっとして、のむ前より上等になると」

と説明した。小さなかなしみや遠いかなしみが、かなしみのまま、それでも収まるべきところに収まって、かわりに新しい力が湧く、と思ったことは説明しなかった。こんなによくしてもらっていて、かなしみについて口にするのはよくないことだと思えたのだ。

その夜は焼酎だけにしておいた。次の日は始の習慣にのっとり、ビールと焼酎をのんだ。そして、半月もするとウイスキー派の藤原さんにもつきあうようになった。

酒をのむのは、単純においしくて元気がでるからだった。酔えば陽気になり、稀《まれ》に度を越しても呂律《ろれつ》があやしくなるだけで、具合が悪くなるようなことはなかった。

「強かなあ」

始の父親は目を細めてそう言ったし、

「かなわんかもしれん」

と、弟の克は苦笑した。遊びに来ていた洋介叔父に、

「ブラボー」

と言われたこともある。彼らは皆、酒が好きで、酔うと声が大きくなったりよく笑ったりし、歌を歌いだすこともあり、たのしかった。のむ場所はほとんどが柴田家の居間で、冬は炬燵《こたつ》、夏は縁側だった。

普段言葉数の少い始の父親が、子供時代の始のでてくる思い出話などしてくれることもあり、茉莉にはそれを聞けることが嬉しかった。茉莉の酒好きが柴田家の女性たちのあいだで不評だったことを、茉莉が知るのはずっとあとになってからだ。ずっとあとになって、甘やかな日々や日ざしは、決してとどめておけないのだと思い知らされる、そのさらにあとのことだ。

折に触れて垣間《かいま》見《み》える柴田家一族の関係や歴史を、茉莉は惣一郎にゆっくりと話す。

断片的に、でも濃《こま》やかに。

港のそばの「油屋」については、なかでも熱を込めてくり返し語る。半ばうっとりと、夢をみるように。

「こんなのおかしいと思うっちゃけど、でも、はっきり憶えとうごたあ気がすると。空の一斗缶がたてるべかんべかんした音や、横づけされとう船の側面の汚れや、時代遅れの焼き玉エンジンの匂いや」

海はいつも目の前にあり、夜には街灯が灯されて、黒々とした水面を照らしだす。

「時代が大きく動いていく、その最中やったとよ。石油は商売になるって、信じてそれに賭けてしもうたおじいさんに、あたしも会《お》うてみたかったと」

惣一郎はあまり喋らない。喋らないがやさしげに笑っている。茶々を入れるタイミングを計っているのだ。

「自動車用のガソリンスタンドに切り換えようっていう決断も、えらい勇気のいることやったと思うと」

茉莉は続ける。

「だってくさ、そのおじいさんっていう人は、海運会社でずっと働いとって、船が大好きやったたっちゃもん」

いいね、とてもいいね。

惣一郎は言う。

始には、その人の血が流れているんだね。

「そうくさ」

誇らしく、茉莉はこたえる。実際、始は茉莉の誇りだった。始も、そしてガソリンスタンドも。

「地下のタンクがね、頼もしいと」

いいね、とてもいいね。

そして、惣一郎はタイミングをみつける。

でもね、茉莉、時代はいつだって動いてるんだ。みんな、流れていくんだ。こわがっちゃいけない。超然としていればいい。僕はここにいるし、九だって、ほんとうはすぐそこにいる。変化をこわがるんじゃないよ、茉莉。

4

さきが保育園に通うようになると、スタンドと住居のある昭和通りのはずれは、自分たち一家が暮すのに最適な場所だ、と、茉莉は思うようになった。引越した当初は、高台の静かな住宅地から海のそばの大通り、という変化に戸惑い、なんか殺風景やし淋しか場所やん、と感じた。ぽつりぽつりと離れて建つ家は、一様に古く、地味だ。柴田家も例外ではなく、スタンドは立派だが、住居部分の外観には誰も意識を向けないようだった。

おなじ福岡でも、茉莉が両親と住んでいたあたりは全然違う様子をしていた。それぞれに趣《おもむき》の違う庭、タイルや貝殻で飾られた壁、週末ごとに愛車を洗ったり芝を刈ったりする人々。

「洒落《しゃれ》とうばってん、ちょっと気取っとう」

茉莉は、いまでは彼らの暮しぶりをそんなふうに言うことさえあった。

スタンドのそばには公園が二つあり、保育園も二つある。海を見たくなれば、歩いて数分で港だ。自動車事故にさえ気をつければ、子供を育てるのに、申し分ない環境だった。

さきは大人しい子供で、保育園でもほとんど口をきかず、我儘を言ったり泣いたりもしないらしい。茉莉はそれを、顔も身体つきもふっくらとした、温和な園長先生から聞いた。

「でもね、人見知りしようわけとは違うとですよ。先生の話ばしかっと聞いて、ときどきにこっと笑うとです」

どの保母さんにもかわいがられているという。

「こまんかお子さんたちは普通、園では男の人ばちょっとえずがるんですけどね、さきちゃんは用務員の竹村《たけむら》さんとも仲がいいとです。彼のする雑用ば、一人でそばにぽつんと立って、いつまでん見とうとですよ」

そうなんですか。茉莉はこたえ、嬉しくなってにこにこしてしまう。

「ほかの子たちと遊ばんことが、私たちからしてみれば気がかりではあるとですよ」

家のなかで、大人にだけ囲まれているからだろうかと茉莉は考える。生れたときからそばに惣一郎と九のいた自分自身の少女時代と、さきのそれとは確かにまるでかけ離れている。

「妹か弟が、おる方がいいかもしれんね」

茉莉は始に言う。

「おばあちゃんや小田くんに遊んでもらうばかりやなくて、子供んどうしで遊ぶことも必要やろうけんね」

始は可笑しそうな顔をする。

「ほんとに心配性やね。茉莉が心配性やったとか、さきが生れるまでいっちょん知らんかった」

当然だ、と茉莉は思う。茉莉自身だって知らなかったのだ。

大丈夫、と始は言う。さきはこれから先何年も何年も、同年代の人間たちと行動を共にしていくのだ。折り合いのつけ方はいずれ学ぶし、その折り合いのつけ方だって幾つもあるのだから、と。

「ばってん、妹か弟作りはやぶさかやなかよ」

始はそんなことも言った。

「さきのためやなくて、俺自身の欲望のためやけどくさ」

このひとの肉体は発条《ばね》みたいだ、と茉莉は思う。労働で鍛えられ、痩せているが筋肉がはりつめていて、抱きしめても抱きしまらない、と。その「抱きしまらない」始の身体を、なんとかして茉莉は抱きしめようとする。しかし、がっしりと抱きしめられてしまうのは茉莉ばかりだ。まわした腕にいくら力をこめようとしたところで、それは変らない。髪に始の鼻がこすりつけられたり、耳元で始に囁かれたりするとたちまち、茉莉はくたりと力が脱けてしまう。始の腕のなかで。

結婚前から一貫して、二人は自分たちでも驚くほど頻繁に性の営みを行う。さきが生れたことも、両親や祖母とおなじ屋根の下にいることも、これに関しては、彼らに何の支障も与えない。茉莉に言わせれば始は「疲れ知らずの好色」だし、始に言わせれば茉莉は「大胆な妻」だった。

行為はしばしば運動競技のような様相を呈する。急いでいることも多いし、二人とも貪欲だからだ。また、茉莉は始に跨《またが》ることが好きなのだが、始はその姿勢で茉莉の両手首をつかみ、動けなくしてしまうことが好きらしい、というせいもある。目の前にいる始に手も唇もだせない状態に、茉莉は苛立ち、抵抗する。勢いをつけ、つかまれた両手首をおもいきりひっぱると、始の上半身が一瞬だけ持ち上がる。しかし手首にまきついた始の手を、ふりほどくことはできない。茉莉は我知らず、喉の奥で獣めいたうなり声をたてる。

「あれは嘘くさ」

すべてのあと、肌という肌を汗で光らせ、息を弾ませながら始は言う。

「女の身体は子供ば産むとおとなしゅうなるとかいう、あれは全く嘘っぱちやん」

始の笑顔につられ、茉莉も小さく笑い声をたてる。息を弾ませ、肌を汗で光らせ、始に身を寄せて満足の吐息を吐く。

「そげんいえば」

遠いことをふいに思いだすのは、そのようなときだ。

「何《なん》?」

始に問われ、茉莉は軽く首をふった。

「何でもない」

——茉莉ちゃんも、お友達をつくらないかんね。

小さかったころ、茉莉も学校の先生にたびたびそう言われた。

——いやっちゃもん。

こたえて、惣一郎の授業の終るのを一人で踊りながら待った。体育館の裏や、藤棚の下で。

うったうったうー、うったうったうー、うったうったうー。兄のあとばかり追いかけて、他の子と遊ぼうとしなかった茉莉を、喜代も新も黙認してくれていた。

——茉莉の身体には音楽がつまってるのね。

——猿みたいだな。

頭をひき寄せられ、茉莉はいまいる場所の現実に戻る。飴色《あめいろ》になった天井の木目、あけ放たれた窓。薄い敷布団だけをあわてて敷いた、ささくれて日なたくさい畳。一時間だけの昼休みは終ろうとしている。

「先に戻っとうけんね」

手早く下着を身につけながら、茉莉は言った。

「ちゃんとごはん食べてきいね。このあいだみたいに、あたしにおむすびとか持ってきたらいかんよ。何しとったかわかろうが」

「隠すことやなかろうもん」

満ちたりた顔で横たわったまま始が言い、茉莉はかすかな違和感を覚える。従業員を含めたこの賑やかな「家族」のなかでは、隠しごとは許されないのだ。

「大胆で働き者のエンジェルが俺は誇らしいったい」

ほめられて、キスを返したけれども。

実際、茉莉はよく働いた。注油や給油をはじめ、接客や掃除や洗車は勿論《もちろん》、タンクローリーでやってくる業者とのやりとりや、売店の品物の発注から伝票整理まで、車の整備以外はすべてこなした。

「暑いけん奥におった方がよかよ」

その日、茉莉が仕事に戻ると小田くんが言った。

「平気」

茉莉はこたえる。真夏の仕事はきついが、キャノピーの下は日陰だし風も渡る。

「おもてにおる方が好いとうっちゃん」

売店の業務は、始の母親が中心になっている。

「入った方がよか」

横から藤原さんが口をはさむ。

「車が来たらでてくればいいっちゃけん」

茉莉がさきをあさにあずけて、男たちにまざっておもての仕事をしすぎることを、義母があまりよく思っていないらしいことは茉莉にもなんとなくわかっていた。

「そんなら」

名残り惜しげにスタンドを見渡す。

「チャンス」

小田くんが小声で言い、親指をたてた。本をめくる真似をしている。パントマイムみたいだ。茉莉は笑ってうなずいた。売店に併設された待合い所には、椅子と雑誌が置いてあるのだ。


「好いとうものは何?」

さきに訊くと、幾つかのこたえが返ってくる。「なわとび」と言うこともあれば、「おじいちゃんのうち」と言うことも、「にんじんごはん」と言うこともある。にんじんごはんは、ほとんど粉のように細かく刻んだ大量のにんじんを、米の上にのせて炊きあげるもので、柴田家の食卓にときどき上る。にんじんの苦手な姑の弟のために、あさが考えついたものだという。にんじんを刻むのに手間がかかるが、花が咲いたようにきれいなオレンジ色のごはんが炊きあがる。

いちばん手軽なのがなわとびなので、茉莉はしばしば娘に訊く。

「なわとび、するね?」

さきは必ずゆっくりとうなずく。

「する」

そして、そうこたえる。どんなときでも。一度、茉莉は夜中に娘をトイレに連れて行きながら、

「なわとび、するね？」

と訊いたことがある。眠くて仕方のないときにそう尋ねたら、どんなこたえが返るのか興味があった。

半分眠ったような顔で、さきはしばらく沈黙し、それでもゆっくりうなずいた。

「する」

茉莉はさきの、白くぽっちゃりした頰に音をたててキスした。

「うふふ。冗談くさ。きょうはもうねんしゃい」

さきは世にもかなしそうな顔になり、それから身をふるわせて泣きじゃくった。茉莉は、ひたすら謝った。

たとえば仕事時間中でも、スタンドが暇でさきが家にいれば、茉莉はよくなわとびにつきあう。ピンク色のビニール製で、白いプラスティックの持ち手部分に名前シールの貼ってある、子供用のとびなわ。片側を門扉にくくりつけて、もう一方の端を持って揺らしてやる。揺らすだけで、回してはいないのだが、さきはなかなか跳ばない。

「最初がこわいと」

と、言ったりする。真剣な表情で、茉莉がじれるほど慎重にタイミングをはかる。息

をつめ、やっと思いきったように跳び込む。すぐに、笑顔になる。

「ひとおつ、ふたあつ、みっつ、よっつ」

茉莉が数え、さきはただ跳ぶ。一度跳ぶごとに、長くのばした髪がはねる。跳びそこねると、さきは声をたてて笑う。まるで、その瞬間のためにそれまで我慢して上手く跳んでいたとでもいうみたいに。

夏の夕方、スタンドの横の路地でなわを揺らしながら、茉莉はさきを、しみじみいとおしいと思う。さきがいまここにいてくれることは奇跡だと思う。


喜代の大切にしていた「ガーデン」は、借地権もろとも東京に住む女性に譲渡されている。「すくなくとも二、三年は、このままの形で維持していく」つもりだと、三年前に茉莉は言われていた。

もうすっかり様変りしとうかもしれん。

茉莉はときどきそう思う。

いっそ、大根畑になっとったらいいとに。

胸の内で、そう呟くこともある。父親に会いに行くついでに車でまわってみることもあるが、二、三の植物を除くと、そこは依然として喜代の「ガーデン」のまま、頑固な風情《ふぜい》で淋しげに存在している。

新しい持ち主は喜代と仲のよかったらしい園芸家で、茉莉が会ったとき、すでに五十に手がとどいているらしく見えた。北海道にもハーブガーデンを所有しているという。

「主人は応援してくれてるんだけど、子供たちにはあきれられてるわ」

短い髪の、肉づきのいい丸い顔をほころばせて言った。

そげんことはどうでんいいったい。

茉莉は、自分が苛立ったことを憶えている。

「母は、具体的にはどう言ったんでしょうか。ええと、庭を手放す理由や、今後の連絡方法について」

ホテルのロビーだった。春で、茉莉のお腹にはさきが宿っていた。かつて喜代がしていたガーデニング教室の講師を、月に二度、レクチャーのみの形で彼女がひき継いでいた。

「何も聞いていないの」

嘘だ、と、茉莉は思ったが、何度確認しても、彼女は頑としてそう言い張った。

「あのお庭もね、実際には地元のかたたちが手入れなさるわけで、私はただ監督っていうか、形式を崩さないようにしてほしいってことだけ頼まれてるの」

嘘だ、と、それでも茉莉は思った。一人の人間がいなくなって、誰も、ほんとうに誰も何も知らないなどということがあり得るだろうか。

「もし連絡があったら、お家に連絡するようにって必ず言うわ」

そう言ったとき、彼女の顔に浮かんだ同情の表情を、茉莉はいまでも憶えている。

早《はよ》う大根畑になったらいいったい。

道端に停めたピックアップトラックの運転席から、庭を見ながら茉莉は吐き捨てるように言う。夕暮れどき、喜代の「ガーデン」は、夏でもその周囲より温度が低いように見え、車のなかにいてさえ、目を閉じるとひんやりした緑と樹皮の匂いがするような気がする。

ちょっとだけ入ってみろよ。昔、よくあそこを散歩したろう?

惣一郎の声を感じるが、茉莉は決してそのなかに入ろうとはしない。視線を道の先に戻し、姿勢を正して静かに車を発進させる。始とさきのいる場所に向けて、現在の生活の方へ。


秋。柴田家では年に一度、スタンドを臨時休業にして、従業員の慰安旅行にでかける。一年目はさきが生れたばかりだったので、茉莉とさきは寺内家に泊った。二年目は神戸に、三年目は宮崎に、でかけた。大型バンを借りて、皆で車で行く。運転は始と藤原さんが交代でして、宿の手配などは母親がする。弟の克は写真と進行の係だ。

今年、一家は徳島に来ている。アスレチック公園なるものがあって、そこならばさきも遊べるだろうということになった。

「ほんとやったら、今夜は二人で過ごせるとよかったっちゃけど」

朝、親子三人の部屋で始は言った。茉莉の誕生日と旅行が、たまたま重なった。

「かまわんよ」

憶えていてくれただけで嬉しく、茉莉は笑顔でそう言った。部屋の窓からは海が見えた。海と、ボート小屋のようなものが。

「曇っとうね。雨が降らんとよかけど」

前日、福岡をでたときには天気がよかった。運動会日和《びより》。そう思った。まぶしい日ざしにきらめく海を見ながら、今回の旅の目的の一つだった、瀬戸大橋を渡った。橋は去年ようやく開通し、四国が身近になったところだった。

「気持ちよかったね、瀬戸大橋」

思いだして茉莉は言い、そのとき車の窓ガラス越しの光が暑いほどだったことと、隣でさきがピンクのポッキーをやたらにたくさん食べていて、甘ったるいクリームの匂いに胸やけしそうな気がしたことまで甦《よみがえ》った。座席に膝をついて外を見るさきの背中を、軽く手で支えながら、さきの頭ごしに見た青すぎる海。茉莉の胸に、それは不安をかきたてるほど美しい景色、決してとどめてはおけない幸福にも似た景色として刻まれた。三歳のさきは、大人になったときこの海を憶えているだろうか、と、ふと思った。ポッキーで手をべたべたにして、暑いほどの日ざしと茉莉の腕のなかで見おろした海を。

「すてきなお誕生日やん」

茉莉は姶に言った。

「ゆうべは温泉につかれたし、お酒もたくさんのめたし」

鳴門《なると》の渦潮も見た。きょうは帰る前に、「若者組」だけアスレチック公園に行く。

にやり、と、姶は笑った。髪も浴衣《ゆかた》も、寝乱れてくしゃくしゃになっている。

「何《なん》？」

どきどきした。裾からのぞく姶の足は、筋ばっていてひどくきれいだ。無防備な姿を、セクシーだと茉莉は思った。そばにさきがいるのに、欲望ばおさえられんかったらどげんしよう。

「いや」

笑顔のまま、姶は言った。

「アスレチック公園より、茉莉はあっち組に行きたいんやないかと思って」

拍子抜けする。朝から性的なことを考えた自分が恥かしく、茉莉は頬がほてるのを感じた。

「なして？　あたしは若者組よ。さきと一緒やもん。きまっとろうもん」

大人組——と彼らは言うが、若者組と対にするなら老人組だと茉莉は思う——は、公園ではなく阿波おどりのできる場所へ行くという。そこでは、希望すれば観光客でも踊れるらしい。

踊りたい、と茉莉が思ったことを、始にはもちろん見透かされていたのだ。

「あたしはこっち組やもん」

くり返した。

「どげんする？　ママも入れてやるか？」

始はさきを抱き上げて訊いた。浴衣の袖がめくれ、日に灼けた腕があらわになる。

「入れてやる」

小さい声でさきがこたえた。さきを抱いたまま、始が窓辺の茉莉の横に立つ。

「今度は三人だけで阿波おどりに来ようや」

どうしよう、と、茉莉は思った。こんなにしあわせで、どうしよう。足が竦《すく》んだ。そして考える。しあわせすぎると足が竦む。このごろいつもそうだ。

5

「オーライ、オーライ。オーライ、オーライ」

夕暮れの昭和通りに、茉莉の声が響く。声はときどき「オラァイ」に変るが、はっきりと力強く発せられている。車道と歩道のあいだに立ち、大きく腕を動かし、客の車を誘導する。

「ありがとうございました」

走り去る車に、お辞儀をした。街路樹の葉が、色を変え始めている。

オーライ、と大きな声をだすことの大切さを、茉莉は始の父親に教わった。まだ柴田家に嫁ぐ前、ボーイフレンドのそばにいたい一心で、おしかけ無給アルバイトをしたいと申し出たときだ。たとえ他に何ができても、それができない奴はスタンドでは働けない、と言われた。接客上いちばん大事な仕事だ、と。

いまでは茉莉にもよく理解できる。他のすべての仕事と異なり、馴《な》れてはいけない仕事だった。

スタンドでは始が、メタリックブルーのカリーナに給油している。その車の窓を小田くんが拭いていた。随分汚れた車だ。タイヤがすり減っている場合には注意を促してもいいが、車体の汚れについては注意してはいけない。それもまた、声をだすこと同様、始の父親が皆に厳しく言っていることの一つだ。

でも——。そばを通りすぎながら、洗車をすすめたい衝動に茉莉はかられる。これでは車がかわいそうだ。

可笑しい、と自分でも思うのだが、こういう気持ちになることは珍しくない。始を愛するようになってから、茉莉は車が好きになった。

「茉莉さん」

ひそめた声で小田くんに呼ばれた。ふり向いても、小田くんは茉莉に背を向けて、のびあがってカリーナの後部ガラスを磨いている。

「何《なん》？」

近よると、小田くんは無言で、車のトランクを指さす。埃だらけのその場所には相々傘がかかれており、マリ、ハジメ、という二つの名前がならんでいて、周囲をハートマークがとび交っている。

「何、これ」

茉莉はあきれて眉を上げた。くくく、と、小田くんは楽しげに笑う。

「よかでっしょうもん。拭くきまりになっとうとはガラスだけやっちゃもん」

ところどころ薄墨を流したような空だ。西の方だけ、朱色にそまっている。運転席の窓ごしに、始が料金を受けとっている。

「それに、こげんしとったら、自分の車が汚れとうとに気づくってもんでしょうが」

やや得意げに、小田くんは言った。茉莉は微笑み、車から離れる。小田くんは親指を立ててみせてから、小動物のようにすばしこい身ごなしで道路にでた。

「オーライ、オーライ。オーライ、オーライ」

瘦せっぽちな身体に似ず大きく力強い小田くんの声が、夕暮れの昭和通りを流れていく。

正月の二日と三日を、茉莉とさきは寺内家で過ごした。元日は柴田家にいて、そこはもうイタリアのマフィアもかくや、と思われるほどの一族の集結ぶりで、姶の姉とその家族や、洋介叔父龍男叔父をはじめ、亡くなったおじいさんの妹の娘、とか、藤原さんの先妻の息子、とか、茉莉にはほとんど誰が誰だかわからないほどの賑やかさだった。天気のいい、空気の澄んだ元旦で、茉莉は昼間、子供たちを集めておもてで遊んだ。途中で姶も加わって、バドミントンやなわとびをした。夜は男たちにまざって酒をのんだ。無論、大晦日《おおみそか》までは祖母のあさや母親の指導のもと、トイレ掃除も階段の雑巾がけもしたし、がめ煮にする根菜の皮むきや、きんとん用のさつま芋のうらごしといったこまかい作業を手伝った。

「ここに帰るとほっとするっちゃもん」

寺内家の居間の、緑色のソファに腰掛けて茉莉は言った。正月といっても、この家のなかにそれを感じさせるものは何もない。

「これ、おばあちゃんとお母さんから」

弁当箱に詰められた数の子やかまぼこ、別な器に入れたがめ煮をさしだすと、新は無

造作にうけとって、

「ああ、悪いね」

と言った。それはまるで、「ああ、いまは正月なのか」とでも言ったみたいに茉莉には聞こえた。

「プリー、プリー」

最近この家に来るといつもそうであるように、さきが所望する。新はたちまち相好をくずし、

「そうだそうだ、プリー、プリーが要《い》るな」

とこたえてステレオに向った。

茉莉はソファに腰掛けたまま、さきを両足のあいだに立たせて軽くおおいかぶさる。いまや、さきだけが新を現実世界につなぎとめているように思える。あたたかくまるい頭、つやつやした黒髪。

新は、さきがまだ赤ん坊のころから、この部屋でレコードを聴かせている。惣一郎や茉莉にしたのとおなじように。「プリー、プリー」はドリス・デイの「ひな菊を食べないで」で、さきの気に入りの曲だった。途中で子供たちのコーラスが入る。「Please Please Don't Eat The Daisies, Don't Eat The Daisies, Please Please」。茉莉はすこし不思議に思う。子供というのは、たとえばさきのように、大人にばかりくっついて他の子と

遊ばない、と園長先生に言われるような子供でさえも、おなじ子供の声に反応するものなのだろうか。

「のむか?」

新の声がして、缶ビールがさしだされた。

「ありがとう」

うけとって、プルトップをあける。あかるい音楽が部屋に流れ、さきが体を左右に倒しながら口ずさみ始める。

「プリー、プリー、ドンイーッザデイジー、ドンイーッザデイジー、プリー、プリー」

リズムにあわせて足ぶみをするのだが、それは踊るというよりシコをふんでいるようで、茉莉は娘の音感をつい疑ってしまう。白い、もっちりしたさきの脚。

ビールはよく冷えておいしかった。ごくごくと半分ちかく、勢いよくのんだ。視線を感じ、

「何《なん》?」

と訊く。

「いや」

とこたえ、新はしずかに微笑んだ。

「お前はほんとうにうまそうに酒をのむね」

「だって、うまいっちゃもん」

かつて、喜代の鉢植えを守るためにひきっぱなしにされていたカーテンは、大きくあけてとめられている。遠慮会釈なくさし込む日ざしのせいで、床の埃が目立った。

「まばあいね」

茉莉はつぶやき、上を向いた。喜代の知らないシャンデリア。喜代の知らない、茉莉の娘。

「始さんがくさ、ここで一緒に暮したらどうやって言ってくれとうと」

さきに聞こえないように小さな声で、茉莉は言った。

「前々から柴田の家を建て替える話はでとって、克くんが独立したら二世帯住宅にしよう、とか言いよっちゃけど、なんちゃ手狭やん」

新はソファに深く凭《もた》れて、表情のよみとれない顔で耳を傾けている。

「克くんも気を遣って、アパートを借りるとか言いだしよっちゃけど、始さんが許さんと。家族は一緒に暮すべきやし、追いだすみたいなことはできん、って」

新が返事をしないので、茉莉は一人で続けた。

「ここやったらスタンドまで車で二十分やし、さきも馴染んどうし」

「ひな菊を食べないで」が終り、ドリス・デイは「Do Not Disturb」を歌っている。

「だけんパパさえよかったら――」

うふふ、と、新は笑った。缶ビールを一口だけのんで、

「始くんはやさしい男だなあ」

と言う。茉莉には、新の次の言葉が予測できる気がした。

「でも、俺なら心配いらないよ」

わかっとう、とこたえて茉莉も微笑む。

「そげん言うと思っとった」

でも、と、茉莉はもう一度だけ言ってみた。

「でも、パパのためやなくて、あたしたちの住む場所のためやったらどげん？」

「駄目だね。全然駄目だ」

新はむしろ可笑しそうに言う。

「お前と始くんだけならともかく、さきまでいなくなったらおばあさんが淋しがるだろ」

それからふいに真顔になり、

「家族は一緒に暮すべきだよ」

と、言うのだった。

家族――。茉莉はいたたまれない気持ちになる。あんなかたちで息子を失い、妻に去られてもなお、この人はそんなふうに思っているのだ。

「おじいちゃん」

小さな、遠慮がちな声でさきが呼んだ。

「プリー、プリー」

ステレオに向う新の背中を眺めながら、茉莉は缶ビールをのみ干す。

翌日、新年の挨拶をかねて妻子を迎えに来た始は、焼酎の一升壜《いっしょうびん》を提げていた。

「パパだぁ」

叫んで、さきが始の腿《もも》に抱きつく。あたしも抱きつきたかあ、と、茉莉は思う。始の笑顔はあたたかく力強く、何度見てもそのたびに、茉莉は胸が熱くなるのだ。たった一晩離れていただけで、十日も離れ離れだったたような気がする。

「きのうの夜はお鮨屋《すしや》さんに行ったとよ」

さきが報告する。

「ママとおじいちゃんと三人で、カルタもしたとよ」

ふいに、惣一郎の気配を強く感じ、茉莉はおどろいて立ち竦んだ。ゆうべ兄の部屋で半時間ばかり過ごしたが、そのときには何も感じられなかったのに。

泣くことはないよ。

ぞっとするほど淋しい声だった。

「鮨？　よかなあ」

始は笑っている。

「何を食べたとや？」

いつかまた会えるんだから。

「さき、エビば食べたと」

惣一郎の声は、まるで耳に口を寄せて囁かれたもののようにはっきりと聞こえ、茉莉は皮膚の内側に鳥肌が立つのを感じた。動くことができない。見馴れた部屋のなかで、いちばん親しい人々のそばにいながら、自分だけが別の場所にいるような気がした。

「エビや。他には？」

「ヒラメ。穴子。ワカメ」

だから泣くことはない。超然とするんだ。

やめて。茉莉は胸の内で懇願した。やめて。なんだかわからん。わからんけどこわいけんやめて。

「ママ」

気がつくと、さきに手をひっぱられていた。

「ママってば」

茉莉は始を見つめた。いつもと何ら変りのない、なつかしく頼もしい始を。

「どげんしたとや？」

心配そうに見つめ返され、茉莉は自分が震えていることに気づく。ひどく寒い。

「茉莉？」

怪訝《けげん》そうな声の主は新だ。早速台所からとってきたらしいグラスを三つ、手に持っている。

茉莉は始に近づこうとした。実際には一足目で膝が硬直し、上手く歩けずに、駆け寄った始に支えられた。

「何や？　どうしたとや？」

声も、体温も、肩の厚みも、それは始そのものだった。抱きしめても抱きしまらない身体。

「びっくりしたあ」

安心し、茉莉は笑顔をつくる。

「いま、おにいちゃんの声がしたと」

背中にまわされた始の腕。大丈夫。一緒だから大丈夫。

「二階で本を読もうか」

新がさきに言った。

「ママとパパは、恋人ごっこをしたいんだとさ」

おもしろがっている口調だ。

「よかよ」

さきはやや不服そうな声で、でも大人しく従った。こういうときに、茉莉はおどろく。この子はなんて素直な子供なのだろう。子供のころの自分なら、間違いなく「いやっちゃもん！」とこたえた。打てば響くはやさで、断固として。

大丈夫。一緒だから大丈夫。茉莉は自分に言いきかせる。

「ありがとう。もう平気やけん」

始の頬に頬をつけ、ようやくそう口にした。


正月休みも、さきの冬休みも終り、柴田家に日常が戻った。茉莉にとっては、毎朝六時に起きて台所のあさを手伝い、さきに弁当を持たせて保育園に送り届けてから、始と二人でとらせてもらう昼休みをはさんで夕方までスタンドで働く、忙しくも幸福な日常だ。夕食後の片づけも茉莉の仕事で、たいていそのあいだに始がさきを風呂に入れてくれる。

二月になると、雨が続いた。喜代の友人の園芸家がとうとう「ガーデンを維持しきれなくなり」、あの土地を手放すことになった、という手紙が茉莉に届いた日も、朝から雨が降っていた。

かえってよかった、と、茉莉は思った。喜代そのものみたいなあのガーデンは、見るたびに胸が痛んだ。

柴田家には庭と呼べるものはない。スタンドの横の道に面して小さな門があり、その内側に、梅の木が一本生えているだけだ。その梅が、ちょうどいまぽつぽつと花をつけている。花芯だけがしゃわしゃわと濃く紅い、白い花だ。春になると、あさはその枝に半分に切ったみかんをさす。

「めじろが来るけん」

と言って。

すくなくとも――。昼休み、雨に濡れた梅の木を見ながら茉莉は考える。すくなくともこの木には、世話をしてくれる人がいるのだ。園芸家から届いたそっけない文面の手紙の中身を、茉莉は始にも新にも告げるつもりがなかった。

「何ばしようとや？」

戸があいて、始が顔をだした。

「お昼、ちゃんと食べとかんと、午後は忙しかっちゃけんな」

「はあい」

歌うように、茉莉はこたえる。知人の娘の結婚式があるとかで、きょうの午後は、始の両親が留守になるのだ。茉莉は、退屈な売店業務の責任者になる。

「でもその前に、ちょっとだけ布団ば敷く?」

茉莉は言い、言うが早いか行動に移した。玄関にとびこんで戸を閉めたとき、梅の匂いが鼻をかすめた。

茉莉の運命を変える電話がかかったのは、その夜の十時すぎだった。どういうわけか寝つかないさきに、茉莉は居間であやとりを教えていた。おじいちゃんたちを迎えに行ったパパが帰るまで、という約束だった。さきはホウキのつくり方を覚え、何度でもそれをつくった。茉莉はハシゴや塔をつくり、すーっとほどいてさきに拍手をもらった。二月にしては暖かい夜だ。雨はまだ降り続いていて、夕方から強くなった風にあおられ、雨粒が屋根や壁にばらばらとぶつかる。茉莉もさきもパジャマにセーターを重ねた姿で、風呂上がりの匂いをさせて座布団にすわっていた。

「柴田さんのお宅ですか」

電話をかけてきた男は、妙にゆっくりと喋った。

「福岡市中央区唐人町《とうじんまち》……」

住所を確認され、

「こちらは警察の者ですが」

と続いた。茉莉は聞きたくなかった。自分がなぜ、「はい」などと先を促す相槌を打ったのかわからない。これこれのナンバーの、これこれの車はお宅の車ですか。あなたは御家族ですか。

嘘だ、と思った。勿論、何かの間違いだ。

「これから病院の名前と住所を言います。メモはありますか」

はい、とこたえたが嘘だった。いつも電話のそばにあるメモが見あたらない。さきが持ちだして、絵をかくのに使ったのかもしれない、と、茉莉は思った。

「わかりましたか。ちゃんとメモはしましたか」

はい、と、茉莉はまた嘘をついた。ここでシャットアウトしなければ大変なことになる、と思えた。こんなにいやなニュースを、この家に持ち込んではいけない。しかし男は病院の名前をくり返した。いやでも茉莉の耳に残るよう、ゆっくり。

受話器を置く瞬間まで、茉莉はそんな場所に行くつもりはなかった。目の前の柱や、電話台に敷かれた朱色の布——金糸で刺繍《ししゅう》がしてある——に注意を集中し、こっちが現実だ、と、思おうとした。

「誰からやったと？」

さきの、あどけない声がした。

電話の男は、不穏なことをいろいろ言った。三台が関与した交通事故。すぐに来ていただく必要があります。妙にゆっくりした口調で——。

突然、始の顔が浮かんだ。始はいま病院にいるのだ。きっと困っている。きっと、お父さんとお母さんが事故にあったのだ。始は動転し、かなしみに打ち拉《ひし》がれているだろう。茉莉は壊れそうに古い柴田家の階段を駆けあがって、克の部屋の戸をたたいた。廊下は深閑としている。

「事故があって」

声が震えた。始とよく似た克の顔を見た途端に、恐怖がせりあがってくる。メモしなかった病院の名前を、茉莉は無理やり口にだした。

6

なにもかもが現実ばなれしていた。雨。あとになって、茉莉が現実としてはっきり記憶していたのは、この夜の雨と風、自分たちの乗ったタクシーのヘッドライトと、せわしないワイパーの動きだけだった。

さきをあさに託し、茉莉が克と病院に駆けつけたとき、始の遺体はすでに霊安室に移されていた。両親のそれとならんで。普段着のまま白いシーツにすっぽり覆われた始の遺体は、茉莉には冗談のようにしか見えなかった。

バイクを含む、車両三台による事故。四人が死亡した。始と父親は即死だったという。救急車の到着したとき辛《かろ》うじて息のあった母親も、病院に運ばれた直後、死亡が確認された。

医師は淡々と説明した。幾つも蛍光灯がついているにもかかわらず、病院は暗く、ひんやりと寒く、空気に不幸の匂いがした。

克は泣いたが、茉莉は泣くことができなかった。とてもほんとうとは思えなかった。公衆電話から、克がほうぼうへ電話をかけた。茉莉はただ立っていた。ただ立って、病院ロビーの壁やソファ、窓枠や天井や床を見ていた。雑誌のさしてあるラックを、トイレの場所を示すプレートを、声をつまらせながら小声で話している克のうしろ姿を。


葬儀の手配や保険会社とのやりとりは、藤原さんが率先して手伝ってくれた。あさは気丈にふるまっていたが、夜になって人の出入りが途絶えると、自室の襖《ふすま》ごしに嗚咽をもらした。高く、低く、嗚咽はいつまでも続いた。人間の泣き声というよりも、獣のうめき声にそれは似ていた。世にもかなしい声だった。茉莉は、しかしそこでも泣くことができなかった。夫婦で使っていた部屋——もとは始が一人で使っていた部屋だ——にいると始に護られている気がした。待っていれば戻ってきてくれるとしか思えなかった。それに、待っていること以外に、茉莉にさせてもらえることは何もなかった。両親と始がいなくなり、スタンドが休業となった柴田家のなかで、茉莉はあきらかによそ者だった。

葬儀は滞りなく執り行われた。盛大といってもよかった。柴田家の親類縁者、古くからのつきあいである町の人たち、ガソリンスタンド——かつての油屋——と関係のあった人たち。茉莉は喜代の喪服を借りて身につけ、さきの手をひいてそこにただ立っていた。

さきには、事実をそのまま話した。旅にでたとか、お星さまになったとか、いい加減なことを言いたくはなかった。

「パパは事故にあったと。それで死んでしもうたと」

さきは泣かなかった。

「そうなん？」

かなしげに訊き返したが、

「じゃあ、まだ帰ってこんと？」

と続けたところを見ると、完全に理解しているわけではなく、かといって、まるで理解していないわけでもない、という様子だった。

弔問客たちは、さきを見ると涙ぐんだ。始くんにそっくり、と言ったり、こんなに小さいのに、と言ったりした。さきはじっとしていた。じっとして、相手の顔を挑むように見ていた。そして、そんな茉莉とさきの姿を、かなしげに心配げに、すこし離れた場所で新が見守っていた。

「茉莉ちゃんには相応のことばするけん」

龍男叔父にそう言われたのは、桜の咲き始めたころだった。何もかもが、茉莉の手の届かないところで進行していた。藤原さん以外の二人の従業員には暇がだされ、会社を辞めて資格をとり、跡を継ぎたいと言った克の言葉はとりあってもらえず、おまけに父親に多少の借金が残っていることも発覚した。

貸しビルにするしかない、というのが龍男叔父の意見で、その一部を住居にすれば、今後のあさと克、茉莉とさきの生活が安定すると言った。そのための費用は自分も負担するし、収益は投資の原則と遺産分配率にのっとって分ければいい、と。

年齢と状況を考えれば称賛に値する凜々《りり》しさで事態に対処していたあさも、それを聞くと狼狽《ろうばい》した。スタンドだけは、なんとか維持したいと言った。そして、それは現在の茉莉の唯一の望みでもあった。姑の愛したスタンドがこの世から消えてしまうのは耐え難いことだった。姑が見たら、どんなにかなしがるだろう。しかも、龍男叔父なんかにそれをされたら。

「あたしも勉強しますけん」

茉莉は言った。

「克くんと一緒に勉強して、資格ばとります。藤原さんがおってくれれば、いままでどおりにやっていけるとです」

ガソリンスタンドを好きになっていた。茉莉にとって、いまやそれは姑の生きていたしるしであり、さきの次に大切なものだった。

「気持ちはわかるばってん、あんたももっと冷静にならなくさ」

龍男叔父は言った。

「現実的に考えてみんしゃい」

いやな笑い方をする。しかし、このいやな笑い方をする男はあさの次男なのだ。姑の姉夫妻も、洋介叔父も、龍男叔父の意見に賛成だった。他に方法がないと考えているらしかった。そればかりか、茉莉がなぜ口をだすのか理解できないと言わんばかりだった。

そのとおりだと、茉莉にもわかってはいた。わかってはいてもくやしかった。そして逝ってしまった姑をすこし憎んだ。愛することと憎むことは、おなじだった。

ガソリンスタンドおよび柴田家の「資産」をめぐる話し合いの一度きりを除くと、事故以来、茉莉はさき以外の人間と、ほとんど口をきいていなかった。意識的に黙っていたわけではない。茉莉のなかに、言葉が一切なくなったかのようだった。新に対してもあさに対しても、それはおなじことだった。大丈夫かと訊かれれば大丈夫とこたえ、何か問われればはいとかいいえとかこたえる、それ以上の言語は知らないとおなじだった。記憶だけが茉莉に感情を与える。始の存在の記憶。始のものの考え方の記憶。皮膚の温度、力強い双眸《そうぼう》、腕のかたち、手のかたち、爪のかたち。

「いい子やね」

茉莉はさきに言う。さきは、始につながるものだからだ。いい子やね、と言われると、さきはうつむいて笑う。嬉しそうに、恥かしそうに、くにゃりと。

事故をめぐる煩雑《はんざつ》な手続きを、茉莉は黙々とこなした。自分が代りにする、という藤原さんの申し出も、ほとんどの場合断った。他人とのやりとり以外は。そして、それもひとえに、始とつながる雑用だと思えたからだ。警察署で遺族調書をとられるとか、役所に書類をとりに行くとか、葬儀に来てくれた人たちへの礼状に切手を貼るとか、そのようなこと。これがすべて終ったらどうしよう。そう思うと不安になった。始のいない世界に、一人でとり残されてしまう。

あさは、依然として茉莉にやさしかった。いままでのように家族七人分の食事をつくる必要も、茉莉が働いているあいださきの面倒をみる必要もなくなり、昼間でも床についていたりしたが、顔をあわせれば微笑んで、

「あたしは大丈夫やけん」

と言ったり、

「これも運命なんやろうね」

と言ったり、

「茉莉ちゃんがおってくれてよかった」

と言ったりした。しかし茉莉には返す言葉がなかった。どれもあさの本心ではないことがわかっていたし、あさにとって、茉莉の顔を見るのがつらいこともわかった。茉莉自身、あさを見れば姑を意識し、姑の不在をいやでも思い知らされてしまう。

「しばらく高宮のお家に帰って休んできてもいいとよ」

あさはそうも言った。実際、スタンドの取り壊しが始まれば、あさは長女の家にひきとられ、克はアパートを借りることが決っている。茉莉とさきは、その間、新の家に身を寄せるしかない。

しかしそれまでは、あさのそばを離れたくなかった。あさのそばを、そしてガソリンスタンドを。八十八歳になるあさが、息子夫婦と孫をいちどきに失い、夫の形見とも言うべきスタンドまで失おうとしているのは、あまりにも痛ましいことだった。

「パパは?」

保育園の休みの日に、たとえば茉莉が散歩に誘うと、さきはそう尋ねる。

「パパも来ると?」

それは、しかし期待ではなく不安の声だ。あるいは抗議の。その証拠に、さきはそれ以上尋ねようとしない。パパがいまどこにいるのか、なぜ帰ってこないのか。

「パパはさきといつも一緒やけん」

茉莉にはそうとしかこたえようがない。

「だけん、お散歩にも一緒に来るとよ」

さきは困った顔をする。困った、淋しそうな顔を。

浄水通りは桜が満開だった。体に感じるほどの風もないのに、花びらがきりもなく零《こぼ》れる。

「きれえ」

小さな口をあけ、つぶやいたさきの唇にも白い花びらが一つはりついた。

「ほんとね、きれいやね」

こたえたが、茉莉には桜も道も、景色の何もかもがひどく遠く、美しくも醜くも見えない。娘の手をひいて歩いていても、幸福も不幸も感じなかった。

いま始が迎えに来てくれたら、喜んでついていく。茉莉は思う。さきと二人で、喜んでついていく。落ちてくる花びらに目を細め、それ以外のことは何もしたくないと思った。

茉莉の様子は、傍目《はため》には茉莉が思っているよりずっと危険に映っていた。やつれて、さき以外の人間と口をきかないばかりか、話しかけられても気づかないことが多く、食事もほとんど摂らなかった。泣くことも笑うこともなく、終日ただぼんやりとしているのだ。さきを迎えに行くことを忘れたり、すぐそばで電話が鳴っていてもとらなかったり、風呂に入ったまま眠ってしまったりした。

それで、柴田家の工事着工に伴い、茉莉がさきをつれて寺内家に移ると、周囲の誰もが胸をなでおろした。あさも克も藤原さんも、始の姉夫婦や二人の叔父も、さきの保育園の先生たちまで。

新は娘を温かく迎えた。なぐさめることはせず、ただ、

「おかえり」

と言った。

「おかえり。お疲れさん」

と。

事故に遭ったとき、始は父親の車を運転していたので、赤いピックアップトラックは茉莉が譲りうけた。赤いピックアップトラックとさき、それに身の回り品をつめた段ボール箱が一つ。四年ぶりに帰宅した茉莉の所持品は、それですべてだった。

寺内家の居間はあいかわらず埃だらけで、テーブルには郵便物が散らかり、窓辺には枯れたまま放置された植物の鉢が、奇跡的に生き残った数本の鉢植えと共にならんでい

た。いまや男の一人所帯となった、静かで孤独な家のなかだ。

二階に続く階段をのぼりながら、茉莉は頬が濡れるのに気づいた。おどろいて、手のひらで拭った。拭っても拭っても、涙はでた。茉莉は洟《はな》をすする。居間では、新がさきのために、ドリス・デイをかけてくれている。

戻ってしまった、と、思った。一人ぼっちの自分に、始と出会って世界が突然目の前にひらける以前の、退屈で不機嫌な娘に。

あさのいる家では一度も泣かなかったのに、廊下で、そして子供部屋のままの自室で、茉莉はとめどなく涙を流した。信じられないと思った。始がいなくなるなんて信じられない。

惣一郎の部屋に、茉莉は近づこうとしなかった。惣一郎とさえ、口をききたくなかった。正月の出来事を憶えていた。惣一郎は知っていたのだ。そう思うと頭も身体もカッとして、茉莉は怒りとかなしみに身もだえする。

泣くことはないよ。

それは、でも、茉莉には許せないことだった。

いつかまた会えるんだから。

それもまた、まるで役に立たない言葉だった。おにいちゃんの言うことなんて聞きたくない。茉莉は、生れてはじめてそう思った。おにいちゃんじゃなく、あたしは始さんにここにいてほしいのだ。どうしても、いまここにいてほしいのだ。

茉莉とさきの寺内家での生活は、少くとも一年、ひょっとするとそれ以上になるかもしれなかった。その先のことは、まるで想像ができない。貸しビルからの収益で、母娘二人があさと共に暮すのには十分であるらしかった。しかし一方で、遺産の分配は親族たちのあいだでなかなか話し合いがつかず、弁護士だの税理士だのが毎日のようにやってきては、あの古い家をかきまわしていた。そこでは、茉莉はあきらかに部外者だった。さらに言えば、じゃまな存在なのだった。

「あら、茉莉さんはあっちでお酒ばのんどうかと思っとったとよ」

通夜のあと、寺の水屋《みずや》で親戚の一人に言われた。

「始はお嫁さんに甘かけんが」

始の姉は泣きながら言った。

「何度も言ったっちゃけど」

と、せつなそうに。

幾つもの知らなかったこと、幾つもの違和感。そのときの茉莉には、それらは、でもどうでもいいことだった。

工事が決定し、藤原さんが去って行った。茉莉はさきと、ここにいる。

天気のいい日が続いた。春は、高宮の町をあかるく彩る。風のやわらかさ、日ざしのかぐわしさ。それを、茉莉は部屋のなかからだけ眺める。新が大学にでかけ、さきが保育園に行っている昼間――。

惣一郎を失ったあとの喜代と、おなじ虚《うつ》ろな表情をしていた。

始について思いめぐらすことはしなかった。それは忌避だった。現実に蓋《ふた》をして、漫然と、ただぼんやりと、茉莉は日を送っていた。

ときどき、新が二人を外食につれだした。床の黒光りする水炊き屋や、馴染《なじ》みの小料理屋のカウンターに。夜の外出が物珍しく、さきはそういう場ではしゃいだ。新に促されるままに、座敷で「プリー、プリー」を踊ったりした。はしゃぐさきを見ると、茉莉はいたたまれない気持ちになった。いたたまれない、そして不安な。

隣家の祖父江七が、心配してたびたび訪ねてきてくれた。手づくりのクッキーや、到来物だという立派な菓子折を携えて。

最初にやって来たとき、茉莉の顔を見るなり七は涙ぐんだ。

「ごめんね、おばさんが泣くことやないとにね」

謝りながら、

「茉莉ちゃんも苦労するったいね。人生はつらかね」

と、幾多の不幸にさらされながら生きてきた女性らしい横顔で、何度もうなずいては声をつまらせた。

温かいひと。

子供の時分からずっと、七は茉莉には計り知れない温かさを持つ女性として存在していた。愚痴をこぼすところも、声を荒げて子供を叱《しか》るところも、茉莉は一度も見たことがない。

その七のやさしさにも、茉莉ははかばかしい反応を示すことができなかった。一緒に泣くことも、礼を言うこともできず、ただつっ立って、なつかしくふくよかな声を聞いていた。

それは、会うたびにほめることだけしてくれた七、この土地にうまく馴染めなかった喜代のことを、いつも気にかけていてくれた七の、昔と変らない声だった。


「ガーデン」にでかけたのは、四月も終りに近い日の夕方だった。ふいに、あの場所の空気がすいたくなった。喜代の友人が匙《さじ》を投げてから、どうなったのか、茉莉は知らなかった。手紙を受けとったのは二月だった。そして、その日にあの忌わしい事故が起きたのだった。

「ドライブに行くと？」

茉莉はさきに訊いた。微笑んではいたが、表情は虚ろなままであり、声もまた沈んでいた。さきは不安げな顔をしたが、行く、と、こたえた。どこへ、とも、パパは、とも訊かず、ただ大人しく、行く、と。

窓をすこしあけて走った。うすあおい夕暮れの、とろとろした空気が流れる。ときどき、そこに、よその家から漂う夕食の仕度の匂いがまざった。

車に乗って十分も走ってから、ようやくさきが遠慮がちに訊いた。事故以来、さきは茉莉に対し、どこかこわごわ物を言うようになっていた。そうしないと、茉莉が壊れるとでも思っているみたいに。

「どこに行くと？」

「お庭よ」

茉莉は言った。

「前に何度も行ったことがあるやろう？　四角く造られたお庭」

もうなくなってるかもしれないけど、とつけ足して、窓を閉めた。さきが寒いかもしれないと気づいたのだ。

「寒くなかね？」

遅ればせながら尋ねると、さきはすこし考えて、

「へいき」

と、こたえた。

緩やかな下り坂。車を停めるより前に、そこがまるで変っていないのが見えた。空気はすみれ色を濃くしている。

「お月さま」

さきが、フロントガラス越しに指さして言った。エンジンを切った車は、まだわずかにふるえている。

「ガーデン」は森閑としていた。緑の、濃く涼しい匂い。すいよせられるように、茉莉は近づき、木戸を押したが針金で頑丈に固定されていた。

「ママ？」

不安げなさきの声も、茉莉の耳に入らなかった。これまで一度として感じたことがなかったが、なにか霊気のようなもの、人間のそれではなく植物の、ひそやかで清朗なエネルギーを感じた。三方を塀に囲まれた目の前の空間。そのなかでだけ、エネルギーはくすくす笑いのように放たれ、はじけたりはね返ったりしながら、濃くつめたくみちみちている。身をのりだし、茉莉はその霊気を肌にうけとめようとした。我知らず、木戸にしがみついていた。

「ママ？」

右側には薔薇が見事に咲き誇っていた。「フォールズ」と喜代の呼んでいた、滝のように塀をいちめんにつたい落ちる蔓性《つるせい》の白い薔薇だ。

整形式のハーブガーデンからは、土と緑の清々《すがすが》しい匂いの向うに、早咲きのラベンダーのひんやりした匂いがひそんでいる。

誰も手入れをしていないはずの庭が、なぜこんなにうっとりする生気を放っているのかわからなかった。何もかも、喜代のいたころのままの――というよりそれ以上の――、完璧な静けさと力強さを湛《たた》えてそこにあった。

「開けましょうか」

やわらかな男性の声がして、茉莉は我に返った。とっさにさきの手をとる。男性はさきを見て微笑んだ。

「かわいらしいお嬢さんですね」

木戸にまきついていた針金をはずし、男は、

「どうぞ」

と、言うのだった。

7

男は年齢の計りかねる風貌《ふうぼう》をしていた。痩せていて肌が青白く、古くさい丸眼鏡をかけている。キノコのように丸く切り揃《そろ》えた髪が半分白くなっているところを見ると、五

十をこえているのかもしれない。しかし一方で、男にはどこか青年じみた雰囲気も感じられた。繊細な鼻梁《びりょう》ややわらかな声、いきいきした目などから、それは来る印象らしかった。

「どうぞ」

再び促され、こわごわ、と言っていいような足どりで、茉莉はさきの手を引いて「ガーデン」に入った。庭全体が、独立した一つの王国のような厳《おごそ》かな佇《たたずま》いでそこにあり、空気の濃さも温度も、柵の外側のそれとはあきらかに異なっている。植物の生気が茉莉とさきを包み、奥へ奥へと誘《いざな》う。

「前にもここで、お会いしましたね」

男が言い、茉莉は考えてみたが、そんな記憶はなかった。へんなことを言う男だと思った。さきは周囲を見まわしながら、不安そうに茉莉の指を握りしめている。

「母上、手放してしまわれたんですね」

男の言葉は耳に入ったが、茉莉の胸にまでは届いていなかった。ハハウエという耳馴れない単語だけが、違和感となって残る。

「ええ」

ほとんど無意識に、相槌だけ打った。「ガーデン」をときどき見に来てはいたが、中に入るのは随分ひさしぶりだった。さきにとっては初めてのことだ。

まるで過去のなかに迷いこんだようで、自分の記憶の鮮明さに、あるいは流れ去った時間そのものに対して、茉莉はたじろぐ。青いホースで散水する喜代の姿や、メモを見ながら夕食用のハーブをつんだ自分自身の姿が、亡霊のようにあちこちに浮かびあがる。チムニーポット。夕闇のなかに白く目立つその柱に似た物体から、茉莉は目をそらすことができない。あれをここに運び込んだのは始だ。

ここに喜代がいて、始がいた。それをあたりまえのことと感じ、ずっと続くものだと思い込んでいたかつての自分も。

「この部分です」

男が何か喋っている。茉莉はまばたきをし、小さく息を吸って亡霊を追い払う。

「かまいませんか?」

男に尋ねられた。顔を見ると、目が合った。やさしそうな男だ。どういうわけか、なつかしさのようなものを覚える。

「ごめんなさい。何ておっしゃったんですか」

男は一瞬意表をつかれた表情をしたが、すぐに気をとりなおし、穏やかな口調で説明した。

「花を単色でまとめるのが母上のやり方で、僕もそれが気に入っているんです。でもこの一画、ここだけは違っている。『イエロー、ピンクアンドパープルガーデン』、そう呼ばれ、イギリスで伝統的に愛されている配色です。バーンズリー・ハウスなんかにあるものと同じだ。キングサリ、アリウム・アフラチュネンセ、藤、メコノプシス……」

茉莉にはわからなかった。男が何を言おうとしているのか、なぜ茉莉に植物の説明をしているのか。ただ、それは子供のころ、星座の名前や昆虫の生態、世界地図をめぐるあれこれについて、熱を込めて説明してくれた惣一郎を、茉莉に思いださせた。

「かまいません」

男の説明をさえぎり、茉莉は言った。

「母はもういませんし、ここは母の土地ではありませんから、庭をどうなさろうとかまいません」

口調の強さに、男は驚いたようだった。ややあって、

「でも」

と言った。退屈したのか、さきは茉莉の足元にしゃがみ、指で土に触っている。

「でも、僕は、ずっとあなたと連絡をとろうとしていたんですよ」

男は青山志津夫《あおやましづお》という名で、パリ在住の画家だった（「もう三十年近く向うです」）。二年ぶりに、一カ月の予定で帰国しているが、高宮にある実家ではなく、ホテルに滞在している（「放蕩《ほうとう》息子ですから」）。その家は茉莉も知っていた。青山といえば、地域で

いちばん大きな家だ。広大な日本庭園のある、黒塀に囲まれた屋敷。ずっと昔、九と惣一郎はセミめあてに、よくその塀を乗り越えてしのびこんだ。以前――というのはもうかれこれ六年も前だが――目にしてすっかり感心したコテッジ式庭園が、設計者の手を離れていることを知って土地ごと買いとった（「嬉しかったですよ、ほんとうに」）。その際、志津夫は喜代の友人の園芸家から、茉莉の連絡先を聞いた（「そもそもは庭じゃなく、それが目的だったんです」）。教えられた住所を訪ねたが、閉鎖されたままのガソリンスタンドと、無人の住居があるばかりだった。

そういったことをみんな、茉莉は寺内家の居間で志津夫から聞いた。「ガーデン」で出くわした、すぐ翌日のことだ。晴れて暖かな午後で、テーブルにはさきの好きなキリンレモンと、氷を入れたグラスが三つならんでいる。志津夫が、自分もそれをのみたいと言ったからだ。紅茶やコーヒーではなくて。

「庭を手に入れられたのは幸運でした」

にっこりして、志津夫は言った。

「あなたを見つけようとして庭の所有者を調べたら、たまたま地主に戻っていた」

でも、と、釈然としない気持ちで茉莉は考える。でも、その地主というのは志津夫の父親だ。

「買いとったんですか？」

茉莉は確認した。

「あなたが、個人的に?」

「ええ。僕が親父から、個人的に」

ゆったりと、楽しそうに喋る男だと茉莉は思った。

「でも、これだけは信じていただきたいんです。もしあのまま母上が所有していらしたら、僕は買おうなどと思わなかった。ほんとうです」

ほんとうだろうと思えた。

「なんだか僕ばかり喋ってるな」

きまりが悪そうに志津夫は言い、水滴のついたグラスから、キリンレモンを一口啜る。

それでも茉莉が黙っていると、

「無口なんですね」

と、言った。茉莉は別なことを考えていた。あの庭を衝動的に買えるなら、ガソリンスタンドを買いとることもできるのではないか。この男がもし大金持ちならば。

「本題ですけれど」

志津夫が口をひらいたのと、茉莉が、

「お金持ちなんですか」

と尋ねたのと、同時だった。

「ごめんなさい」

質問の不躾《ぶしつけ》さに気づき、茉莉は詫びたが、志津夫の返答は、茉莉の予想もしないものだった。

「たぶん、あなたを雇えるほどには」

微笑んで、

「いまそれをお願いしようと思っていたところです」

と、続けた。

「あなたに、どうしても僕の絵のモデルになってほしい。今回、僕はそのために帰国したようなものです」

憶えはなかったが、志津夫は茉莉と、六年前に一度会ったと言って譲らなかった。そうかもしれないし、そうでないかもしれない。茉莉にはどちらでもよかった。ともかく一度自分の絵を見てほしい、と、志津夫は言った。実家にも、あちこちの美術館にもあるから、と。

「そしてその上で、御主人にも父上にも、僕からきちんとお願いします。もちろん、あなたがひきうけて下さるならですが」

絵はパリで描くと志津夫は言った。自分の帰国は日程が決っているが、茉莉は茉莉の都合のいいときに、すこし長い旅行のつもりで来てくれればいいから、と。

「かまいません」

茉莉はそう即答していた。志津夫の絵に興味はなかった。

「ちょうどいいわ」

都合をつける必要さえないのだ。

「さきを連れて行かれるなら、いつでも、どこにでも行きます」

そして、折をみてガソリンスタンドの話をしてみよう。茉莉は考える。もし買いとってもらえたら、あさがどんなに喜ぶだろう。藤原さんも、きっと戻ってきてくれる。スタンドで働けば、茉莉は姑をいつもそばに感じていられる。

——遠くに行くんだ。

惣一郎の言っていたのは、このことかもしれないと思った。

笑いをこらえるような表情の、青山志津夫が目の前にいた。さも可笑しそうに茉莉を見つめている。

「計算、陰謀、逃避、物見遊山」

楽しそうに言う。

「動機が何であれ、嬉しいですよ」

茉莉は志津夫をにらみつけた。茶化されるいわれはない。

「携帯電話の番号を置いていきます」

その後身近になるその機械を、茉莉はこのとき、まだ見たことも聞いたこともなかった。

「よく考えて、決めたら連絡を下さい」

しかし、茉莉はもう決めていた。

一九九〇年四月。その後の茉莉の人生を、変えることになる決心だった。

出発の前夜、画家に指定された料亭に、新と茉莉とさきはでかけた。茉莉の予想どおり何の反対もせず、それどころか「辛《つら》いことのあった場所を、すこしのあいだでも離れるのはいいことだと思うよ」と言い、志津夫が主に欧米で高い評価を受けている画家であることを承知してもいて、「いずれにしても茉莉が新しいことに目を向けてくれて嬉しい」と言っていた新は、料亭で終始黙り込んでいた。居心地が悪そうに。

前にもこんなことがあった。ぼんやりと茉莉は思う。水炊き屋の座敷で、山辺さんと一緒で——。あたしはパパに、そんな思いばかりさせている。

旅について、志津夫は多くを語らなかった。責任をもってお預りします、と言い、パリはいまいい季節ですよ、と言っただけだ。あとは片膝を立てた姿勢で、ゆるゆると、うまそうに酒をのんでいる。

「こういう烏賊は、向うにはないんです」

とか、

「いいなあ、この穴子、脂がのっていて」

とか、うっとりと言う。

パリ行きについて、さきは嫌がりはしなかった。保育園は？ と尋ね、おじいちゃんは？ と尋ねた。パパは？ と尋ねられなかったことに、茉莉は安堵《あんど》ではなく悲しみを覚える。すべてを胸に刻み込むには、さきは幼すぎるのだろうか。

「いい月だ」

声がして、見ると志津夫が窓辺に移動していた。障子をあけ、依然として片膝をついたまま外を見ている。桃色がかった月が輪郭をぼやかし、滲《にじ》むみたいに浮かんでいた。きれいな横顔の男だと、茉莉は思う。子供のように滑らかな肌をしているせいか、すこし、惣一郎に似ている。事故で夫を失ったことを告げたとき、志津夫は驚きではなく悲しみの表情をした。

「それであなたの感じが違ったんですね」

と、言った。悔やみの言葉ではなくて。

「パリに行ったら、御主人のことを話して下さい。すこしずつ、すこしずつ」

とてもそんなことはできそうにない、と茉莉は思ったが、同時に、そう言われたことでどこかがなぐさめられたように感じた。呼吸が楽になるみたいに。

かまわない。

何度目になるかわからないその言葉を、茉莉は胸の内でつぶやく。始は死んでしまった。それならば、もう何もかも、かまわない。


翌日は雨が降っていた。つめたい、細かい、夜になっても止《や》みそうにない雨だ。よかった、と、茉莉は思う。今夜、あたしはもうここにいないのだ。夜の雨は吐き気がする。事故以来ずっとだ。

「じゃあ、気をつけて」

新は言い、いつものように大学にでかけた。

「見送りに行くほどの長旅じゃないだろ」

そう言って、笑った。茉莉にはわかっている。茉莉が夜の雨を嫌いなように、新は空港が嫌いなのだ。喜代が行ってしまってから。

茉莉とさきの、荷物はとても少かった。必要なものは向うで買えばいいから、と志津夫に言われてはいたが、それにしても少い。大きめのボストンバッグ一つに、二人分の身のまわり品が収まっている。さきがどうしても持って行くと主張した、なわとびのなわまで。

灰色にけむるような雨のなか、空港に着いたタクシーから荷物をおろしながら、茉莉は淋しく苦笑する。あたしとさきの持っているものは、所詮《しょせん》これっぽっちなのだ。

さきは、犬のかたちの手提げ鞄《かばん》と、飴の袋を抱えている。飴は祖父江七に、「お餞別《せんべつ》」と言ってもらったものだ。「エッフェル塔にのぼらんといかんね」。去年と今年パリ旅行をしたという七は、さきの気をひきたてようと、そんなことを言った。「本場のフランスパンも食べてきいね。おいしいとよ。カフェででてくるけん」

放浪していた祖父江九が、いまはパリに落着いているという。九の働いている日本料理屋の名刺を、茉莉は七に持たされた。

会えるだろうか。

その店は、志津夫の住んでいる場所から近いのだろうか。「ごく普通のアパルトマン」だと志津夫は言った。「でも部屋は余ってるから、お二人で十分泊れます。もちろん、ホテルの方がよければホテルをとりますよ」と。

どんなところなのだろう。

志津夫に言われるままにパスポートを取っただけで、ガイドブックなども見ずにいた。何一つ調べずに、茉莉はいま娘を連れて飛行機に乗ろうとしているのだった。

「あ。センセイやん」

志津夫をみつけ、さきが言った。ゆうべ、料亭の主人や仲居さんが、志津夫をしきりに「先生」と呼んでいたのを、真似したらしい。

「おはよう」

志津夫はさきに微笑んで、

「先生じゃなく、シヅオ」

と言った。

「シヅオ」

従順に、さきはくり返す。ロビーは、人の動きが慌《あわただ》しい。ビジネスマンふうの人、学生、家族づれ、若い恋人同士。自分たちはそのどれでもないのだ。茉莉はふいに孤独になる。他人の目に、あたしたちは一体どう見えているのだろう。


フライトは快適だった。二度の離陸も二度の着陸も、茉莉は座席でさきと手をつないで、小さくて壁の厚い窓に顔をよせて見届けた。雨の福岡の滑走路と、その雨がじきに追いついてくるとわかる曇天の成田、そして、晴れて日ざしに満ち溢《あふ》れたパリの滑走路。

飛行機に乗っているあいだ、さきはほんとうに大人しくしていた。

「お話をして」

二度、そうせがんだが、それは退屈したせいではなく心細さのせいであるようだった。さきはあさに、いつもたくさんの「お話」をしてもらっていた。

「何のお話がいいと？」

あさがさきに語るのは土地に根ざした昔話で、幾つかは茉莉も知っていたが、ほとんどはあさに聞かせてもらうまで知らなかったものだ。あさのように細かいところまで語ることはできなかったが、さきに請われるまま、「雨傘ばばしゃま」と「竜になったうさぎ」の話をした。

自分でも驚いたが、うさぎの話をしながら、茉莉は泣きだす寸前だった。どうしてだか、たまらなく胸にしみた。動物が、助けてくれた人間に恩返しをするという、ありふれた昔話だったのに。

さきは飴をなめながら聞いていた。

ぱちゃぱちゃと、一斉にシートベルトをはずす音がして、茉莉は窓から顔を戻した。

「暑そうだな、これは」

通路に立った志津夫が言う。

「暑い？　まだ五月になったばかりなのに？」

福岡は肌寒かった。灰色にけむっていた。

「おいで」

促され、さきは茉莉の顔を見る。茉莉がうなずくと、座席からおりて志津夫と手をつないだ。一列になった乗客が、ゆっくり前に進み始める。

空港の建物に一歩入ると、茉莉は圧倒された。ひっきりなしに流れているフランス語、よそよそしい匂い、目も髪も色の薄い人たち、反対に、濃い人たち。エアコンがきいていて、それなのにみんな夏みたいな恰好をしている。

自分がこんな場所にいることが奇妙に思えた。志津夫とさきのうしろに、ぴったりついて歩きながら。

パスポートコントロール、荷物、税関、タクシー。

なにもかも簡単だった。喋る必要も、考える必要もない。たった一つの荷物さえ、志津夫がてきぱきとカートにのせた。

戸外はたしかに暑いほどの陽気だった。暑くて、まぶしい。

「ここ、パリなん？」

寝足りて腫《は》れぼったたい顔のさきが訊いた。

「あかるいったいね」

と言う。

「ほんとやね」

やわらかな色の日ざしだ、と、茉莉は思った。タクシーの運転手に、志津夫がフランス語で何か言った。運転手がこたえ、それを聞いた志津夫は笑っている。

「何て言ったと？」

さきに問われても教えてやることはできない。

「いいとよ」

それで、そう言った。

「ここでは絵をかいてもらうだけやっちゃけん、さきもママも、言葉とかわからんでもいいと」

「わからなくてもいいけど」

ドアをあけてくれながら、志津夫が言った。

「わかってもいい」

そして、さきと顔の高さが同じになるようにかがんで、ありがとうは、メルシーボークゥと言うのだと教えた。

「英語はできますか?」

助手席に乗り込み、ふり返って茉莉に訊く。

「いいえ」

きっぱりと茉莉はこたえた。志津夫はしたり顔でうなずき、

「それはよかった」

と言う。

「その方が、フランス語を憶えやすい」

茉莉は返事をしなかった。右車線を左ハンドルで運転するのはどんな感じか、想像し

ようとしていた。運転してみたいと思った。そして、パリのガソリンスタンドがどんなふうか、ぜひ見学しなくてはと考えていた。

8

正真正銘のお金持ちだ。

志津夫について、茉莉がそう確信するのに、さして時間はかからなかった。アパルトマン。志津夫がそう呼ぶ建物は、外観こそ質素であるものの、部屋はあきれるほど広く天井が高く、贅《ぜい》をこらした設《しつら》えになっていた。茉莉とさきに与えられた部屋は、そのなかでは小さなものだったが、豪華さはおなじだった。自分でも理解できない理由によって、茉莉はその豪華さに腹を立てた。見るものすべてにさきが目を瞠《みは》り、賢明にも言葉は発しないが言葉よりずっと雄弁に、驚愕《きょうがく》と賛嘆の表情を浮かべるのなどを見ると余計に、腹を立てた。そして、広いとか美しいとか趣味がいいとか、その種のほめ言葉は一切口にすまいと思ったりした。

とはいえ心の一部では、茉莉もさきに劣らず感銘を受けていた。世の中にこんな生活をしている人がいるとは、ほんとうには信じていなかった。あてがわれた部屋のなかでも殊更茉莉を感心させたのは、扉一つ隔てたところに専用のバスタブがあるということだった。バスタブと、洗面台。どちらも見るからに清潔で、紙に包まれたままの新しい石けんまで用意されていた。茉莉の考えでは、お風呂場というものは一つの家に一つだけあるもので、家族も客も、それを順番に使うのだ。だからこそ、茉莉は手早く入浴する習慣を身につけた。東京でも、柴田家でも。

「贅沢に慣れたらいかんとよ。ここにはちょっと泊っとうだけやっちゃけん」

機会をみつけては、茉莉はさきに言いきかせた。これもまた理屈に合わないことだったが、ここでの生活に馴染んでしまうことは、始と始の愛した生活に対する、冒瀆《ぼうとく》のように思えたのだ。

パリに着いてからの数日間、茉莉にはすることがなかった。茉莉の絵にとりかかる準備が、まだできていないのだと志津夫は言った。あなたがこんなに早く来てくれるとは思わなかったから、と。

「のんびりしていて下さい」

鷹揚《おうよう》に、志津夫は言った。

「観光でも、買物でも」

茉莉とさきの滞在は、志津夫に何の影響も与えていないようだった。早起きの志津夫は午前中に仕事をし、午後は外出するか、自室で眠るかしている。夕方になると客がやってきて、アパルトマンは深夜まで、何かのサロンのような様相を呈する。奇妙なことに、客たちは茉莉やさきを見ても驚いたり不審がったりしなかった。誰だか尋ねることもせず、外国人なら――客の半数は外国人だった――ごく自然な口調で「ボンソワール」と言い、日本人ならあっさりと会釈をしてすれちがう。まるで、茉莉の素性をすっかり知っているみたいに。

家事は、通いのメイドがすべて一人でこなしていた。

言われたとおり、茉莉は昼間、さきを連れてパリの街を歩いた。メトロにも乗ってみたし、緊張しながらカフェにも入ってみた。注文した物が運ばれると同時にお金を払う、というシステムがわかってからは、何の問題もなかった。さきは、「ジュ」(ジュース)、という単語を憶えた。

パリは美しい街だった。都会ではあってもなんとなく長閑《のどか》で、することもなくカフェや階段や柵に腰掛けていても、気づまりな感じがしない。

道端にいきなり回転木馬のあることも、茉莉とさきを驚かせた。散歩中の犬たちの行儀がいいことも、子供服屋とお菓子屋の多いことも。

「お馬に乗りたかあ」

回転木馬を見るたびにさきは言った。最初、それがあまりにも野ざらしで古びていて、壊れているのだろうと茉莉は思った。壊れて、放置されているのだろうと。

しかしそうではなかった。そばに小さなブースがあり、中に係員が坐っていた。さきはそれに乗った。心細そうに、一人で。

茉莉は立ってただ見ていた。物悲しい音楽にあわせて随分ながく回る木馬と、その一頭にまたがっているさきの姿を。そして、自分たちを残して死んでしまった姑を恋しく思った。

見て。

胸の内で、茉莉は姑に言った。

あなたの娘は、こんなところで回転木馬に乗っているのよ。自分でジュースを注文できるし、それが運ばれてくるとにっこりして、恥かしそうな小さい声で、メルシーボークゥって言ったりするのよ。

人は、なんてあっけなく死んでしまうものだろう。


一週間がすぎても、志津夫は絵をかき始めなかった。それでいて、一週間分の給金だと言って薄水色の封筒を寄越した。封筒にはお金の他に、住所を記した紙が入っていた。

「髪を切ってきて下さい」

にっこりして、志津夫は言った。夕方で、居間にはいつものように数人の客がいる。日本人男性が一人に白人男性が二人、それに日本人女性が一人だ。女性は目の周りを濃く黒く縁どる、変な化粧をしている。

「あした、十一時に予約をしてあります。そのあいだ、さきちゃんは僕がどこかに連れていくから。まあ、美術館だと思うけれども」

給金はフランスの紙幣で入っていた。二つ折りにして、無造作に。

「でも」

数えてみるまでもなく、一週間分にしては多すぎる額だとわかった。すくなくとも茉莉の良識に照らせば。

「でも、まだ仕事をしていないわ」

志津夫はじっと茉莉を見つめた。

「画家にインスピレーションを与えるのも、モデルの立派な仕事だ」

口調は穏やかだったが、表情のよみとれない顔をしていた。

窓から入る夕方の光が、床に金色の四角形をつくっている。そのとき、足のせ台つきの一人掛けソファから、グラスを持った手がにょっきり出た。茉莉の位置からは見えなかったが、客がもう一人いたらしい。

「ボンソワール」

手のあとで顔も出し、金髪碧眼《へきがん》のその若い男は、茉莉に視線をぶつけた。茉莉は会釈した。男がフランス語でさらに何か言ったが、志津夫は眉をひそめただけで、通訳も紹介もしてくれなかった。

「気にしなくていい」

日本語で、言った。

「もう部屋に戻った方がいいんじゃないかな。さきちゃんが不安がってるだろうし」

茉莉が不安になるのはこういうときだった。志津夫は、あれほど熱心に茉莉を招いておきながら、茉莉などいてもいなくても同じだという顔をしている。

「さきは大丈夫よ」

茉莉は言った。

「あのお部屋が気に入ってるの。さっきメイドさんがさくらんぼを持ってきてくれたし」

さくらんぼは小さな器に山盛りになっていた。幾つ食べていいかと訊かれ、茉莉は七つとこたえていた。

「すこし、話せないかしら」

訊きたいことがたくさんあった。パリに来て以来、茉莉は志津夫と碌《ろく》に顔を合わせてもいなかった。食事は一日に二度台所に用意されていたが、それはつねに茉莉とさきの二人分だった。夜は連日の来客で、そこに茉莉の居場所はない。

「話？」

志津夫は意外そうに訊き返して、

「もちろん話せますよ」

と、こたえた。

「でも今じゃなく、そうだな、あした、髪を切ったあとにしよう。僕とさきちゃんが美術館をみたあと、三時でどうだろう。地図をかくから、どこか静かなカフェで、待ち合わせをしましょう」

客の一人が何か冗談を言ったらしく、残りの四人が一斉に笑った。エミ、と呼ばれているらしい日本人女性は、嬌声といってていいような声をたてている。下品な笑い方だと茉莉は思った。

翌日、茉莉は志津夫に教えられたとおりメトロに乗り、教えられたとおりに歩いて目的地についた。そこは美容室ではなく、志津夫の友人である美容師の自宅で、アパルトマンという単語から茉莉の思い描くとおりの、ごく普通の住居だった。ひんやりして暗く、ややカビくさい入口、郵便受けの列と自転車、らせん階段とその中央のエレベーター。

呼び鈴を鳴らしてあったので、部屋に着くとすでに彼女がドアをあけて待っていてくれた。ボン、だけが響いて残りは口のなかに消えてしまうような発音で、びっくりするほど高く明るい声で、笑顔とともに、小柄な女。それがアンヌだった。

「ボンジュール」

と、言う。栗色の髪をあごのあたりでまっすぐに切り揃えた、赤いTシャツを着た小柄な女。それがアンヌだった。


部屋のなかはおそろしく散らかっていた。雑誌の山、衣服の山、床に直接ならべられた靴。家具らしい家具はなく、木箱をテーブルがわりにしているらしい。テラスに通じる扉窓が開け放たれ、白いさっぱりしたカーテンがはためいている。一目見て、感じのいい部屋だと茉莉は思った。


アンヌは、茉莉がフランス語を話せないとわかるとすぐに英語に切りかえた。自己紹介と思われることを口にしながら、コップにつめたいコーヒーを注いだ。

「ミルク?」

と、訊く。茉莉が首を横に振ると、片方のコップにだけ牛乳を入れた。茉莉は英語がそれほどわかるわけではなかったが、フランス語よりましだった。アンヌが自分を「メイクアップアーティスト」だと言ったことと、大丈夫だから寛《くつろ》いで、(というようなこと)をしきりに言っているのがわかった。

「サンキュー」

にっこりして、茉莉は言った。

「アイアムオーケイ」

大丈夫です、と、言ったつもりだった。髪がどうなろうと、かまわないの、と。

「オーケイ」

アンヌも言った。それから寝室と思われる奥の部屋に入り、丸い椅子と大きな鏡を相次いで運ぶ。アンヌはそれを、テラスにだした。

「ヒア？」

ここで切るの？　と、茉莉は訊いた。テラスを指さして。

「イエス。ゼア」

アンヌがうなずく。やはりテラスを指さして。

三十分後、茉莉は男の子のように短い髪になっていた。シャンプーもなし、カラーもなし、あっというまのことだった。ハサミとカミソリとバリカン、ヘアドライヤー、そして指。

「どう？」

鏡ごしに尋ねられた。茉莉には、鏡の中の自分の姿が他人のように見えた。こんなに短い髪にするのは生れてはじめてだった。こんなに短い、そしてこんなに新鮮な――。前髪もうなじも思いきり短く、不揃いで、軽い。パーマをかけたわけでもないのに、くしゃくしゃと空気を含んでいる。

アンヌは心配そうにしていた。茉莉は口ごもる。とてもすてきだわ、と、言いたかった。

「ベリー」

考えて、上手く思いつかず、

「グッド」

と、言った。アンヌは笑った。

「グーッド」

軽やかに、おなじ言葉が返った。

おもてにでると、まだ正午をまわったところだった。ビルのガラスに映る自分を、不思議なものを見るように茉莉は見つめる。水色のブラウスにグレイのスカート、短い髪。首が細すぎるように思えた。

始が見たら、何て言うだろう。

——似合うよ。

聞こえたのは、しかし惣一郎の声だった。茉莉は顔をしかめる。死んでしまってから、始は一度も現れてくれない。惣一郎のようには。

——おにいちゃんに訊いたんじゃないわ。

心の中で言った。

「いいお天気」

声にだして言い、茉莉は現実に立ち返ろうとする。並木道、木もれ日、知らない街。

さきは大人しくしているだろうか。志津夫と、何を話しているだろう。

日本料理店「徳川」は、シャンゼリゼの近くにあった。志津夫との約束にはまだ間があったので、思いついて来てみた。間口は狭いが立派な暖簾《のれん》のかかった店で、昼とはいえ、一人で入るのには気後《きおく》れがした。祖父江七が最初にパリを訪れたのは一年前だという。そのときにも、四カ月前にもう一度訪れたときにも、九はここで働いていた。

茉莉は小さく深呼吸する。それから、白木に磨ガラスのはまった新しげな戸を、思いきってあけた。

「いらっしゃい」

威勢のいい声に迎えられ、日本の鮨屋とおなじ匂いがした。店内は勤め人ふうの日本人で混雑しており、右手のテーブルには観光客ふうの女性四人組が坐っている。

立ったまま九を探した。

「どうぞ」

奥のカウンターから、板前が言った。

初老の男性の坐っているテーブルの横に、九はいた。丼とお椀《わん》の載った折敷《おしき》を置き、客のはずした器の蓋を受けとっている。横顔ですぐにわかった。以前とちがって日に灼けた皮膚、それに切るように悲しげな目をしていたにもかかわらず――。

それはまぎれもなく祖父江九だった。がっしりした頤《あご》の線も、ちりちりに縮れた、黒く豊かな髪も変っていない。

凝視されていることを感じとったみたいに、九が顔を入口に向けた。無表情が、驚きのそれに変った。茉莉は、自分でもそれと気づかないうちに微笑んだようだった。

「こんにちは」

届くとは思えない小声で、茉莉は言った。白いうわっぱりを着た九は、丼とお椀の蓋を手に持ったままやってきて、

「茉莉?」

と訊いた。疑っていないことはあきらかなのに、まるで疑っているみたいな口調で。

「どうしたの?　一人?　いつこっちに来たの?」

矢つぎ早に質問をする。それでいて茉莉がこたえるのを待たず、先に立ってカウンターに歩いた。

「どうぞ。ここでいいかな」

茉莉はうなずいて坐った。

「九ちゃんがここにいるからって、おばちゃんが教えてくれて」

「九のお友達?」

カウンターの中の板前は訊き、おしぼりの袋をぽんと音高くやぶくと茉莉にさしだし

て、

「ようこそ」

と、言った。茉莉はすでに、いきなりやってきたことを後悔し始めていた。この店の家族的な雰囲気に、自分がそぐわない気がした。自分の知らない九の生活に、無遠慮に踏み込んだような気もした。

九は忙しそうだった。カウンターには他にも客がいて、ランチタイム特有の喧噪があった。そして、それでも九は気遣わしげにたびたび茉莉の席に来て、「サービス」と言って煮物の小鉢を置いてくれたりした。茉莉は鮨をつまみながら、九に尋ねられるままぽつぽつと、青山志津夫という画家のモデルをしに来ていること、パリにはせいぜい二、三カ月しかいられないこと、このあと約束があって、たまたま時間があいたので来てみたことなどを話した。さきと二人旅であることも。

「娘さん、幾つになったんだっけ」

ことし四つ、と、茉莉はこたえた。九はやさしげに微笑み、

「四つか」

と言った。

「四つのころの茉莉ちゃんを、すごくよく憶えてるよ」

あいかわらずだ、と茉莉は思った。衒《てら》いのない物言いも、まっすぐな視線も。

「あの、旦那さんのこと母さんから聞いたよ。何て言ったらいいか」

何も言わずに微笑んでみせたのは、茉莉の方でも何を言っていいのかわからなかったからだ。

「九ちゃんは？」

茉莉は訊いた。

「男の子が生れたって、おばちゃんに聞いたけど」

ふいに表情が翳《かげ》った。

「うん。去年ね。十月に、生れた」

曖昧《あいまい》な微笑みを浮かべる。九の放つ気配の何かが、茉莉の胸をきしませた。

「おじさんは？　どうしてる？」

話題を変えた九の顔を、探るように茉莉は見つめた。見つめても、九は表情を変えなかった。

「元気よ」

他にどうしようもなくて、茉莉は言った。

「年をとったけど、まだ毎日大学に行ってる。来年定年なの」

新は九をかわいがっていた。子供も生れ、外国でちゃんと働いている九を見たら、きっと誇らしく思うだろう。仕事もなく、夫と死別し、婚家から戻ってきた娘を持っているとなればなおさら。

「ごちそうさま」

茉莉は言い、立ち上がった。

「おいしかったわ。九ちゃんに会えてよかった」

戸口まで、九は見送りに来てくれた。

「パリはきれいね」

戸をあけて、茉莉は言った。

「きれいで、まぶしくて、暑い」

九は微笑む。

「ここのところ天気がいいから」

うしろにいる九の微笑んだことが、なぜ自分にわかったのか茉莉は不思議だった。不思議だったが、たしかにわかった。

「どこに泊ってるの？」

尋ねられ、茉莉は左の方を指さした。

「向うよ。住所は憶えてないの。三階だてのアパルトマンの、三階。その画家の家なの。リュクサンブール公園の近くで、パン屋さんの近く」

「通りの名前も憶えてないの？」

おどろいたように九は訊き、しかしすぐにくつくつと、可笑しそうに笑った。

「変らないなあ」

「平気よ。来られたんだもの、ちゃんと帰れる」

茉莉は言い、空気を深く吸った。たぶん、ちょうどいい時間にそのカフェに着くはずだ。途中で多少迷っても大丈夫。さきと志津夫は待っていてくれるだろう。

9

セーヌ川ぞいに、そのカフェはあった。道路がそのままのびたように渡された橋の、まさに袂《たもと》に。不思議だ、と、茉莉は思う。人も車も店もぎっしりの都会なのに、東京みたいにごみごみはしていない。切ったばかりの髪を川風になぶられながら、いい街だ、と、すんなりと認めた。九の住んでいる街。すこしだけ博多に似ている気がするのは、大きな川のあるせいだとしても。

さきと志津夫は、テラスのテーブルについていた。茉莉を見て、さきは表情を硬くした。

「へんな頭」

消え入りそうな声で言う。

「トレ・ビアン、だろ？」

仲間内だけで通じる会話をするように、志津夫がさきに囁くと、さきはさま変りした母親をじっとにらんだあと、

「トレ・ビアンやない」

と、結論した。

「新しい言葉を憶えたと？」

椅子にすわり、にっこりして茉莉は尋ねる。さきはそれにはこたえずに、ただ、

「ぜんぜん、トレ・ビアンやないもん」

と、くり返した。

「ザッキンに行ったんだ」

片手を上げ、ウェイターの注意をひきながら志津夫が言う。

「ザッキンで何を観たか、ママに教えてあげたら？」

ついさっきとおなじ、仲間同士みたいな口調でさきを促した。茉莉の髪に余程腹を立てているらしく、さきは何も言わない。やってきたウェイターに、茉莉はコーヒーを注文した。

「シヅオが言えばいいやん」

さきが口をとがらせて言い、茉莉は混乱する。ザッキンというのが何であるかはどう

でもよかった。たとえばいまここにいるウェイターは、自分たち三人を仲のいい家族だと思っているに違いない。その想像に、茉莉は動揺した。たった半日で、さきは志津夫にうち解けてしまった。

「スキュルチュール《彫刻》」

しぶしぶ、それでいてはにかんだように、うつむいてさきは発音した。

「ザッキンはロシア出身の彫刻家です。もともと彼のアトリエだった場所だから、規模は小さいけどいい美術館ですよ。あなたも行ってみるといい。僕はあそこの庭が好きでね」

志津夫の説明に、茉莉は半分しか耳を傾けていなかった。セーヌの川面に、午後の日が砕けてちらちらと輝く。

「トレ・ビアンとパ・マルを使い分けながら、さきちゃんは立派に美術鑑賞しましたよ。今度はマイヨールでデートする約束をした」

目を細め、志津夫は続けた。白い、薄い素材のシャツに、ストライプのパンツ、煙草をはさんだ指は長く、繊細なかたちをしている。

「あたしたち、どのくらいここにいるんでしょう」

茉莉が尋ねたのは、運ばれたコーヒーを、おおかたのみ終ってからだった。

「ここで、何をしているのかしら」

質問というより呟きに近かった。

「つまり、こんなの変だと思うんです。ホテルみたいに豪華なお部屋とか、ぶらぶらしている毎日とか」

微笑を浮かべ、志津夫は愉快そうにただ黙って話を聞いている。退屈したらしいさきは、紙ナプキンで折り紙を始めた。

「アンヌは、感じのいい子だったでしょう?」

志津夫は穏やかに言った。

「よく似合いますよ、その髪」

はぐらかされまいとして、茉莉は志津夫をじっとにらんだ。

「今夜、友人たちにあなたを紹介します。つきあってくれるでしょう。御存知のとおり気軽な集りですから」

口調のやわらかさとは裏腹に、そこには有無を言わせない響きがあった。

「それも仕事の一部ですか?」

かたい声がでた。志津夫は軽くおどろいた顔をしたが、
と言う。

「そう考えて下さい」

「あしたから、午前中にモデルをしてもらいます。七時にアトリエで」

話は終りだとばかりに立ち上がった志津夫に、茉莉はもう一つ質問をした。パリに来て以来ずっと、気にかかっていることだった。

「この街に、ガソリンスタンドはないの？」

一瞬の沈黙のあとで、志津夫は朗《ほが》らかに笑った。


「満足しましたか」

一時間後、三人はタクシーのなかにいた。三軒のガソリンスタンドを、見学したあとだった。

「ええ」

こたえたが、もっと見たいと、茉莉は思っていた。あしたも、午後はまたタクシーに乗って、ガソリンスタンド――フランス語で、ポスト・デサンス――に行こうと考える。

「すばらしかったわ」

自分でも、こうまでとは予期していなかった胸の高鳴りを、どう表現していいかわからず、そう呟いた。

「おんなじ匂いのした」

博多弁が出たことにも気づかなかった。我ながら短絡的だとは思ったが、そこで働いている人たちは、みんな知り合いのように思えた。危険物を恐れげもなく、的確に扱う人々。きびきびした動作、作業服、油で汚れた力強い手。年配の店員は藤原さんを、年若い店員は小田くんを思いださせた。どの店でも、茉莉は思わず視線をさまよわせた。いまにも始が姿を現しそうな気がした。

――やっと見つけてくれたやん。

そう言って、日に灼けた顔をほころばせるのだ。

実際、建物や外壁の色こそシンプルで、炎みたいな赤の多い日本のそれとは趣が違っていたが、置いてある機械や売店の中はほぼ同じで、茉莉自身、すぐにも働けそうだった。

ただし、訪れた三軒の店のうち、二軒がセルフ式のシステムを導入しており、のちに日本でも珍しくなくなるこのシステムに、茉莉は心底新鮮味を覚えた。

「お客さんが自分でガソリンを入れるなんて、考えたこともなかった。入れ逃げする人とか、いないのかしら」

呟いた茉莉を、隣で志津夫が可笑しそうに見ていた。

「お金が先だから。まずお金を払って、その分だけガソリンを入れる」

「でも微調整は？　あれは絶対微調整が要るのよ」

茉莉は自信を持って異を唱える。志津夫は首をすくめ、

「ジュ・ヌ・セ・パ《知るはずないだろ》」

と、言った。

翌日から、茉莉の生活は規則正しくなり、かつ、ひどく忙しくなった。午前中はアトリエでモデルの仕事をし、夕方から居間で酒につきあう。そこには雑多な人々が集り、雑多な酒——ワインが主ではあったが、ウォッカや日本酒、ウゾーと呼ばれる癖のある液体や、ブランデー、グラッパなどが、そのときによって大量に運び込まれる——、葉巻、紙巻が、音楽と共に果てしなく消費されていく。

エミ、タケオ、ユキノリ、クロード、シドニー、リュシアン、フィリップ。姓抜きの名前だけで存在しているような男たちと女たちのなかで、茉莉とさきも、やはり姓を持たない存在——家族も、過去も持たない存在——としてここにいるようだった。

「びっくりすることばっかり」

茉莉が言うと、志津夫はごくあたりまえの顔で、

「それは、あなたがいままでとても狭い場所でしか物を見てこなかっただけのことです」

とこたえた。

「たとえば逆に、彼らをあなたの家に連れて行ってごらんなさい。びっくりすることばかり、と言うだろうな、みんな」

そうなのだろう、と、茉莉は思う。ここにいる人たちにとって、他人の家に自由に出入りすることや、高価な酒をのみ、だらだらとおしゃべりをし、嬌声を上げたり不埒《ふらち》な行為におよんだり、時に口論をしたりすることは、趣味というより日常であるらしいのだから。

彼らの多くは芸術家であり、それでいてその芸術――絵画であれ、映画であれ――では十分な収入を得られていないようだった。伝統的な方法で経済を安定させた人間――遺産相続者――と留学生、アルバイトで凌いでいるらしい人間、そして、日々を凌ぐことにもはや興味を持っていないらしい人間がいた。

変り種はたとえばフィリップで、彼は四つの職業――ギャルソンと、マイクロバスの運転手、土木関連書物および書類の翻訳家、それに何と、靴磨き！――を持っていた。多忙なので、サロンには滅多に顔を出さないが、現れるときにはつねにヴァイオリンを携えて、陽気な曲ばかりすらすらと弾いた。

すると、必ず数人が踊りだした。グラスを手に持ったまま、てんでに、出鱈目に。それは茉莉の気に入った。踊ることは、茉莉にもできることだった。あちこちから手拍子があがり、ついでに奇声や笑い声もあがる。誰かが茉莉に身体をぶつけ、手をつかんで無理矢理タンゴのようにひき回すこともあった。

ひき回されても茉莉は平気だった。上体を反《そ》らし、足が相手の足に遅れないようにしさえすれば――相手に十分な技術と腕力があればということだが――音楽の波に身をまかせられることがすぐにわかった。それは愉快なことだった。愉快で、うっとりするほど気持ちのいいことだった。身の内に、ある種の活力が灯るのを感じながら、促されるたびに、茉莉は臆せず踊った。そこでのいちばんの踊り手であるエミ――かつてグラン・カバレで踊っていたことがある――と茉莉が、揃って踊ると部屋中から歓声があがった。エミの踊りは官能的だが正確で美しく、踊っているときだけこの人はきれいだ、と、茉莉は思った。

滞在中、何度でも茉莉を驚かせたのが、客の集るその部屋の、昼と夜の表情の違いだった。昼間、そこは隅々まで白っぽく日ざしが溢れ、眠っているように静かで、パリのアパルトマンというよりどこか田舎の、豪奢《ごうしゃ》な別荘という風情だ。年代物の家具も絨《じゅう》緞《たん》も、埃くさく退屈に見える。

ゆうべの騒ぎは全部幻だったみたいだ。

真昼の部屋のなかで、茉莉はきまってそう考える。しかし夜になれば、いつのまにか客が集り、部屋のなかは絨緞の赤が際立ち、酒と葉巻と香水、紙巻煙草とその他何だかよくわからないものの匂いや煙や猥雑《わいざつ》さを抱いて、夜の闇のなかに、賑やかに閉ざされて浮かび上がるのだった。

志津夫のアトリエは、おなじアパルトマンにありながら、他の部屋とはまるで趣が違っていた。清潔で、壁がやけに白く、しんとした匂いがする。そこに流れる時間も異質だった。

「静寂に慣れて下さい。恐いことは何もないから。亡くなった御主人のこととか、母上の庭のこととか、何かなつかしいことを考えて、平らかな心持ちで坐っていて下さい」

茉莉が初めてそこに足を踏み入れた日、志津夫はそう言った。一つだけ置かれた木製の椅子に、茉莉は腰掛けた。志津夫は鉛筆で、スケッチブックにデッサンを始めた。特別なポーズをとらされることはなかった。両手を膝に置き、ただ坐っていた。何枚も何枚も、志津夫は鉛筆でデッサンをしていた。くる日もくる日も、ひたすら。

それはもう圧倒的な静けさだった。この静寂に「慣れる」ことなどとてもできない。茉莉は思い、そう口にさえした。声をだしても、静寂は破られるどころか緊迫度を増した。濃く、ゆるやかに。これまでに茉莉が経験したことのない類の、まっさらな静けさだった。まるで、アトリエに、もう一人誰かがいるみたいな。

椅子ごと横を向いて下さい、とか、疲れたら言って下さい、とか、簡潔な指示をだすときを除くと、鉛筆を握っているあいだ、志津夫は口をひらかない。

高い位置に切られたガラス窓から、日の光だけがさし込む。

午前中だけでいいなんて楽ちんな仕事だ。そんなふうに考えていた茉莉は、自分の愚かさに呆れる。休憩をはさんで四時間から五時間じっとして画家の視線にさらされる、というのは苦行だった。茉莉自身にも理由はわからなかったが、裸で放置されているような気持ちになった。

休憩をとるとき、志津夫は必ず自分でお茶をいれた。緑茶か、乾いた草のような匂いのするハーブティで、どちらの場合も、茶碗ではなくガラスのコップに入っていた。

「御主人がどんな方だったか話して下さい」

湯気の立つお茶をのみながら、志津夫はそんなことを言った。どこそこの美術館で何とかいう展覧会をやっているから観に行くといい、と教えてくれることもあれば、御両親について話して下さい、と言うこともあった。

「母上はほんとうにイギリスにおられると思いますか」

不躾とも思えるそんな質問も、志津夫は穏やかに愉《たの》しそうに口にだした。

「さあ」

喜代に関してだけ、茉莉は返答につまる。いま自分のいる場所とイギリスとは同じヨーロッパであるのに——そして、たとえば志津夫にとってはたびたび往き来した場所かもしれない近さだとしても——、茉莉にとっては依然として、イギリスなどという国は現実には存在しないほど、遠いどこかだった。

この静かなアトリエで、ガラスのコップを手に志津夫と話している限り、日本もまた、現実には存在しないほど遠い場所であるように、茉莉には思えた。

志津夫のモデルになりたがっている人間が、ここフランスにはいくらでもいる、ということを、茉莉はタケオに教わった。タケオは画学生で、みすぼらしい服装をした、痩せた若者だった。パリに来て六年たつという。

「青山さんが日本からモデルを連れてくるって聞いて、みんな結構色めきたった」

不健康に浅黒い肌に、鑿《のみ》で抉《えぐ》ったように鋭い目をしている、という印象を茉莉が持っていたタケオは、思いがけずやさしい声をしていた。

「とくにエミやシドニーは、期待っていうか、不安っていうか、ともかく色めきたってた」

茉莉はつい笑みをこぼす。色めきたつという言葉が可笑しく、ばかばかしく思えたのだ。手にした赤ワインを啜る。深夜で、客たちはいい加減酔っ払っている。

「だって彼は気まぐれでも酔狂でもないから、連れてくるって言ったら絶対に連れてくるし、それには何か意味があるってみんなわかってるから」

タケオは言い、欧米人みたいに自然な様子で肩をすくめた。

「でも茉莉がこんな感じでよかった。みんなもそう思ってるんじゃないかな。この場所にすぐなじんだし、のむし、踊るし」

茉莉は苦笑する。だって、それしか得意なことはないもの。胸の内で言った。

「彼、独身なの？」

興味がありながら本人に尋ねられずにいたことを、茉莉はタケオに訊いてみた。

「まさか」

タケオは目をまるくした。

「奥さんに、会ったことないの？」

志津夫の妻は、パッシーにある本宅に、恋人と共に住んでいるのだとタケオは言った。

サロンに集まる客たちを、茉莉は二種類に分けていた。騒々しいほうと、大人しいほう。タケオは後者だった。後者には他にアンヌもいた。アンヌはしばしば顔をだしたが、ひっそりと酒をのみ、何かつまんで、大人しい日本人画学生たちと談笑していた。


七月になると、パリは雨が続いた。一日中降ることは少く、湿気を含んだ曇り空から、音もなくこまかい雨が、いつのまにか降り、いつのまにか止み、夕方になると涼しくなる、そんな天候だった。

プリュイ《雨》。その単語を、茉莉はさきに教わった。アトリエでモデルの仕事をしているあいだ、誰かにさきと遊んでいてもらおう、という志津夫の提案で、茉莉の目にはまるで子供のように見える若い娘——聡明な、いい子ですよと志津夫が請け合った、十九歳のリジー――が毎日やってきていて、時折フランス語を教えてくれているのだった。

「リジーとなわとびをしたとよ」

午後、茉莉の顔を見ると、さきは報告する。

「フランス語で十まで数えながら跳んだと」

サロンの客たちもまた、食堂や廊下で顔を合わせると、さきをかわいがってくれた。

「マドモワゼル！」

たびたびそう声をかけられ、あるとき勇敢にもおなじ言葉を返して、笑われてむくれた娘を見て、茉莉は安堵の微笑を浮かべた。すくなくとも、ここでの生活は、さきを苦しめてはいないらしい。

「パリが好いとうと？」

尋ねれば、さきはこっくりとうなずく。うす黄色の壁紙、黄色と白のストライプのカーテン。茉莉とさきに与えられた、日本にいるときには想像もできなかったほど、贅沢で可憐《かれん》な部屋のなかで。

10

午後、さきと共に一、二時間昼寝をすることが、茉莉の日課になった。朝早くからモデルの仕事をし、夜遅く、ときには明け方近くまでサロンの客と酒をのむ生活のなかで、実際、昼寝は必要なことだった。さきのぽってりした手足や、シャンプーの匂いの残るやわらかな髪と熱い頭、唇のうしろに隠れている、おどろくほど小さくかわいらしい歯、を、間近で眺めたり触って確かめたりする幸福な時間でもあった。

昼寝からさめるのは、きまって暑さのせいだ。茉莉はエアコンをつけて眠ることはしない。じっとりと汗ばみ、半分眠ったまま隣にさきの重みと体温を感じ、窓から入る夕方の風に、カーテンがわずかに動くのを見る。志津夫も昼寝を日課にしているので、午後遅い時間のアパルトマンは、死んだように静かだ。

自分が毎日昼寝をすることになるとは、茉莉は思ってもみなかった。柴田家では、祖母も両親も姑も茉莉も、朝から晩まで働いていた。それが当然だと思っていたし、そのことを誇りにも思っていた。愛する人の家族と、一緒に働くということ。

窓の外はまだあかるいのに部屋のなかは薄暗い。睡眠の余波で空気が甘美な気怠さを帯びている、青山志津夫のアパルトマンの一室で、茉莉はぼんやり考える。ここでの生活を、姑はおそらく好きにならないだろう。

のどが渇いている。台所に行ってジン・トニックをつくった。台所は、いつでも好きなときに使ってかまわないと言われている。昼寝のあとのジン・トニックが、茉莉は好きになっていた。台所の床はつめたい。この家のなかを裸足《はだし》で歩きまわるのは茉莉とさきだけだ。室内でも靴をはいて暮すという習慣に、茉莉は馴染むことができない。立ったまま飲み物を啜り、アルコールが脳にじんわりとしみて、元気を取り戻させてくれるのを待った。

——無理につきあう必要はないんですよ。

一度、志津夫にそう言われた。

——こいつらはどのみち宵っ張りで、交代でやってくるから疲れ知らずだけど。

志津夫はおもしろがっているようだった。言葉もできないのに皆のなかにいて、踊ったり笑ったりしている茉莉のことを。

夜半近くに、サロンからさらに別の場所にくりだすこともあった。「火の粉」という名前のラム酒バーに連れて行ってくれたのはシドニーだったし、「ちょっととんがった若い子が集る」というクラブには、アンヌの先導で、日本人留学生たちとでかけた。そのクラブはひたすら暗く、椅子がプラスティックでできていて、ピンクと青のネオン管が発光していた。けたたましく音楽が鳴り、人口密度の高さにもかかわらず寒いほどエアコンがきいており、みんな、ビールを壜ごと持って飲んでいた。

留学生たちは、茉莉の目に一様に幼く、似かよって見えた。なかには七年もパリにいるという人間もいたし、フランスで生れ、いったん日本に帰国したが、またパリに戻ってきたという人間もいた。彼らは流暢《りゅうちょう》なフランス語を話した。それぞれに恋人やら友人やらがいて、この土地で孤立する理由はないように見えたが、孤立していた。それは彼らの言葉のはしばしから窺《うかが》えた。そして、茉莉と彼らとのあいだには、あきらかに隔たりがあった。なんといっても、茉莉は青山志津夫の連れてきた「ミューズ」であり、請われて短期間滞在している客にすぎない。帰る家があり、娘がいて、死んだ夫もいる。浮遊しているような自分たち——そこに、孤独よりもむしろ頑《かたく》なな意志とプライドがにじみでていると茉莉は思うのだが——とは、住む世界が違うのだ、と、彼らは思っているようだった。

でも、ほんとうにそうだろうか。ブムブムというベース音の目立つ大音響のレゲエにあわせて身体を揺らしながら、茉莉は考えてしまった。彼らの持っていない一体何を、あたしが持っているというのだろう。エアコンのききすぎたその店のダンスフロアは、セルロイドの人形を思わせる、甘く人工的な匂いがしていた。

「シドニーとは、気が合うみたいだね」

志津夫が言った。朝。アトリエは静かで、茉莉はいつものように膝に両手を置き、椅子にすわっている。

「ウィ」

こたえると、志津夫は笑った。

「不思議なひとだな」

と言う。

「休憩にしましょう」

志津夫が言い、茉莉は立ち上がってサイドテーブルのあるところへ行き、伏せてあるガラスのコップを二つ、上向きに置き直した。茉莉に手伝えるのはそこまでだ。お茶は、緑茶であれハーブティであれ、志津夫が自分でいれることになっている。

「あなたは物怖《ものお》じしない。何一つ拒まない。それは驚くべきことだ。美質ですよ」

茉莉は首を傾《かし》げた。

「そうかしら」

頭のなかで警鐘が鳴った。ほめ言葉は鵜呑《うのみ》にしてはいけない。

「シドニーは、おもしろいの」

注意深く、事実だけを言った。客のなかで最高齢のシドニーは、一見陰鬱《いんうつ》な気難し屋だ。眉毛が長く、目の下に袋状のしわがあるために、余計恐い印象を与える。しかし彼は愉しんでいるのだ。引退した大学教授であり、若い愛人をつくって妻に逃げられ、あげくに愛人にも捨てられた、悲観論者の皮肉屋という役どころを。

「ときどきおもしろいことを言うでしょ。短く、適切に」

「英語で」

志津夫がつけたした。

「つまり彼は、あなたに向けて発言しているってわけだ」

黙ったのは、考えてもみないことだったからだ。

「あたしにも、わかるように言ってくれるだけだわ」

茉莉は言った。実際、それはシドニーだけではなかった。ヴァイオリン弾きのフィリップも、金髪娘のリュシアンも、茉莉がそばにいるときには英語を使ってくれる。もちろんアンヌもだ。頑なにフランス語を話し、敵意さえ感じさせる表情で茉莉を見る人間もいるにはいるが、彼らにどう思われていようが構わなかった。

いっちょん平気やもん。

胸の内で、言ってみる。チョウゼンとするんだ。茉莉は賢いんだから。ここ、パリでも、茉莉は依然として惣一郎の言葉に護られている。もう護ってくれなくていい、と思いたいのに、事実、護られていた。

「いいなあ。その表情のあなたを描きたいんだけどなあ」

ゆったりと微笑んで、志津夫は言うのだった。

夏。心ならずも、茉莉はパリでの生活を愉しんでいた。あまり好きではないと思っていたモデルの仕事も、日を追うごとに好きになった。静寂は、無理に埋めようとさえしなければ茉莉にやさしかった。気詰まりで居心地が悪い、と思っていた画家の視線も、彼の集中力が注がれている先はスケッチブックのみであり、茉莉はその時点での彼にとって、柱や窓同様ただそこにある物体にすぎない、と、気づいた途端に楽になった。いまや、茉莉には画家を観察する余裕さえある。鉛筆を握った志津夫の手の動き、そこにいるのにいないような表情、端正な横顔、身体というより動作から、発散している圧倒的な静けさとエネルギー。

空気中の微細な埃まで目に見える、あの朝の光とアトリエの匂い。画家そのものみたいなその部屋のなかで、茉莉は幸福な身軽さを感じる。肉体を持たない、魂だけの存在になった気がする。

夜になると青いランプの灯るエッフェル塔、仕事も悩みもないみたいな顔で、遅くまでカフェで寛いでいる人々。真昼の日ざしにさざ波をきらめかせつつ、ゆるやかに流れていくセーヌ、いくつもの古い橋、グラン・パレの丸屋根。変色した絵葉書を、どう考えても干しているとしか思えない屋台、地下鉄にいる辻音楽師。美しい街だと認めないわけにいかない。歩くだけでのびのびし、「ジュ」を自分で注文するさきの笑顔がそばにあれば、このままここに住みついてしまいたいくらい居心地のいい街だ。

そんなふうに思うとき、自分が始を裏切っているような気持ちに茉莉はなる。日本のあちこちを放浪し、博多をこの世でいちばんすばらしい土地だと断言した始。博多以外の土地で、死んでもラーメンを食べん男。茉莉は微笑む。俺はどこへも行かないと言った。茉莉がいるから、家族がいるから、どこへも行かれないと言った。

逃げるようにここへ来てしまった。相続、借金、スタンドの閉鎖、そして引越し。茉莉には手のだしようのない現実から、でも逃げるようにここへ来てしまった。あさはどうしているだろう。


サロンの客の他に、この街で、茉莉には一人顔見知りができた。かなりさびれた中華デリで働く、中国人女性のメイだ。メイは大柄で無愛想で、丁寧とは言いかねるフランス語と英語を話す。店頭の蒸籠《せいろ》からあがる蒸気につられて、茉莉は一人で立ち寄った。テイクアウト用の点心が中心の、ファストフード屋風の店の奥には、しかしテーブル席がいくつかあって、温かい麵《めん》や粥《かゆ》も食べられる。

「トゥヒア《ここで》　オア　トゥゴー《食べるの》？」

低い声で、かみつくように訊かれた。

「ヒア《ここで》」

こたえて揚菓子を買ったあとで、テーブルが空いていないことに気づいた。仕方なくレジの横につっ立って食べていると、緑色の丸椅子がでてきた。メイはそれを、にこりともせずに床に置いた。

「アーユーア　ビジタ？」《旅行者なの》

二度目に行ったとき、怪訝そうにそう訊かれた。観光客なのに随分長くいるのね。そう言われたのだとわかった。

「イエス」

茉莉はただそうこたえて、奥のテーブルにつき、温かい麵を注文した。

二度とも、真昼だった。リジーがさきを、戸外授業だのデジュネ・ピクニック（ピクニックランチ）だのに連れだしてくれるので、アトリエでの仕事のあと、茉莉には一人の時間ができる。茉莉は街をぶらつき、メイの店で軽食をとる。ほんの二、三十分だが、そこにいると気持ちが落着いた。壁にとりつけられた扇風機や、ゴマ油の匂いが懐しさを喚起する。志津夫や志津夫の客たちが、連れていってくれる華やかな場所とは、ちがうパリの匂いだと思った。ぽつぽつと言葉をかわすうち、メイがただ無愛想なだけで、意地悪なわけでも怒っているわけでもないこともわかった。年齢を訊くと二十六というこたえで、四十くらいだろうと思っていた茉莉は驚いた。そういえば、メイはふいにはにかんだ、少女じみた笑い方をすることがある。

「ユーワーク　ソーハード」《働き者なのね》

たとえば茉莉が、そう声をかけたときに。

ビールのネオンサインを出して、そこは深夜一時まで営業しており、茉莉はフィリップやアンヌを連れて、夜中に温かい食べ物をお腹に入れに、顔をだしたりもした。

「ハイ」

短くかわされる茉莉とメイの挨拶は、もうかみつくようでもぶっきらぼうでもない。茉莉は志津夫を連れてきたいと思っている。志津夫の食生活は、高価なものに偏りすぎている。

「僕は遠慮しておく」

たびたび誘っても、志津夫は笑ってとりあわないのだったが。


茉莉の前を歩くさきは、志津夫と手をつないでいる。パリに来てから茉莉が買った、水色のスモックドレスを着ている。胸元は刺繍で縫い縮められ、ウエストから裾にむけてたっぷりのギャザーがよせられている。

土曜日。早朝にざっと降ってあがった雨のせいで、舗道はまだ濡れている。モンパルナスの朝市は、週に二日だけ開かれるのだという。志津夫の提案で、アトリエでの仕事を休みにし、茉莉はいま三人でそこに来ている。エドガー・キネ通り。それが通りの名前らしかった。

「シヅオ！」

さきはときどき声をあげ、小さな手で何か指さす。それは積み上げられた蟹《かに》であったり、一匹まるごと横たわったサメであったり、陳列台からこぼれおちんばかりに大量のブドウであったりする。

人、人、人。茉莉は目をまるくする。気をつけて追わないと、娘からはぐれそうだ。見たこともない野菜、果物、見たこともないほど大量に、なにもかもがある。いろいろな匂い。売る人の大声、買う人の雑多な声。

「家具なんかもあるにはあるんだけど、ここはやっぱり生鮮食品類がね、豊富だね、昔から」

ふり向いて言った志津夫に、

「豊富なんてものじゃないわ」

と、茉莉は返した。

「それにすごく安い」

一フラン二十二円として、といちいち計算する茉莉に、志津夫は淡々とした口調で、

「じゃがいもやパン、油なんかは法律で価格が管理されていてね」

と、説明した。日ざしであたためられ、濡れた地面から、むわりとした匂いと熱気が立ちのぼる。

「シヅオ、見て！」

さきが指さしたのは花屋だった。ばさりばさりと音をたてそうな、一抱えではすまな

い大きさの花の束が、台の上に幾つも無造作に積まれている。濃い青の花の束が滲んだ。ふいに、始に会いたいと思った。ここに、始とさきの三人でいるのだったらどんなによかっただろう。パパ、見て！　さきが、いまそう言ったのだったら——。

一本だけ地面に落ちて、茎の折れている青い花を拾い、志津夫が店の女性に何事か言った。

「oui, oui《ウイ　ウイ》」

女性は笑顔でこたえ、持っていけというように、手の甲で何か追い払うような仕草をした。茎をちぎり、志津夫は短くなった花をさきの髪にさした。

「かわいいわ」

湿った声で言い、茉莉は急いで笑顔をつくる。さきは花にはほとんど注意を払わず、不審げに茉莉を見ていた。

カフェ「ル・セレクト」は、朝市の続きみたいに混雑していた。カウンターの近くで立ったままコーヒーを啜る男や女、あちこちでかわされる抱擁や握手、テーブルに楽譜をひろげ、ギターを手に作曲しているらしい男。それでも奥のほうの席はあいていて、三人は腰をおろした。随分歴史のありそうな店だ。

「朝市、おもしろかったわ」

志津夫の心証をよくしたくて、茉莉は言った。

「お買物ができない旅人の疎外感も味わったけど」

冗談めかせてつけたしてみる。自分がこれから言おうとしていることの、重大さを思うと緊張した。

「あたしたちは来月日本に帰るでしょ」

運ばれてきたコーヒーをかきまぜながら、茉莉は言った。

「こっちではほんとうにお世話になって、あたしもさきも、なにもかもに、すごく感謝してるの。いろんな人に会えたし、なんていうか、のびのびした」

考え考え話すので、ぎくしゃくした言葉つきになった。志津夫は煙草に火をつけて、おもしろそうに聞いている。

「でも、あたしたちはここに住んでいるわけじゃないし、じきに帰らなきゃならない」

茉莉は息をすった。

「ガソリンスタンドを、手放したくないの」

沈黙ができた。さきは、大人たちの会話は自分には関係のないことだと決めているらしく、グレープフルーツジュースを啜っている。水色のドレスを着て、髪に青い花をさして。

「それで?」

別のテーブルで笑い声が上がった。午前中からワインを飲んでいる人々、香水の匂い。

シリアスな話をするのにぴったりの賑やかさだ、と、茉莉は思った。

「あの土地を、買いとってほしいの」

言ってしまうと、すうっと気が楽になった。椅子の背にもたれ、志津夫を見つめる。

「母の庭なんか買うより、ずっといい投資だわ。庭と違って、利益が見込めるんだもの」

志津夫は何も言わない。茉莉はじれて、身をのりだした。

「最初はあなたを、お金持ちの息子だと思ってた。だって、博多で青山っていったら大地主だもの。でも、その地主の資産なんて何でもないくらい、あなた自身がお金持ちなんだってことがわかった。あの贅沢なアパルトマンの他に、パッシーに邸宅を持ってるんでしょう？　トロワには別荘もあるって、タケオが言ってた。奥さんの家系は途方もない資産家。あなたの絵は、一枚が何千万円もする。あたしには絵はわからないけど、そんな法外な値がつくっていうことは、あなたには才能があるっていうことでしょう？　その才能が本物なら、お金なんていくらでも稼げるわけじゃないの」

言葉がつぎつぎ口をついてでた。説得するというよりも、思いをぶつける結果になった。茉莉自身はもとより、柴田家の人間にも、藤原さんにも、新にもできないことが、志津夫にはできるという理不尽――。

「ガソリンスタンド」

聞いたことのない単語を口にするみたいに、ゆっくりと、志津夫は言った。

「それを僕が買うかもしれない、と？」

微笑んだ志津夫は、どこか疲れた顔をしていた。

「女性にはいろいろねだられてきたけど、ガソリンスタンドというのは初めてだな」

足を組み、片方の膝頭を抱くように、両手の指が組み合わさっている。

「買えないし、買わない。あなたにはわかっているはずだ」

軽い口調ではあったが、声に苛立ちが滲んでいた。

「御主人のことは気の毒だと思います。でも拘泥すべきじゃない」

茉莉は志津夫から目をそらした。そうしなければ、惨《みじ》めさに泣きだしてしまいそうだった。

「僕は拘泥することが嫌いでね。大切なのは生きのびることだ。生きのびるのは、おお事です。金があろうとなかろうとね」

茉莉はわめきたい衝動に駆られた。立ち上がり、テーブルの上のものを片端から床に投げつけて、足を踏み鳴らし、そんなことはわかっている、と、泣き叫びたかった。

「兄も」

かわりに茉莉は言った。顔を上げ、もう一度志津夫をまっすぐに見る。屈辱的な気持ちだった。

「兄もいつも、あたしにそう言います。超然として、もっと遠くへ行けって」

志津夫はあごを引き、調べるように茉莉を見て、

「それは、いいアドヴァイスだ」

と、言った。眼鏡の奥の目に、おもしろがるような表情が戻っていた。

11

暑い。地下鉄からでると、茉莉は日ざしに目を細め、腕で額の汗をぬぐった。出口さえまちがえていなければ大丈夫。ファストフード屋の前を過ぎて、公園の柵ぞいに曲がり、オフィスビルのならぶ通り——一軒だけ、緑色のひさしを張りだしたインド料理屋がある——をまっすぐに歩き、旅行代理店らしい店の角を入ると、細い石畳の路地だ。それを抜けると広い道にでる。

「ヴォワラ《ほらね》」

満足の息を吐き、茉莉はつぶやく。一人でここに来るのは、これで三度目だ。右を向き、しばらく歩くと、ポスト・デサンス——ガソリンスタンド——があった。

紺色の乗用車が一台置いてあるが、誰も乗っていないし、そばに店員もいない。スタンドは、眠ったように静かだ。洗車か点検のために、預けられている車なのだろう。茉莉はそう見当をつける。

建物自体も防火塀も、ペンキを塗ったばかりみたいに真白だ。コンクリートの地面には、日なたと日陰がくっきりした模様をつくっている。

サインポール、キャノピーと呼ばれる天井部分、油を分離させる排水溝。おなじだ、と、茉莉は思う。オーライ、オーライ、オーライ。首に筋を浮きださせて、小田くんの言うのが聞こえる気がした。ボロ布で手を拭いている藤原さん、きびきびした動作と笑顔の美しい始は、接客の途中でも、茉莉に的確な指示をだして安心させてくれた。あの家の日常――。裏側にある家の中では、あさが夕食の下ごしらえをしている。小さなテレビがついていて、巨大なぬいぐるみが動いたり喋ったりする子供番組を、小さなさきが見ている。ありふれた日常――。

「ボンジュール」

青い作業服を着て、大きな歩幅で近づいてきた店員は、しかし始ではなかった。何か御用ですか、という表情で、茉莉の真ん前に立つ。

「見てただけ」

英語で言うと、店員は首をすくめた。外国人だろうか。茉莉は思った。髪も肌もつやつやと黒い。

「旅行者？」

英語で訊かれ、イエスとこたえた。相手がなおも茉莉を見つめるので、たじろいだ。

「前にも見たことがある」

にこりともせずに言う。不審がられているのだろうか。危険物を取扱っているのだから、危険な人物――酔っ払いだろうと、悪ガキだろうと――を近づけてはいけない。始の父親が、よくそう言っていたものだ。小柄で、無口で、働き者だった始の父親。

「以前、ガソリンスタンドで働いていたことがあるの」

説明のつもりで、茉莉は言った。

「いつ？」

打てば響く早さで質問が返った。

「今年の二月まで」

沈黙ができた。空は青く、あたりにはあいかわらず他に人もいない。

「それで？」

尋ねられ――それは、茉莉には詰問のように思えた――、考えたが、返答は思い浮かばなかった。事故や、スタンドの閉鎖、失われた家族のことなど、この男に話せるはずがない。

「それだけよ」

踵《きびす》を返した茉莉の背中に、男の声が被った。

「どこから来たの？」

茉莉は返事をしなかった。返事を求められた質問ではないような気がしたからだ。地下鉄の駅に向け、足早に歩く。

ウェア　アー　ユー　フロム？

パリに来て、幾度そう尋ねられただろう。茉莉にそう尋ねた人の多くも、また外国人だった。外国人の多い街だ。みんなどこからか、そしてどういうわけか、やってきてここにいるのだ。

青山志津夫の妻に会ったのは、数日後のことだった。昼寝のあと、台所でジン・トニックをのんでいると、無人のはずの居間から、音楽がきこえた。それまでこの家のなかできいたことのない類の、古めかしくて懐しいシャンソンだった。感傷的なピアノにのせて、情感たっぷりの女性の声が、パルラ　ダム、と歌い始める。グラスを手に持ったまま、茉莉はしばらくそれを聴いていた。目を閉じて、裸足で。新が、たしかこれとおなじレコードを持っていた。休日の朝、子供たちなどそっちのけで、喜代と新は、二人で音楽を聴いていた。

居間の扉は、いつものように大きく開け放たれ、真鍮《しんちゅう》の、装飾的なかたちをしたストッパーで固定されていた。のぞくと、背の高い女性が立っていた。濃い茶色の長い髪、透けそうに白い肌、タイトスカートからのびた、子鹿みたいに細い脚。まるで、この部屋の調度の一部みたいだと茉莉は思った。たっぷりとドレープをとった暗色のカーテンとか、床置式の、大きな振り子時計とか。重厚で贅沢で、美しいが目立たない。はじめから、この部屋にあるべきもののような存在感だ。

肩に手が置かれ、同時に、

「紹介しましょう」

という声がきこえた。志津夫は茉莉の横をすり抜け、妻を軽く抱擁すると、頬に頬をつける挨拶をしながら、艶《なま》めかしい（と茉莉には思える）フランス語で何やらながながと囁いた。

茉莉はぽかんとそれを見ていた。絵のように美しい二人を。裸足で。色あせたTシャツにゆったりしたコットンパンツ、という、昼寝用の恰好で。男の子のように短い髪は、寝乱れてくしゃくしゃなはずだった。

フランス語と日本語を両方使って、志津夫は妻に茉莉を、茉莉に妻を紹介してくれた。そのあいだ、まるで、妻が一人では立っていられない子供か老人か病人ででもあるかのように、志津夫は彼女の背を支えていた。不仲だという噂《うわさ》があることを思いだし、茉莉は興味深く思った。

「はじめまして」

目の前の女性の、非の打ちどころのない装いと態度――淑女然としたふるまい――に気圧《けお》されながら、茉莉は言った。シモーヌ――というのが彼女の名前であることがわかった――はかすかな笑顔をつくったが、一瞬のちにはそれさえも消え、いま笑顔を見た気がするのは錯覚だったかと思われるほどだった。茉莉にはほんの一瞥《いちべつ》をくれただけで夫に向き直り、シモーヌは低い声で、

「エレ・ミニョンヌ」

と言った。かわいいって、と、志津夫が通訳をしてくれたが、シモーヌのそれは、なんだか犬か猫を見た感想みたいな言い方だ、と、茉莉は思った。夕方の日が斜めにさし込む居間を、シャンソンが満たしている。シモーヌは依然として肘《ひじ》を志津夫に支えられながら、何か――誰か友人のことらしい――早口でまくしたてている。髪を振ったり手を動かしたりするたびに、彼女のまわりの、香水の匂いの空気が動くのがわかった。

茉莉はそっと部屋をでた。夫婦のうちのどちらも、もう茉莉には注意を払っていないようだった。

どう思う？

その夜、さきと風呂に入りながら、茉莉は胸の内で惣一郎に話しかけた。

シヅオとシモーヌ、仲がいいのかな。シモーヌって、ちょっと感じ悪かったよねえ。

惣一郎は何も言わない。ただ、愉快そうな気配だけがする。それは茉莉を安心させた。見守られていると感じる。さきと二人、白いぴかぴかの、猫足のバスタブのなかで。

「このきれいかお風呂場とも、もうじきお別れやね」

茉莉はさきに言った。

「博多、恋しかね?」

さきのふっくらした体を、湯のなかで抱き寄せる。うしろから抱き寄せて、濡れた衿《えり》足《あし》に唇をつけた。

「おじいちゃんのうちとか、保育園とか」

さきは身をよじってくすぐったがり、迷惑そうに首と耳を小さな手でこする。

「さきのおうちがよか」

と、言った。

「さきのおうち?」

わかっていた。わかっていたが、たぶん確かめたくて、茉莉は訊き返した。どのくらい憶えているのだろう。

さきはこたえない。茉莉から離れ、茉莉を見上げる。しわもしみも汚れも、なんにもついていない健やかな顔で。なんて大きな目なのだろう、と、茉莉は思う。大きな目に、心配そうな表情をたたえている。

「どうしたと?」

尋ねると、さきは横を向いた。

「さきたち、またおじいちゃんのうちに行くと?」

胸に湧いたのは痛みだった。ウェア　アー　ユー　フロム?　茉莉は、さきもろともみなし子になったような気がした。

「そうよ。帰るったい」

努めてあかるい声で言った。いい匂いの石鹸《せっけん》を泡立て、さきの体につるつるとこすりつける。

もっと遠くに行くんだ、という惣一郎の声が、茉莉にはたしかに響いて聞こえた。

「あなたに会いに来たんだと思いますよ」

シモーヌの突然の訪問について、志津夫がそう言ったのは、セーヌ川ぞい、ルーヴル美術館の対岸を歩いているときだった。

「あそこには滅多に来ないのに、そうでなきゃ説明がつかない」

おもしろがっているふうに言う。

「説明がつかないって、夫婦なのに、へんな言い草」

茉莉が言うと、志津夫は認めて、笑った。アトリエでの仕事のあと、さきをリジーが見てくれているうちに、幾つか土産物を買いたい、と言った茉莉に、志津夫は「散歩がてら」つきあってくれた。シテ島のお菓子屋で、あさと七に色とりどりのお菓子を、カルチエ・ラタンのレコード屋で、新にレコードを、買った。ぼんやりと曇った、真昼。もうすこし歩くと、フィリップの働いているカフェがある。

「まあ、いろんな夫婦がありますよ」

志津夫は言った。

「シモーヌは誇り高いけれど、好奇心には勝てなかったんだろうな。あなたについては、いろんな噂が耳に入ってくるだろうから」

噂。街路樹の一本ずつにいちいち手を触れて幹の感触をたしかめつつ歩きながら、茉莉は考える。どんな噂だろう。それでなくても、志津夫のまわりは噂だらけなのだ。パッシーの本宅で奥さんと暮している男性は、志津夫の学生時代の親友である、とか、エミが志津夫に執心なのは、かつて恋人だったシドニーを、志津夫に奪われたからだ、とか。どれがほんとうでどれが嘘なのか、茉莉には無論見当もつかない。

「次は、そうだな、十二月はどうです？　それまでにキャンバスの準備をしておきます」

ふいに志津夫は話題を変え、そんなふうに言った。

「冬のパリもいいですよ。食いものがいい」

「冬？　またモデルをするんですか？」

おどろいて、立ち止まった。志津夫も立ち止まり、おどろいた顔をする。

「もちろんそうです。こんなに短期間で僕のモデルを終えられると思ってたんですか？」

茉莉は返答に窮した。

「ごめんなさい。何も考えてなかったんです」

正直に言った。

「誘っていただいたときは実家に戻ったばかりで、居場所がないような気がしていて――」

言葉を探し、みつけた。

「――まず、飛び込んだの」

それを聞くと、志津夫は朗らかな声を立てて笑った。

「いいなあ。かまいませんよ、それで。飛び込んだのなら、あなたはもう水のなかだ」

セーヌ川を指さす。茉莉は自分がカエルにでもなった気がして、くすくす笑った。不思議だ、と、茉莉は思う。志津夫と話していると、ときどき、惣一郎と話しているような気持ちになる。線の細い横顔が似ているからだろうか。

十二月。茉莉は考える。たった四カ月後なのに、自分とさきがどこで何をしているのか、想像もつかない。

部屋に帰ると、さきが絵をかいていた。お別れの贈り物に、志津夫とリジーにあげるのだという。床にクレヨンが散らばり、力強く色を塗られた画用紙から、ロウに似た匂いがしている。

「トレ・ビアンだわ」

茉莉は言った。

帰国は八月の末に決った。日本に昼過ぎに着く夕方の便を、志津夫が予約してくれた。前日の夜には、サロンの人々がささやかなパーティ——もっとも、あそこでは夜毎パーティがひらかれているようなものなのだが——を計画してくれている。おしゃれをしておいで、と、シドニーには言われている。

買ってきた土産物をクロゼットにしまいながら、茉莉は、ここを去りがたく感じている自分に気づいた。それがパリへの愛惜ではなくて、帰国への恐怖であることにも。始のいない福岡には帰りたくなかった。どこを見ても始との思い出だらけの、あの街では息ができない。

ここに来たときは、逃げだしたい一心だった。ガソリンスタンドをとり壊さずにすむのではないか、という期待にすがってもいたが、ほんとうは、無理だと知っていたような気もした。

「さき」

呼ぶと、さきはクレヨンを握りしめたまま顔を上げた。

「何《なん》？」

「一度福岡に帰って、おじいちゃんやあさおばあちゃんに御挨拶ばして、それから二人で東京に行こうか」

ずっと考えていたことではなかった。ふいに思いついたことだ。しかし実際に口にだしてみると、それはとても自然なことだと思えた。

「東京？」

さきはきょとんとする。

「保育園は？」

「東京にもあるくさ」

ほんとうにひさしぶりに、茉莉は身内に力が湧くのを感じた。新しい視界がひらけ、前に前に進んで行かれそうな。

「ママ、昔東京に住んどったとよ」

さきを抱きあげ、ベッドに坐らせる。

「だけん大丈夫。知っとうと。それに、うんと遡《さかのぼ》れば、おじいちゃんも東京の人やったとよ。いなくなっちゃったママのママも」

口調が熱を帯びるのを、茉莉は自分で止めようがなかった。さきは怯《おび》えたように母親の顔を見ている。

「東京にはお店がたくさんあるけん、探せば仕事はみつかると思うったいね」

サロンだ、と、思った。バーとかクラブとか呼ばれる場所で、人々にお酒をのませる仕事。接客は得意だ。ガソリンスタンドでもそうだったし、洋菓子屋で働いていたときも、映画館でもぎりをしたときも。吐くとか寝るとか嬌声を上げるとか、酔った人の扱いにも自信がある。それは主にここでの経験だったが、遠い日々、隆彦もよく酒に酔って暴れた。

「さき、いややん」

いまにも泣きだしそうな顔と声で、さきは言ったが茉莉はとりあわなかった。始と、あの雨の夜の事故と、それにまつわるすべての出来事と記憶から、遠く隔たった場所と生活。

「いややもん。おうちがいいもん」

蚊の鳴くような声でさきはくり返す。

「心配せんで。ママとさきはずっと一緒やけん」

ひざまずき、さきのもっちりした足に指で触れた。触れながら、茉莉は生れてはじめて、自分を喜代に似ていると思った。ある日突然飛行機に乗って、イギリスにでかけた喜代。残された者の気持ちなど知らぬ顔で、身勝手に、強引にいなくなってしまった。しかしあの喜代もまた、愛する者を突然に——そして永遠に——失い、四方を思い出に囲まれ、身動きできなかったのだろうといまならばわかる。前へ前へ、それでも何とかして進もうと、必死だったのかもしれない。

「ママのママはね、ずっと昔、銀座のビヤホールで働いとって、そこでおじいちゃんと出会ったらしいとよ」

さきの隣に腰掛け、茉莉はゆっくりと言った。

「まだ、ママも生れとらんころのことやけどね」

手をのばし、サイドテーブルに置かれたガラスの器から、ボンボンを一つとりだす。赤と白の包み紙。

「さき、銀座に行ってみたかね？」

尋ねられ、さきは目に、みるみる涙をわかせた。唇がふるえている。

「行かん」

首をふり、声をだすと同時に涙が落ちる。

「さきはおうちに帰る。おうちがいいっちゃもん」

でも、さきにも自分にも、我家と呼べる場所はもうないのだ。すくなくとも、さきの記憶にあるような家や家族は。

「きょうはリジーと何して遊んだと？」

茉莉は話題を変えた。ボンボンの紙をむき、白くまるい中身をさきに手渡す。

「新しいフランス語ば習ったんやったら、ママにも教えてん」

さきはボンボンも食べず、返事もしなかった。傷ついたような表情で、ただベッドに坐っている。

「いややん」

ようやく聞きとれるほどの、小さな声で、まずそう言った。

「いややもん」

かん高い声で叫ぶと、おどろいて見つめる茉莉の目の前でボンボンを壁に投げつけ、ベッドにつっぷして泣きだしてしまった。

12

帰国の前日、茉莉は再び「徳川」の暖簾をくぐった。もう一度九の顔を見て、七への言伝《ことづて》でもあれば預かろうと思ったのだが、九は非番だった。昼時で、店は混雑していた。カウンター席に通され、一人で鮨をつまんだ。きっちりと握られた、シンプルな鮨だった。威勢のいい声をかけ合いながら立ち働く従業員たちを眺めていると、彼らとおなじ白いうわっぱりを着た、三カ月前の九の姿が思いだされた。この異国の地にしっかりと根を下ろし、家族を養っている九。九と暮し、九の子供を産んだ女性というのはどんなひとだろう。

この街にはいろんな外国人がいる。中華デリで働いているメイや、サロンに集る日本人留学生たちや、ガソリンスタンドにいた黒人の男性や。九や志津夫だってそうだ。人は、そんなふうにも生きられるのだ。茉莉は、三カ月前に訪れたときとは違う目で店を見ている自分に気づく。筆文字の書かれた大きな湯呑みも白木のカウンターも、あの日と変らず目の前にあるのに。

「九に何か、伝えましょうか？」

年嵩《としかさ》の板前が、わさびをおろす手を止めて訊いた。

「いいえ、いいんです」

茉莉は微笑み、濃緑の、熱いお茶をのんだ。

「あした日本に帰るので、挨拶に寄っただけです。元気でって言って下さい。このあいだは、会えて嬉しかったって」

短い再会ではあったが、なつかしかった。毎日一緒に遊んでいた人間が、すっかり様変りして、でもこうしてどこかで逞《たくま》しく暮していることを知るのは、嬉しく心強いことだった。

「ごちそうさま」

おもてにでると、茉莉は夏の空気を思いきりすいこんだ。ほんの少し排気ガスのにおいのまざった、パリの街の空気。さきの待つアパルトマンに向って、大きな歩幅で歩き始める。

しゃくにさわることに、あの日、さきを泣きやませたのは志津夫だった。東京に住もうか、と提案した途端に泣きだしたさきは、ほとんど悲鳴のように甲走った声をあげてベッドにつっぷして、なだめても叱っても大人しくならなかった。隣に腰をおろして、小さな体に触れようとすると、気性の荒い動物みたいに猛々《たけだけ》しく、茉莉の手を振り払った。

部屋にとびこんで来た志津夫は、さきが怪我でもしたと思ったのだろう。驚くというより慌てていた。

――シヅオ。

さきが言い、志津夫の首にしがみついたときの、苦い衝撃――実際、茉莉はぎょうてんした――は忘れられない。泣きぬれた目と湿った声と、抱きつくしぐさがあまりにも女っぽかったからだ。

――こんなに小さい人を、こんなに興奮させちゃいけないな。

さきの背中を軽くたたきながら、そう言った志津夫の声には微笑が含まれていた。何にせよ怪我ではない、とわかって、眼鏡の奥の目には、おもしろがるような気配さえ浮かんでいた。茉莉は腹が立った。興奮させたわけではない。勝手に興奮したのだ、と思う。

いつも地下鉄に乗るセーヴル・バビロン駅を過ぎ、一度お茶をのんだことのある、小さくて瀟洒《しょうしゃ》なド・ラベイホテルの前を通る。リュクサンブール公園の近くで、パン屋さんの近く。外観はそっけないが、内部に贅の凝《こ》らされた、青山志津夫のアパルトマン。たった三カ月で、もうすっかり見知った気のする近道を歩きながら、茉莉は、やはりこのたった三カ月で、にわかに我が強くなったように思えるさきについて考える。東京になど行かないと言い張ったさき、志津夫の首にしがみついて泣いたさき。

――おにいちゃんやないと、やだ。

惣一郎の言うことしか聞かなかったかつての自分自身を思いだし、複雑な思いで茉莉は苦笑した。始の忘れ形見であり、惣一郎の姪であるさきが、始も惣一郎もいないこの世で、生きていかなければならない。

先に死ぬなんてずるい。

茉莉は胸の内で言った。この街や道や光や、空や木や壁や建物や、いま確かにここに在るものたちを、始や惣一郎と共有したかったと心から思った。

その夜のパーティは、歓送会ではなく歓迎会だった。ともかくアンヌとタケオはそう言ったし、主役である茉莉とさきは、そのアンヌの手で、胸に大きなコサージュをつけさせられていた。

「あなたがここに、すぐ戻ってくるように」

アンヌが言い、

「これはいわば、固めの盃」

と、タケオが言った。

「すくなくとも絵が完成するまでは、あなたを歓迎するってこと」

シャンパンをだらしなく——と、茉莉には思えるやり方で——啜りながら、エミも珍しく日本語を使った。音楽と、葉巻および紙巻煙草の煙のなかで、始まりも終りもなく一人ずつが勝手に酒をのむ、という、彼らのいつもの作法に変りはなかったが、誰もが茉莉に一言声をかけてきた。マーラーがかかっていたかと思えばセロニアス・モンクがかかり、ホセ・フェリシアーノが苦しげにギターをかき鳴らしているかと思えば、いきなりU2がかかったりもする。

何人かは、茉莉にキスをしに来た。挨拶以上の意味はないとわかってはいても、フランス語で何事か囁かれ、肩を抱かれて、頬や、時には唇に、ふわりと押しあてられるつめたくやわらかい唇に、茉莉はどぎまぎした。

「いい気分！」

大きな声で、何度も言った。本心だった。友情とさえ呼べないつきあいだが、だからこそ、一人一人を茉莉は好きになっていた。一人一人が別々で、まるで連帯感のない仲間。大切なのは酒であり場所であり、けれどその場所をつくっているのは紛れもなく彼ら自身だということの不思議。

「マリー、マリー、マリー」

出来の悪い学生に小言を言うときのような声が聞こえ、ふり向くと、仏頂面《ぶっちょうづら》のシドニーに強く抱擁された。

「一体何だって日本に帰ったりするんだろうね。正気とは思えん。あんな経済虫たちの国に」

茉莉は笑い、抱擁を返した。新と同じくらいの年齢のシドニーの背広は、いつもなつかしい匂いがする。

「来たこともないくせに」

茉莉は言い返す。

「行かなくてもわかるさ」

茉莉のグラスが空であることに気づき、新しいシャンパンをあけてくれながらシドニーは言った。

「わからないわ。どんな場所も、行ってみなくちゃ絶対にわからない」

茉莉はこたえた。笑顔で、自信を持って。

スカートをひっぱられ、見るとさきが立っていた。

「見てん。これ、もらったっちゃが」

左手に、指人形を二つつけている。白い羊と、黒い猫だ。

「まあかわいらしかね。誰にもらったと?」

「リジー」

さきは眠そうな顔をしている。十時を大きくまわっていた。それでも、大人たちの集りに興奮してか、いつものように抱っこをねだることもせず、猫のついた指を不器用に動かして、

「シャ、ノワール」

と、言った。

「こっちはねえ、こっちは、ええと、忘れてしもうた」

茉莉の太腿に片手をまきつけ、さきはいきなり、

「リジー!」

と、呼んだ。

「ケスクセ《これ何だっけ》?」

ムートン《羊》、と教えてくれたのはシドニーだった。さきのたどたどしいフランス語は、周囲の微笑をさそった。頭をなでられたり声をかけられたりして、さきは困惑顔をする。茉莉は娘を誇らしく思った。

いつものようにヴァイオリンを抱え、外気の匂いをたっぷりと纏《まと》って、自転車のせいで髪を乱し、フィリップが登場したのは深夜を過ぎてからだった。さきはすでに寝室にひきあげており、茉莉はビールをチェイサーに、白ワインを浴びるほどのんで酔っ払っていた。

「きょうはオールスターキャストね」

覚束《おぼつか》ない足どりで、伸びあがって頬に頬をつける。フィリップ、アンヌ、エミ、シズオ、シドニー、タケオ、リジー、茉莉。姓を持たない、陽気な人間たち。

「飛び込んできた茉莉に」

最初のシャンパンをあけたときに、グラスを掲げてそう言った志津夫は、あとは普段と変らず、客が楽しんでいる様子を満足げに眺めながら、喋ったりのんだり、しばらく席をはずして自室にひきあげたり、していた。

「ここに来られて嬉しかったわ」

喧噪のなかで、ようやくつかまえた志津夫に、茉莉は言った。

「さきにもすごくよくしてくれて、ありがとう」

志津夫はわずかに眉を上げ、

「素直すぎて気味が悪いな」

と、こたえた。

「おだてても、ガソリンスタンドは買いませんよ」

フィリップがアラビア風の曲を奏で始め、皆が喝采して茉莉とエミに道をあけた。無論、パリに来るまでの茉莉はベリーダンスなど見たこともなかったが、この部屋で、そして皆と繰りだしたレストランで、エミが踊るのを見て覚えた。以来、アラビア風の曲は茉莉の十八番なのだ。単純なリズムとユーモラスな抑揚、決して前面にはでてこない、土っぽい哀感。手足を大きく動かして踊ることも、茉莉の気に入っている。ぷらっらっらっらぷらぱあら、ぷらっらっらぷらぱあら。


最後には芋焼酎の封まで切られ、パーティは明け方まで続いた。遠からず戻ってくることがわかってもいたので湿っぽさはなく、茉莉の目には、むしろ皆がそれぞれ勝手な理由で、茉莉とは無関係に酔っ払っているように見えた。そして、それが愉快で居心地のいい空気をつくっているのだと思えた。

翌日、茉莉は昼近くまで眠った。奇妙な夢を見たが、どんな夢だったのかは断片的にしか思いだせなかった。惣一郎がでてきたことだけは憶えている。それに九も。惣一郎はかなしそうな顔をしていた。

こいつ、無茶ばかりする。

そんなふうに言った。子供のままの惣一郎と、大人になった九が一緒にいることが奇妙に思えた。自分もそこにまざりたい、という、かすかな嫉妬を感じた。そんな夢だった。

茉莉は宿酔《ふつかよい》というものを経験したことがない。どんなに深酒をしても、一晩ぐっすり眠れば元気になってしまう。

「おはよう」

それで、元気にさきに言った。快晴。きょうは、夕方の便で日本に帰るのだ。

とうに起きて、台所でメイドにクラッカーと牛乳をもらったらしいさきは、その朝食を部屋に持ち込んで、床にすわって食べたり弄《もてあそ》んだりしているところだった。そこらじゅうにクラッカーのくずが散らかっている。二つの指人形も。

「どうしたと？」

返事をしないさきに、茉莉は訊いた。

「ママにおはようって言ってくれんと？」

さきは目をまるくして、ベッドの上の茉莉を見ている。あるいは、茉莉の横の空気を。

「びっくりした」

ややあって、さきは口をひらいた。

「おはようって言おうとしたっちゃけど、ママの横に誰かおるかと思っちゃったと」

「誰かって？」

「男の子」

とり肌が立った。しかしさきは怯えた様子もなく、クラッカーを積み上げる作業に戻った。

「男の子？」

訊き返す声が震えた。

「見えたと？」

さきはこたえない。クラッカーの端を口に入れ、しゃぶったものをまた皿に置いた。

「ちがうっちゃん」

小さい声で言う。

「おると思ったと。でもおらんくなった」

「それじゃわからんやん」

口にしてすぐ、咎《とが》めるような口調になったことを後悔した。

「やさしそうな、頭のよさそうな男の子やったっちゃろう？」

愉しそうな口調をつくり、茉莉は笑顔で言うと、さきの頰を両手ではさんだ。

「ちょっと待っといてね。ママはシャワーを浴びてくるけん、そのあいだに牛乳をのんでしまいいね」

さきは大人しくうなずいた。


荷物は、来たとき同様、少かった。茉莉はさきに、この街で買った水色のスモックドレスを着せた。

「また来られると？」

志津夫やリジーと別れることが淋しいらしく、空港に向うタクシーのなかで、さきは茉莉にそう確かめた。

「もちろんだよ。飛行機に乗ればすぐなんだから」

茉莉がこたえるより早く、志津夫が言って、さきの手をぽんぽんとたたいた。あけた窓の外の景色に、すでに秋が始まっていた。青いまま落ちて乾いたポプラの葉、それが道路を転がる音。澄んで青い空と、湿度の低い風の匂い。

帰ったら、さきを連れて東京に行くことに、茉莉は心を決めていた。とりあげられてしまったものを嘆くのではなくて、過去にしがみつくのではなくて――。

数日前、アトリエでそれを話すと、志津夫は祝福してくれた。「修業先」を紹介してくれるとも言った。ただし、「銀座」案は一笑に付された。どこでもいい、と茉莉は思う。

——どんな職業でも、大切なのは実力と人格です。それがあれば、何も恐れることはない。

そう言った志津夫は——。座席の背にもたれ、タクシーに揺られながら茉莉は考える。そう言った志津夫は、自分の言葉がどれ程茉莉を勇気づけたか、気づいているのだろうか。

——でも、何の資格もなくて雇ってもらえるのかしら。

尋ねた茉莉に、志津夫はしかめつらをしてみせた。

——十七、八みたいなことを言うね、いい大人が。

茉莉は目を閉じて息を深く吸った。隣で、さきは指人形を動かしながら志津夫と何か話している。

帰ったらまず、始の墓参りに行こう、と、茉莉は思った。パリでの出来事を報告し、東京に行くことも告げよう。始以外の人間を愛することは絶対にないから、心配しないでと言おう。

ついうとうとしたらしい。気がつくとシャルル・ド・ゴール空港に到着していた。

別れの挨拶は苦手だ。志津夫もそうであるらしく、ゲートインにはまだ大分間があったのだが、チェックインだけ済ませたら帰るからと言った。

「別れ際のお茶というのはどうもね、性に合わなくて」

茉莉はうなずいた。チェックインカウンターの列にならぶ。カートにのせるまでもない荷物は、志津夫が足元に置き、茉莉はさきの手をひいていた。恋人同士でもないのに、空港で言葉少なになる自分たちを、茉莉は奇妙だと思った。

「中でカフェに入ったら、一人でジュースが頼めるかな？」

さきを抱き上げ、志津夫が訊くと、さきは嬉しそうに笑った。

「頼める。ジュドランジュ、シルヴプレ」

この人は何て軽々とさきを抱くのだろう。男の人にしては細い腕をしているのに、片腕だけで、曲げた肘にさきを乗せるようにして――。

そのときだった。ふいに視線を感じ、ふりむくと、カートを連ねた日本人観光客の一団の向うに、頭一つ分くらい背の高い日本人男性の姿が見えた。淋しげな表情で、茉莉をじっと見つめている。

九ちゃん。

口にだしてつぶやいたのか、胸の内で叫んだのか、わからない。ほんの数秒だった。次の瞬間にはもう、九はターミナルの外に駆けだしていた。

「どうかした？」

茉莉の視線を追って振り返った志津夫が、さきを床に下ろしてから訊いた。動悸《どうき》がする。

「知ってる人がいたの。友達で、きのう会いに行ったんだけど会えなくて」

説明しながらも、確信が持てなかった。わざわざ見送りに来てくれたのだろうか。便名もわからないのに？　でももしそうならば、なぜ逃げるようにいなくなってしまったのだろう。

あいかわらずだ。

驚きが去ると、茉莉は微笑んだ。九はいつだって、茉莉にはわからない理由で、茉莉の目の前から走り去ってしまう。嬉しがらせたり、安心させたりしたあとで、突然——。そして、こんなふうにいたずらに動悸を起こさせる。

追いかけたい衝動に駆られた。

「パスポートを出して」

志津夫に促され、茉莉はカウンターに向きなおる。肩かけ鞄から二人分のそれをだし、くっきりと化粧をした地上乗務員の前に置いた。

この日、数時間後に九を襲う悲劇を、茉莉は無論知る由もなかった。

（下巻に続く）

作中の回文は、石津ちひろ著『ぞうからかうぞ』からの引用です。

初出誌　「すばる」二〇〇二年二月号～二〇〇七年八月号
本書は二〇〇八年十月、集英社より刊行されました。
文庫化にあたり、上下二巻として再編集しました。

集英社文庫

左《さ》岸《がん》　上《じょう》

2012年２月25日　第１刷　　定価はカバーに表示してあります。

著　者　江國香織《えくにかおり》
発行者　加藤　潤
発行所　株式会社　集英社
東京都千代田区一ツ橋2-5-10　〒101-8050
電話　03-3230-6095（編集）
03-3230-6393（販売）
03-3230-6080（読者係）
印　刷　大日本印刷株式会社
製　本　大日本印刷株式会社

フォーマットデザイン　アリヤマデザインストア　　マークデザイン　居山浩二

ISBN978-4-08-746795-6 C0193